*O perfume da folha de chá*

# DINAH JEFFERIES

## O perfume da folha de chá

Tradução
ALEXANDRE BOIDE

*11ª reimpressão*

paralela

Copyright © Dinah Jefferies, 2015

A Editora Paralela é uma divisão da Editora Schwarcz S.A.

*Grafia atualizada segundo o Acordo Ortográfico
da Língua Portuguesa de 1990, que entrou em vigor
no Brasil em 2009.*

TÍTULO ORIGINAL The Tea Planter's Wife

CAPA L Motley

LETTERING DE CAPA Bruno Romão

IMAGENS DA CAPA mulher © Jeff Cottenden; balcão © Corbis/ Fotoarena;
campo © Teradat Santivivut/ iStock

PREPARAÇÃO Diogo Henriques

REVISÃO Renato Potenza Rodrigues e Larissa Lino Barbosa

Dados Internacionais de Catalogação na Publicação (CIP)
(Câmara Brasileira do Livro, SP, Brasil)

Jefferies, Dinah
     O perfume da folha de chá / Dinah Jefferies ; tradução
Alexandre Boide. — 1ª ed. — São Paulo : Paralela, 2017.

     Título original: The Tea Planter's Wife.
     ISBN 978-85-8439-046-5

     1. Ficção histórica inglesa I. Título.

16-06987                                          CDD-823

Índice para catálogo sistemático:
1. Ficção histórica : Literatura inglesa  823

[2022]
Todos os direitos desta edição reservados à
EDITORA SCHWARCZ S.A.
Rua Bandeira Paulista, 702, cj. 32
04532-002 — São Paulo — SP
Telefone: (11) 3707-3500
editoraparalela.com.br
atendimentoaoleitor@editoraparalela.com.br
facebook.com/editoraparalela
instagram.com/editoraparalela
twitter.com/editoraparalela

*À memória do meu filho Jamie*

# Prólogo
## CEILÃO, 1913

A mulher levou o envelope branco e estreito aos lábios. Hesitou por um instante, parando para ouvir as notas dolorosamente doces de uma flauta cingalesa à distância. Considerando mais uma vez sua decisão, virou o envelope de um lado para o outro na mão antes de lacrá-lo e apoiá-lo em um vaso de rosas vermelhas que começavam a murchar.

O baú otomano antigo ficava ao pé da cama de quatro colunas. Era feito de madeira escura, com as laterais revestidas de cetim ondulado e uma tampa de couro estofado. Ela ergueu a tampa, pegou o vestido de casamento cor de marfim e pendurou no espaldar de uma cadeira, franzindo o nariz ao sentir o cheiro forte de naftalina.

Escolheu uma rosa, partiu o talo e olhou para o bebê, satisfeita por ele ainda estar dormindo. Diante da penteadeira, levantou a flor e a aproximou dos cabelos claros — finíssimos fios de seda, como *ele* sempre dizia. Ela sacudiu a cabeça e largou a flor. Hoje não.

Na cama, as roupas do bebê estavam arrumadas em pilhas aleatórias. Com a ponta dos dedos, ela tocou um casaquinho recém-lavado, recordando as horas que passara tricotando a peça até seus olhos arderem. Ao lado das roupas havia folhas brancas de papel de embrulho. Sem perder tempo, ela dobrou o casaquinho azul, ajeitou-o entre duas folhas de papel e levou ao baú com revestimento interno de zinco, colocando-o por baixo de tudo.

Todos os itens foram dobrados, acondicionados em papel de embrulho e depois acrescentados às demais camadas de gorros e sapatinhos de lã, pijamas e macacões. Azuis. Brancos. Azuis. Brancos. Por fim, vieram as fraldas de musselina e as toalhinhas de mão. Essas ela simplesmente dobrou no meio, e então, depois de tudo pronto, observou o que havia feito naquela manhã. Apesar de entender plenamente o que aquilo significava, o que viu não a incomodou.

Uma rápida olhada nas pálpebras agitadas do bebê revelou que ele estava prestes a acordar. Ela precisava se apressar. O vestido que escolhera naquele dia era feito de seda oriental em um tom de verde-água bem vivo, uma peça de cintura alta que chegava até pouco acima dos tornozelos. Era o seu favorito, e fora mandado de Paris. Foi o que usou na noite da festa, quando a criança certamente foi concebida. Ela hesitou mais uma vez. Vesti-lo naquele momento poderia parecer uma tentativa amargurada de provocar mágoa? Era difícil saber. Ela adorava aquela cor. Foi isso que disse a si mesma. Acima de tudo, estava a cor.

O bebê resmungou e começou a se agitar. Ela consultou o relógio, tirou o pequeno do berço e foi se sentar na poltrona de amamentação junto à janela, sentindo uma brisa fresca sobre a pele. Do lado de fora, o sol estava alto, e o calor começava a aumentar. Em algum lugar da casa, um cachorro latia e um cheiro inebriante de comida subia das cozinhas.

Ela abriu a camisola, revelando o seio branco com veias azuladas. O bebê se ajeitou e começou a sugar. Tinha uma boquinha bem forte, tanto que os mamilos dela estavam rachados e sensíveis. Para suportar a dor, era preciso morder o lábio. Tentando se distrair, olhou ao redor do quarto. Em cada um dos quatro cantos havia lembranças materializadas na forma de objetos: o banquinho entalhado vindo do norte; a cúpula do abajur que ela mesma bordou; o tapete da Indochina.

Quando acariciou a bochecha do bebê, ele parou de mamar, ergueu a mãozinha e, em um momento de beleza comovente, roçou os dedinhos no rosto dela. Era a ocasião perfeita para as lágrimas.

Depois de alimentá-lo, ela o deitou na cama enroladinho em um xale e, após se vestir, acomodou-o em um dos braços e deu uma última mirada ao redor. Com a mão livre, fechou a tampa do baú, jogou a rosa abandonada em um cestinho de lixo laqueado e passou a mão nas flores que restavam no vaso, derrubando as pétalas soltas, que flutua-ram por cima do envelope até caírem como gotas de sangue no piso de mogno encerado.

Ela abriu as janelas francesas, passou a vista ao redor no jardim e respirou fundo três vezes o ar perfumado pelos jasmins. A brisa ces-sara, assim como a flauta. Ela pensou que fosse ficar com medo, mas em vez disso se surpreendeu com uma bem-vinda sensação de alívio. Isso era tudo o que sentia, e já bastava. Então, com passos firmes, saiu andando, um passo inevitável atrás do outro. Quando deixou a casa para trás, deparou com um tom pálido de lilás: a cor da tranquilidade.

# PARTE I — A NOVA VIDA

# 1

CEILÃO, 1925, DOZE ANOS DEPOIS

Com o chapéu de sol em uma das mãos, Gwen se debruçou sobre a amurada coberta de sal e olhou para baixo outra vez. Ela estava observando as mudanças na coloração da água fazia uma hora, acompanhando a trajetória de pedaços de papel, cascas de laranja e folhas que apareciam pelo caminho. Agora que o mar mudara de um tom azul-turquesa para um cinza-escuro, ela sabia que não demoraria muito. Inclinando-se um pouco mais sobre a amurada, viu um pedaço de tecido de cor prateada boiar até sumir de vista.

Quando o apito do navio soou — alto, prolongado e muito próximo —, ela teve um sobressalto, tirando as mãos da amurada em um gesto apressado. A bolsa de mão de cetim, um presente de despedida da mãe, com uma alça delicada e bordada com contas, escorregou de sua mão. Ela soltou um suspiro de susto e estendeu a mão para apanhá-la, mas logo percebeu que era tarde demais. A bolsa caiu no oceano, flutuou um pouco na água suja e afundou, levando junto seu dinheiro e a carta com as instruções de Laurence.

Ela olhou ao redor e sentiu mais uma vez um desconforto do qual não conseguira se livrar desde que saíra da Inglaterra. Não existe lugar mais distante de Gloucestershire que o Ceilão, dissera seu pai. Enquanto a voz dele ecoava em sua mente, ela tomou um susto ao ouvir uma outra voz, claramente masculina, mas com um tom aveludado bastante incomum.

"Nova no Oriente?"

Acostumada com o fato de seus olhos azul-violeta e sua pele clara sempre chamarem a atenção, ela se virou. O sol forte a obrigou a estreitar os olhos.

"Eu... sim. Estou vindo encontrar meu marido. Somos recém-casados." Ela respirou fundo, interrompendo-se antes que acabasse por contar a história toda.

Um homem de ombros largos e estatura média, com um nariz proeminente, a encarava com reluzentes olhos cor de caramelo. Quando se viu diante das sobrancelhas pretas, dos cabelos crespos e da pele escura e bronzeada, ela não conseguiu continuar falando. Ficou imóvel, um tanto desconcertada, mas ele abriu um sorriso simpático.

"Pois teve sorte. Em maio o mar costuma estar bem mais agitado. Um plantador de chá, creio eu", ele falou. "Seu marido."

"Como o senhor sabia?"

Ele abriu as mãos. "Algumas coisas são bem típicas."

Ela olhou para seu vestido bege: a cintura era baixa, mas o decote era alto e as mangas, longas. Não queria parecer "típica" de nada, mas se deu conta de que devia parecer deslocada ali, com sua echarpe de chiffon enrolada no pescoço.

"Eu vi o que aconteceu. Lamento muito pela bolsa."

"Foi uma estupidez da minha parte", ela falou, torcendo para não estar toda corada.

Caso fosse um pouco mais parecida com Fran, sua prima, poderia continuar puxando conversa, mas, em vez disso, imaginando que o assunto estivesse encerrado, virou-se para observar a aproximação do navio do porto de Colombo.

Acima do burburinho da cidade, um céu azul-cobalto se estendia até a extensão das montanhas arroxeadas, as árvores produziam sombras espessas e o ar era preenchido pelos gritos das gaivotas que rodeavam as pequenas embarcações que se acumulavam na superfície da água. A emoção de fazer algo tão diferente tomou conta dela. Estava com saudade de Laurence e, por um momento, chegou a sonhar com ele. Nos sonhos, tudo saía às mil maravilhas, mas a realidade era repleta de sensações que lhe provocavam um frio na barriga. Ela respirou fundo para inalar o que esperava ser um ar impregnado de sal, e se surpreendeu com um aroma muito mais forte e marcante.

"O que é isso?", ela perguntou ao se virar de novo para o homem, que, conforme imaginava, mantinha-se imóvel no mesmo lugar.

Ele inspirou profundamente. "Canela, e talvez sândalo."

"Tem alguma coisa doce também."

"Jasmins. Existem muitas flores no Ceilão."

"Que ótimo", ela comentou. Mas sabia que não era só isso. Por trás dos aromas sedutores, havia um odor azedo e desagradável.

"E um sistema de drenagem insatisfatório, infelizmente", o homem completou.

Ela balançou a cabeça. Talvez fosse isso.

"Eu ainda não me apresentei. Meu nome é Savi Ravasinghe."

"Oh." Ela se interrompeu. "O senhor não... Quer dizer, eu não vi o senhor à mesa do jantar."

Ele fez uma careta. "Não sou um passageiro da primeira classe, foi o que a senhora quis dizer, creio. Sou cingalês."

Só então ela notou que o homem estava do outro lado da corda que separava as diferentes classes de viajantes. "Ora, é um prazer conhecê-lo", ela falou, tirando uma das luvas brancas. "Sou Gwendolyn Hooper."

"Então deve ser a nova esposa de Laurence Hooper."

Ela acariciou a enorme safira do Ceilão encravada na aliança e confirmou com um aceno surpreso de cabeça. "O senhor conhece meu marido?"

Ele inclinou a cabeça. "Já conheci seu marido, sim, mas creio que infelizmente preciso ir."

Ela estendeu a mão para cumprimentá-lo.

"Espero que seja muito feliz no Ceilão, sra. Hooper."

Ele ignorou o cumprimento, e ela deixou a mão cair para junto do corpo. O homem pressionou as mãos uma contra a outra junto ao peito, com os dedos para cima, e fez uma leve mesura.

"Que seus sonhos se realizem..." Com os olhos fechados, ele ficou imóvel por um momento, e então se afastou.

Gwen ficou um tanto desconcertada com aquelas palavras e com o estranho gesto de despedida, porém, como havia coisas mais urgentes com que se preocupar, deu de ombros. Ela precisava muito se lembrar das instruções enviadas por Laurence.

Felizmente, os passageiros da primeira classe desembarcavam antes dos demais. Ela pensou outra vez naquele homem, incapaz de conter seu fascínio. Jamais conhecera alguém tão exótico, e teria sido divertido se ele ficasse por perto para lhe fazer companhia, o que obviamente não seria possível.


Nada teria sido capaz de prepará-la para o choque do calor do Ceilão, nem para as cores marcantes, nem para o contraste entre a fortíssima luz do sol e a escuridão profunda das sombras. Os ruídos a bombardeavam de todos os lados: sinos, buzinas, pessoas e insetos barulhentos que a cercavam e a faziam se sentir engolida como os detritos que vira no mar ao se aproximar do porto. Quando o barulho de fundo foi encoberto por um trombetear altíssimo, ela se virou sobre o atracadouro de madeira e deparou com a visão atordoante de um elefante erguendo a tromba e bramindo.

Quando a presença de um elefante na paisagem deixou de ser uma visão paralisante, ela abriu caminho até o prédio da alfândega, providenciou o despacho de seu baú e se sentou em um banco de madeira sob o calor carregado de umidade sem nada para protegê-la além de seu chapéu. De tempos em tempos, era preciso espantar as nuvens de mosquitos que se acumulavam em sua testa. Laurence prometeu que estaria no porto, mas, por ora, nem sinal dele. Gwen tentou lembrar o que havia sido instruída a fazer em caso de emergência, e nesse momento viu mais uma vez o sr. Ravasinghe, descendo pela rampa lateral do navio em meio aos passageiros da segunda classe. Evitando o olhar do homem, ela tentou esconder a vergonha da situação em que se encontrava e se voltou para o outro lado a fim de observar o carregamento de caixas de folhas de chá em uma barcaça do outro lado do atracadouro.

O cheiro de esgoto superava e muito as fragrâncias de especiarias, e agora se misturava a outros odores desagradáveis: de gordura, de esterco, de peixe podre. E, quando o atracadouro se encheu de passageiros acossados por comerciantes e ambulantes oferecendo pedras preciosas e seda, ela começou a ficar nervosa. E se Laurence não viesse? Ele prometera. Gwen tinha apenas dezenove anos, e o máximo que se afastara da propriedade de Owl Tree fora em uma ou outra viagem a Londres com Fran. Sentindo-se totalmente sozinha, seu ânimo se abateu. Era uma pena que a prima não tivesse podido acompanhá-la na viagem, mas logo após o casamento Fran precisara se ausentar para tratar de negócios. Embora Gwen confiasse em Laurence a ponto de colocar sua vida nas mãos dele, era impossível não se sentir um pouco chateada com a situação.

Um bando de crianças morenas seminuas se infiltrou na multidão, oferecendo maços de canela em pau e implorando por algumas rupias com seus olhos enormes. Uma criança que não deveria ter mais de cinco anos ofereceu um maço para Gwen. Ela o segurou, levou ao nariz e cheirou. A criança começou a falar, mas suas palavras eram incompreensíveis para Gwen, e infelizmente ela estava sem uma rupia para dar, e, no momento, sem uma moeda inglesa que fosse.

Ela ficou de pé e saiu andando. Uma lufada de vento soprou e, de algum lugar distante, veio um som perturbador: *bum, bum, bum*. Tambores, ela pensou. Era um ruído alto, mas não o suficiente para que fosse possível identificar um padrão regular de batida. Ela não estava muito distante da mala que deixara sobre o banco, e, quando ouviu o grito do sr. Ravasinghe, sentiu o suor brotar nas têmporas.

"Sra. Hooper, não deixe sua mala assim, desprotegida."

Ela limpou a testa com o dorso da mão. "Eu estava de olho."

"As pessoas aqui são pobres, e a ocasião faz o ladrão. Venha, vou levar a senhora e sua mala até um lugar mais fresco para esperar."

"É muita gentileza sua."

"Faço questão." Ele a segurou pelo cotovelo com a ponta dos dedos, abrindo caminho pelas instalações da alfândega. "Esta é a rua Church. Agora dê uma olhada ali: bem na extremidade dos Gordon Gardens fica a Suriya, ou tulipeiro, como é conhecida."

Ela olhou para a árvore. Seu tronco grosso era drapeado como uma saia de mulher, e sua copa era coberta de flores de um tom forte de laranja, proporcionando uma sombra estranhamente vibrante.

"Ela vai oferecer um abrigo do sol. O calor da tarde está forte demais, e as chuvas das monções ainda não chegaram, mas já é um alívio."

"De fato", ela concordou. "Mas o senhor não precisa ficar comigo."

Ele sorriu, e seus olhos se estreitaram. "Não posso deixar a senhora sozinha, sem um tostão e sem conhecer ninguém na cidade."

Grata pela companhia, ela retribuiu o sorriso.

Eles caminharam até o ponto indicado, e ela passou mais uma hora encostada contra a árvore, transpirando e escorrendo sob as roupas, perguntando-se no que se metera ao concordar em viver no Ceilão. O barulho parecia amplificado, e, apesar de se manter por perto, protegendo-a da multidão, ele precisava gritar para ser ouvido.

"Caso seu marido não chegue até as três, sugiro com todo o respeito que a senhora vá esperá-lo no Hotel Galle Face. É um lugar arejado, com ventiladores e refrescos, muito mais confortável."

Ela hesitou, relutante em deixar o lugar onde estava. "Mas como Laurence vai saber que estou lá?"

"Ele vai saber. Todos os britânicos, qualquer que seja sua classe, hospedam-se no Galle Face."

Ela voltou o olhar para a fachada imponente do Grand Oriental. "Lá não?"

"Definitivamente não. Confie em mim."

Em meio ao calor feroz da tarde, uma lufada de vento jogou areia em seus olhos, fazendo as lágrimas escorrerem por suas faces. Ela piscou várias vezes antes de esfregá-los, torcendo para que o homem de fato merecesse confiança. Talvez ele estivesse certo. Aquele calor era um risco de vida.

Bem perto de onde ela estava, uma pequena aglomeração se formou sob uma infinidade de fitas brancas penduradas sobre a rua, e um homem de túnica marrom, emitindo um som repetitivo e agudo, posicionou-se no centro de um grupo de mulheres com roupas coloridas. O sr. Ravasinghe notou que Gwen estava observando.

"O monge está entoando o *pirith*", ele explicou. "Isso costuma ser requisitado no leito de morte dos moribundos, para garantir uma boa passagem. Aqui, acredito que seja porque um grande mal aconteceu naquele lugar, ou no mínimo uma morte. O monge está tentando purificar o local de qualquer resquício de interferência maligna, com a bênção dos deuses. Nós acreditamos em fantasmas aqui no Ceilão."

"Todos aqui são budistas?"

"Eu sou, mas existem também hindus e muçulmanos."

"E cristãos?"

Ele inclinou a cabeça.

Quando bateram as três horas sem nenhum sinal de Laurence, o homem estendeu o braço e deu um passo atrás. "Podemos?"

Gwen assentiu, e ele chamou um dos puxadores de riquixá, que vestia apenas um turbante e uma tanga ensebada.

Ela estremeceu ao notar a magreza do dorso nu do homem. "O senhor não vai querer que eu entre nisso, não é?"

"Prefere um carro de boi?"

Ela sentiu o rosto ficar vermelho ao observar as frutas ovaladas e alaranjadas empilhadas na carroça com rodas enormes de madeira e cobertura de palha.

"Perdão, sra. Hooper. Foi uma brincadeira. Seu marido usa carroças para transportar as caixas de folhas de chá. Nós na verdade andamos de charrete. São puxadas por apenas um boi, e têm cobertura de folha de palmeira."

Ela apontou para as frutas alaranjadas. "E isso, o que é?"

"Coco rei. Só tem serventia por causa da água. Está com sede?"

Apesar de estar sedenta, ela fez que não com a cabeça. Na parede atrás do sr. Ravasinghe, um cartaz mostrava uma mulher de pele escura equilibrando um cesto de vime na cabeça, vestida com um sári amarelo e vermelho. Seus pés estavam descalços, e ela usava enfeites dourados no tornozelo e um lenço amarelo na cabeça. MAZZAWATTEE TEA, era o que dizia o cartaz. As palmas das mãos de Gwen ficaram suadas, e uma onda de pânico tomou conta de seu corpo. Ela estava muito longe de casa.

"Como a senhora pode ver", continuou o sr. Ravasinghe, "os automóveis são escassos e pouco frequentes, de modo que o riquixá é certamente uma opção mais rápida. Caso não a agrade, podemos esperar, e tentarei providenciar uma carruagem com cavalo. Ou, se preferir, posso acompanhá-la no riquixá."

Nesse momento, um carro preto e imponente foi abrindo caminho em meio à aglomeração de pedestres, ciclistas, carroças e charretes, por pouco não atropelando um grande número de cachorros sonolentos. Laurence, ela pensou, aliviada, mas, quando olhou pela janela do veículo, viu apenas duas europeias gordas de meia-idade. Uma delas se virou para Gwen, fazendo uma careta de reprovação.

Muito bem, pensou Gwen, sentindo que era preciso entrar em ação. Então um riquixá é o que vai ser.


Havia uma fileira de palmeiras estreitas oscilando sob a brisa do lado de fora do Hotel Galle Face, uma construção à beira-mar de estilo distintamente britânico. Quando o sr. Ravasinghe se despediu com sua saudação em estilo oriental e um sorriso caloroso, ela lamentou sua partida, mas subiu as escadarias curvadas e se acomodou para esperar na sombra relativamente fresca do Palm Lounge. Imediatamente se sentindo em casa, ela fechou os olhos, aliviada por ter um breve respiro em meio a um ataque generalizado a seus sentidos. Mas o descanso não podia durar muito. Caso Laurence chegasse naquele momento, no estado lamentável em que se encontrava, ela não criaria a impressão que gostaria. Dando um gole em sua xícara de chá do Ceilão, Gwen olhou por cima das mesas e cadeiras espalhadas pelo piso de teca. Em um cantinho discreto, havia uma plaqueta sinalizando o toalete feminino.

Dentro do recinto de aroma adocicado e revestido de espelhos, ela lavou o rosto e aplicou na pele uma borrifada de Après L'Ondée, que por sorte estava guardado em sua mala, e não na bolsa que caíra no mar. Estava se sentindo grudenta, com o suor escorrendo sob os braços, mas prendeu os cabelos mesmo assim, para refrescar a nuca. Seus cabelos eram a coroação de sua glória, Laurence havia dito. Eram escuros, compridos e ondulados quando soltos. Quando ela mencionou que gostaria de cortá-los mais curtos, como Fran, ele ficou horrorizado, puxou uma mecha de trás de sua nuca e apoiou o queixo no alto de sua cabeça. Depois disso, segurando seu queixo com ambas as mãos e prendendo seus cabelos na ponta dos dedos, ficou olhando para ela.

"Nunca corte os cabelos. Prometa."

Ela concordou com um aceno, sentindo-se incapaz de falar, com o toque das mãos dele despertando em seu corpo sensações até então inauditas.

O dia do casamento fora perfeito, assim como a semana seguinte. Na noite da despedida, nenhum dos dois dormiu, e ele precisava se levantar antes de amanhecer para chegar a Southampton a tempo de embarcar no navio para o Ceilão. Apesar de ficar desapontado por não poder levá-la, ele tinha negócios a resolver, e ambos sabiam que o tempo não demoraria a passar. Laurence não fez objeções à sua decisão de ficar para esperar por Fran, mas ela se arrependeu assim que ele partiu, sem saber como aguentaria passar tanto tempo sem ele. Quando Fran anunciou que precisaria passar ainda mais tempo em Londres por causa de uma propriedade da qual estava se desfazendo, Gwen decidiu fazer a viagem sozinha.

Com sua beleza cativante, belos pretendentes nunca faltaram para Gwen, mas ela se apaixonou por Laurence assim que o viu em um jantar dançante ao qual comparecera com Fran em Londres. Quando ele sorriu e se aproximou com passos determinados para conhecê-la, ela foi conquistada de vez. Eles se encontraram todos os dias depois disso, e, ao ser pedida em casamento, ela ergueu o rosto corado e aceitou, sem hesitação. Seus pais não ficaram muito contentes com o fato de um viúvo de trinta e sete anos querer se casar com a filha, e seu pai foi um pouco mais difícil de convencer, porém ficou positivamente impressionado quando Laurence propôs deixar um administrador encarregado da fazenda e voltar a viver na Inglaterra. Gwen não quis nem ouvir falar na ideia. Se era no Ceilão que estava a vida dele, era onde estaria a sua também.

Quando fechou a porta do toalete atrás de si, ela o viu parado de costas no amplo hall de entrada, e até perdeu o fôlego. Levou a mão ao colar no pescoço, ajustando o pingente azul para que ficasse centralizado, e, impressionada com a intensidade dos próprios sentimentos, permaneceu imóvel enquanto o admirava. Ele era alto, com costas largas e cabelos castanhos bem cortados com manchas grisalhas nas têmporas. Formado em Winchester, parecia exalar confiança por todos os poros: um homem que as mulheres adoravam e os outros homens respeitavam. Mesmo assim, era um leitor de Robert Frost e William Butler Yeats. Ela o amava por isso, e pelo fato de ele já saber que Gwen não era a menina recatada que a maioria das pessoas esperava que fosse.

Como se tivesse sentido o olhar dela atrás de si, ele se virou. O peito de Gwen se aliviou ao entrar em contato com os olhos castanhos determinados de Laurence e o sorriso que se abriu em seu rosto quando começou a caminhar em passadas largas na direção da esposa. Ele tinha o maxilar quadrado e uma covinha no queixo que, junto com os cabelos ondulados na frente e rebeldes no topo da cabeça em virtude de um par de redemoinhos, ela considerava irresistíveis. Como estava usando bermudas, ela pôde ver que suas pernas estavam bronzeadas, e ele parecia muito mais rústico ali do que no frio interior da Inglaterra.

Energizada, ela saiu correndo na direção do marido. Ele a segurou à distância de um braço por um instante, e em seguida a envolveu em um abraço tão apertado que ela mal conseguia respirar. O coração de Gwen estava disparado quando ele parou de girá-la e enfim a colocou no chão.

"Você não faz ideia do quanto senti sua falta", ele disse com a voz grave e um pouco embargada.

"Como você sabia que eu estava aqui?"

"Perguntei ao capitão do porto para onde tinha ido a mulher mais linda do Ceilão."

Ela sorriu. "É muita gentileza sua, mas é claro que eu não sou nada disso."

"Um dos seus maiores charmes é não fazer a menor ideia do quanto é bonita." Ele segurou suas duas mãos. "Me desculpe pelo atraso."

"Não tem problema. Fui bem cuidada. Ele disse que o conhece. O sr. Ravasinghe, acho que era esse o nome dele."

"Savi Ravasinghe?"

"Sim." Ela sentiu os cabelos de sua nuca se arrepiarem. Ele franziu a testa e estreitou os olhos, reforçando as linhas de expressão que marcavam prematuramente sua pele. Ela conteve a vontade de tocá--las. Ele era um homem vivido, e isso o tornava ainda mais atraente.

"Muito bem", ele falou, logo recuperando o bom humor. "Agora eu já estou aqui. O maldito carro quebrou. Por sorte, Nick McGregor conseguiu dar um jeito. Está muito tarde para pegar a estrada, então vou reservar um quarto para nós."

Eles foram até o balcão e, depois de terminar de tratar com o atendente, Laurence a abraçou. Quando tocou o rosto dela com os lábios, ela soltou um breve suspiro.

"Seu baú vai ser despachado de trem", ele contou. "Pelo menos até Hatton."

"Eu sei, já conversei com o homem da alfândega."

"Certo. McGregor vai mandar um cule ir buscar o baú na estação em um carro de boi. Você tem tudo de que precisa até amanhã na mala?"

"Praticamente."

"Quer um chá?", ele perguntou.

"Você quer?"

"O que você acha?"

Ela sorriu e teve que se segurar para não soltar uma risada em alto e bom som quando ele pediu para o atendente subir a bagagem o quanto antes.

Eles subiram de braços dados, mas, quando ultrapassaram o último degrau da escadaria curvada, ela se sentiu inesperadamente tímida. Ele a soltou e foi na frente para destrancar e abrir a porta.

Ela deu os últimos passos pelo corredor e olhou para dentro do quarto.

O sol do fim de tarde entrava pelas janelas altas, conferindo às paredes um tom rosado e delicado; os abajures coloridos dos dois lados da cama estavam acesos, e o quarto cheirava a laranja. Ao contemplar aquele cenário claramente projetado para a intimidade, ela sentiu um calor subir pela nuca e esfregou a pele da parte posterior do pescoço. O momento que imaginara tantas vezes havia chegado, mas ela se viu hesitante, parada na porta.

"Não gostou?", ele perguntou, com os olhos reluzentes.

Ela sentiu sua pulsação disparar no pescoço.

"Querida?"

"Adorei", ela conseguiu dizer.

Ele foi até ela e soltou o grampo de seus cabelos. "Pronto. Assim fica melhor."

Ela assentiu com a cabeça. "Daqui a pouco vão trazer a bagagem."

"Acho que ainda temos um tempinho", disse ele, tocando o lábio inferior com o dedo. Bem nesse momento, porém, houve uma batida na porta.

"Vou abrir a janela", anunciou ela, dando um passo para trás, contente por ter uma desculpa para não permitir que o carregador notasse seu nervosismo idiota.

O quarto tinha vista para o mar, e, quando abriu a janela, Gwen observou os raios dourados do sol se refletindo sobre as ondas. Isso era o que ela queria, e os dois já tinham passado uma semana juntos depois de casados na Inglaterra, mas sua casa parecia muito distante naquele momento, e pensar nisso fez com que seus olhos se enchessem de lágrimas. Ela cerrou as pálpebras e ficou apenas escutando enquanto o carregador guardava a bagagem. Quando o homem saiu, ela se virou para Laurence.

Ele abriu um sorriso torto. "Algum problema?"

Ela baixou a cabeça e ficou olhando para o chão.

"Gwen, olhe para mim."

Ela piscou algumas vezes, e o quarto mergulhou no silêncio. Sua mente foi inundada por um turbilhão de pensamentos enquanto ela se perguntava como explicar a sensação de ser catapultada para um mundo que não entendia. E não era só isso — havia também a sensação de se sentir desnudada pelo olhar do marido. Sem querer deixar que a vergonha a dominasse, ela ergueu a cabeça e, com movimentos bem lentos, deu alguns passos na direção dele.

Ele pareceu aliviado. "Fiquei preocupado por um instante."

As pernas dela começaram a tremer. "É bobeira minha. É tudo tão novo para mim... Você também é uma novidade."

Ele sorriu e chegou mais perto. "Bom, se for só isso, é bem fácil de resolver."

Ela se inclinou na direção dele, sentindo o chão oscilar sob seus pés quando ele começou a mexer no botão na parte de trás de seu vestido.

"Deixe que eu faço isso", ela falou, levando as mãos às costas e deslizando o botão para fora. "Tem um jeitinho."

Ele riu. "Está aí uma coisa que eu preciso aprender."


Uma hora mais tarde, Laurence estava dormindo. Com a motivação da longa espera, o amor que fizeram foi intenso, ainda mais que na noite de núpcias. Ela se lembrou do que havia passado logo depois de desembarcar no país; era como se o sol implacável de Colombo tivesse sugado as energias de seu corpo. Mas ela estava errada. Ainda havia energia de sobra, embora naquele momento, no embalo dos sons que vinham do mundo exterior, seus braços e pernas estivessem pesados e o sono parecesse próximo. Ela se deu conta do quanto estava se tornando natural ter Laurence deitado ao seu lado e, sorrindo de seu nervosismo inicial, remexeu-se um pouco para poder contemplar e sentir a força do corpo dele nos locais onde parecia estar colado ao dela. Um único sentimento a dominava, o amor, que parecia de alguma forma ter se condensado naquele instante perfeito. Tudo ficaria bem. Durante mais um minuto ou dois, ela respirou o cheiro dele enquanto as sombras no quarto se alongavam e então rapidamente escureciam. Ela respirou fundo e fechou os olhos.

# 2

Dois dias depois, Gwen acordou de manhã com a luz do sol entrando pelas cortinas de musselina de seu quarto. Estava ansiosa para tomar o café da manhã com Laurence e conhecer a propriedade. Acomodando-se na beirada da cama e soltando as tranças dos cabelos, virou-se para apoiar os pés no tapete macio de pele, mexendo os dedos dos pés em sua superfície branca e tentando adivinhar a qual animal aquela pelagem pertencera. Ao descer da cama, vestiu um penhoar claro de seda que alguém tinha deixado sobre o encosto de uma cadeira.

Eles haviam chegado à fazenda em meio aos morros da zona rural na noite anterior, pouco depois do pôr do sol. Com a cabeça doendo de exaustão, e atordoada pelos tons violentos de vermelho e roxo do céu no início da noite, Gwen fora direto para a cama.

Caminhando pelo piso de tábuas corridas, ela foi até a janela para abrir as cortinas. Quando olhou para fora na primeira manhã em seu novo mundo, respirou fundo e, piscando os olhos por causa da claridade, sentiu-se bombardeada pela saraivada de zumbidos, assobios e pios que preenchiam o ar.

Mais abaixo, um jardim de flores delicadas descia até o lago em três patamares, com caminhos, degraus e bancos estrategicamente posicionados entre eles. O lago refletia o brilho prateado mais impressionante que ela já vira. Todas as lembranças da viagem de carro no dia anterior, com suas curvas fechadas aterrorizantes, suas ribanceiras profundas e seu sacolejar de embrulhar o estômago, foram imediatamente esquecidas. Erguendo-se acima do lago e em todo o terreno ao redor, havia o tapete verde dos arbustos de chá em fileiras simétricas por entre as quais as catadoras de folhas trabalhavam, usando sáris coloridos, que lhes davam o aspecto de passarinhos que houvessem pousado para comer.

Bem diante da janela de seu quarto havia um pé de toranja, ao lado de outra árvore que ela não conhecia, mas que parecia estar carregada de cerejas. Seria bom pegar algumas para o café da manhã, ela decidiu. Na mesa montada ali, uma pequena criatura a encarava com olhos redondos e arregalados, parecendo uma mistura de macaco com coruja. Ela olhou para trás, para a enorme cama de quatro colunas, cercada por um mosquiteiro. O lençol de cetim estava quase intocado, e Gwen estranhou que Laurence não tivesse ido dormir com ela. Talvez quisesse que ela tivesse uma noite de sono ininterrupto, e por isso fora se deitar sozinho em seu quarto. Ela olhou ao redor, e ouviu o rangido da porta se abrindo. "Oh, Laurence, eu..."

"Senhora. Eu Naveena, como senhora dever saber. Eu está aqui para servir."

Gwen olhou para a mulher miúda, de silhueta quadrada. Ela usava uma saia comprida azul e amarela enrolada nas pernas e uma camisa branca, e tinha uma trança comprida e grisalha descendo até a base das costas. Seu rosto redondo era uma profusão de rugas, e seus olhos escuros não revelavam absolutamente nada.

"Onde está Laurence?"

"Patrão no trabalho. Desde duas horas atrás."

Desolada, Gwen deu um passo atrás e se sentou na cama.

"A senhora querer café da manhã aqui?" A mulher apontou para uma pequena mesa junto à janela. Houve uma pausa enquanto as duas se encaravam. "Ou varanda?"

"Eu queria me lavar primeiro. Onde é o banheiro?"

A mulher caminhou até o outro lado do quarto e, conforme se movimentava, Gwen notou que seus cabelos e roupas exalavam uma fragrância incomum de especiarias.

"Aqui, senhora", disse a mulher. "Atrás de biombo é seu banheiro, mas cule da latrina ainda não vir."

"Cule da latrina?"

"Sim, senhora. Já vir."

"Tem água quente?"

A mulher balançou a cabeça. Gwen ficou sem saber se ela estava dizendo que sim ou que não, e sua incerteza deve ter transparecido.

"Tem caldeira a lenha, senhora. Madeira albizia. Água quente vir de manhã e de noite, uma hora."

Gwen ergueu a cabeça e tentou parecer mais segura do que se sentia. "Muito bem. Vou me lavar primeiro e tomar o café da manhã lá fora."

"Muito bom, senhora."

A mulher apontou para as janelas francesas. "Abrir para varanda. Eu vai e volta. Trazer chá para cá."

"O que é aquela criatura lá fora?"

A mulher se virou para olhar, mas a criatura não estava mais lá.


Em um contraste absoluto com o calor úmido e sufocante de Colombo, o tempo estava aberto, mas era uma manhã fria. Enquanto tomava o café da manhã, ela colheu uma cereja; a fruta tinha uma bela coloração vermelha intensa, mas, quando a mordeu, percebeu que o gosto era azedo e acabou cuspindo fora. Enrolou o xale em torno do ombro e saiu para explorar a casa.

O primeiro lugar a que se dirigiu foi um corredor largo e de teto alto que atravessava a casa inteira. O piso de madeira escura brilhava, e as paredes eram pontuadas por lamparinas a óleo por toda sua extensão. Ela farejou o ar. Esperava que o lugar tivesse cheiro de fumaça de charuto, e de fato tinha, mas misturado com um aroma forte de óleo de coco e cera perfumada. Laurence a descrevera como um bangalô, mas Gwen notou a presença de uma escadaria larga de teca que levava a um corredor arejado no andar superior. Do lado oposto ao da escada, havia um belíssimo aparador com acabamento de madrepérola encostado a uma parede, ao lado de uma porta. Ela a abriu e entrou em uma sala de estar espaçosa.

Surpresa com o tamanho do cômodo, Gwen respirou fundo, abriu uma das persianas marrons na fileira de janelas que cobriam toda uma parede e viu que aquela sala também ficava de frente para o lago. Deixando a luz entrar, olhou ao redor. As paredes eram pintadas com um tom de azul esverdeado bem suave, e a atmosfera no geral era de frescor, com poltronas de aspecto confortável e dois sofás claros com almofadas bordadas retratando pássaros, elefantes e flores exóticas. Uma pele de leopardo cobria o encosto de um dos sofás.

Gwen estava de pé sobre um dos tapetes persas azul-marinho e bege, e se virou com os braços abertos. Era um ambiente agradável. Muito agradável.

Um rosnado grosso a assustou. Quando olhou para baixo, viu que tinha pisado na pata de um cachorro adormecido de pelo curto. Um labrador preto, ela imaginou, mas não do tipo mais comum. Deu um passo atrás, com medo de levar uma mordida. Nesse momento, um homem de meia-idade entrou na sala quase sem fazer barulho, um sujeito de ombros estreitos e feições miúdas em seu rosto cor de açafrão, usando um sarongue, um paletó e um turbante, todos brancos.

"O velho cão se chama Tapper, senhora. É favorito do patrão. Eu sou mordomo, e trouxe lanche." Ele estendeu a bandeja que carregava e pôs sobre uma mesinha. "Com nosso chá preto do Ceilão."

"É mesmo? Mas eu acabei de tomar o café da manhã."

"Patrão volta meio-dia. Quando sirene dos trabalhadores toca, senhora, ele vem logo em seguida." Ele apontou para uma prateleira de madeira ao lado da lareira. "Tem revistas para a senhora ler."

"Obrigada."

Era uma lareira grande revestida com pedra, com pinças, atiçadores e pá de metal, os apetrechos tradicionais, e uma cesta cheia de lenha ao lado. Ela sorriu. Uma noite aconchegante estaria à sua espera, com apenas os dois abraçados junto ao fogo.

Só faltava uma hora para Laurence voltar, então, ignorando o chá, ela resolveu explorar os arredores. Estava escuro quando eles chegaram no dia anterior com o Daimler novo em folha de Laurence, e ela não conseguira ver direito a fachada da casa. Gwen atravessou o corredor até o hall de entrada e abriu uma das portas duplas escuras adornadas com janelinhas arredondadas logo acima, e então se viu na sombra de uma varanda. Um caminho de cascalho, ladeado por tulipeiros intercalados com palmeiras, enveredava-se para longe da casa na direção dos morros. Havia flores alaranjadas espalhadas pelo chão, produzindo um contraste vívido com os arredores verdejantes.

Ela estava ansiosa para passear pelos morros, mas, antes, contornou a lateral da casa, onde encontrou um recinto coberto, mas sem paredes, diante do lago. A área externa tinha oito pilares de madeira escura, piso de mármore e móveis de vime, e a mesa já estava posta para o almoço. Quando um pequeno esquilo listrado subiu correndo um dos pilares e desapareceu atrás de uma das vigas, ela sorriu.

Voltando para a frente da casa, começou a subir o caminho de cascalho, contando as árvores. Quanto mais subia, mais ela transpirava, mas não queria olhar para trás enquanto não passasse por vinte árvores. Enquanto contava, em meio ao aroma das rosas persas, o calor foi ficando mais forte, mas felizmente nada parecido com a atmosfera escaldante de Colombo. Dos dois lados do caminho, a paisagem verdejante era coberta de arbustos com folhas grandes em formato de coração e flores brancas e delicadas.

Ao chegar à vigésima árvore, ela se livrou do xale, fechou os olhos e se virou. Tudo ali brilhava. O lago, o telhado vermelho da casa, até o ar. Ela respirou fundo, como se assim fosse capaz de absorver cada partícula da beleza que tinha diante de si: as flores perfumadas, o deslumbramento da vista, o verde luminoso dos morros com a plantação, o som dos pássaros. Era de deixar o queixo caído. Nada parecia imóvel, e o ar cheio de vida vibrava com a movimentação contínua.

Do ponto mais alto — onde se encontrava —, o formato da casa ficava mais claro. A parte dos fundos era paralela ao lago, com o ambiente externo coberto à direita, e na outra lateral uma extensão parecia ter sido acrescentada, formando um L. Mais adiante havia um pátio e um caminho que desaparecia atrás de um paredão de árvores. Ela respirou fundo mais algumas vezes, inalando o ar puro.

O trombetear alto e incômodo da sirene do meio-dia rompeu a tranquilidade do local. Ela havia perdido a noção do tempo, e seu coração disparou quando viu Laurence caminhando em meio às árvores altas ao lado de outro homem na direção da casa. Ele parecia à vontade em seus domínios, uma presença forte que emanava autoridade. Ela jogou o xale sobre os ombros e correu. Porém, correr na descida era mais difícil que na subida, e alguns minutos depois ela escorregou no cascalho, tropeçou em uma raiz presa ao chão, perdeu o equilíbrio e caiu para a frente com tanta força que sentiu o ar ser expulso dos pulmões.

Quando recuperou o fôlego e tentou se levantar, seu tornozelo esquerdo cedeu sob o peso do corpo. Ela esfregou a testa suada e se sentiu tão zonza que caiu de traseiro no chão, sentindo o início de uma nova dor de cabeça provocada pelo sol. Do outro lado das árvores altas, ouviu um grito de susto, como o de um gato ou uma criança com dor, ou talvez um chacal. Gwen não queria esperar para descobrir, então se esforçou para ficar de pé outra vez, dessa vez conseguindo suportar a dor, e continuou descendo de volta aos pulinhos.

Quando sua silhueta se tornou visível a partir da casa, Laurence saiu e veio correndo até ela.

"Que bom ver você", disse Gwen, com a respiração acelerada. "Subi para ver a vista, mas acabei caindo."

"Querida, isso não é seguro. Tem cobras por aí. No mato, nas árvores. Servem para controlar roedores de jardim. E tem também formigas e besouros que picam. É melhor não sair sozinha. Pelo menos por enquanto."

Ela apontou para onde as mulheres estavam colhendo folhas de chá. "Eu não sou tão delicada quanto pareço, e aquelas mulheres estavam lá em cima."

"Os tâmeis conhecem bem o terreno", ele falou ao se colocar ao seu lado. "Muito bem, se segure no meu braço e vamos lá para dentro. Vou pedir para Naveena enfaixar esse tornozelo. Posso mandar trazer o médico de Hatton, se você quiser."

"Naveena?"

"A aia."

"Ah, sim."

"Ela cuidou de mim quando eu era criança, e gosto muito dela. Quando tivermos filhos..."

Gwen ergueu as sobrancelhas e abriu um sorriso. Ele fez o mesmo, antes de terminar sua frase: "Ela pode cuidar deles".

Ela acariciou o braço do marido. "E eu, o que vou ter para fazer?"

"Existem muitas coisas para fazer. Você logo vai descobrir."

Na descida de volta para a casa, ela sentiu o calor do corpo dele junto ao seu. Apesar da dor no tornozelo, o formigar na pele era o mesmo, e ela ergueu a mão para tocá-lo na covinha do queixo.

Depois de fazer a bandagem, eles se sentaram juntos à mesa no ambiente externo da casa.

"E então?", ele falou, com um brilho nos olhos. "Gostou do que viu?"

"É perfeito, Laurence. Vou ser muito feliz ao seu lado."

"Estou me sentindo culpado pela sua queda. Queria conversar com você ontem à noite, mas sua dor de cabeça estava tão forte que resolvi esperar. Tem algumas coisinhas que preciso dizer."

Ela ergueu a cabeça. "Ah, é?"

As marcas de expressão em sua testa se aprofundaram quando ele estreitou os olhos. A exposição ao sol era claramente um fator que favorecia o aparecimento de rugas.

"Para sua segurança, mantenha distância das questões envolvendo os trabalhadores. Você não precisa se preocupar com as linhas de trabalho."

"Que linhas são essas?"

"É o lugar onde vivem os trabalhadores da fazenda e suas famílias."

"Parece interessante."

"Sinceramente, não tem muita coisa para ver."

Ela encolheu os ombros. "Mais alguma coisa?"

"É melhor não circular por aí desacompanhada."

Ela bufou.

"Só até você conhecer melhor as coisas."

"Muito bem."

"Só permita que Naveena veja você de camisola. Ela vai levar seu chá todos os dias às oito. Chá na cama, é assim que eles chamam."

Ela sorriu. "E você vai ficar comigo para o meu chá na cama?"

"Sempre que puder."

Ela mandou um beijo para ele do outro lado da mesa. "Mal posso esperar."

"Eu também. E não precisa se preocupar. Você logo se acostuma com o funcionamento das coisas. Amanhã você vai conhecer algumas das esposas dos outros plantadores. Apesar do jeito meio extravagante, Florence Shoebotham vai ser de grande ajuda para você."

"Eu não tenho nada para vestir."

Ele sorriu. "Essa é minha garota. McGregor já mandou um carro de boi buscar seu baú na estação de Hatton. Mais tarde, vou apresentá-la aos empregados, mas ao que parece tem um caixote da Selfridges à sua espera também. Coisas que você encomendou antes de vir, suponho."

Ela estendeu os braços, sentindo-se mais animada ao pensar no cristal Waterford e em seu belíssimo vestido novo para usar à noite, um modelo mais curto e com várias camadas de franjas prateadas e cor-de-rosa. Lembrou-se do dia em que Fran insistiu para que ela o comprasse em Londres. Dali a apenas dez dias, Fran também estaria lá. Uma gralha passou e, rápida como um raio, roubou um pedaço de pão do cesto. Ela riu, e Laurence também.

"Tem muitos bichos por aqui. Vi um esquilo listrado subindo no telhado."

"São dois. Eles têm um ninho lá em cima. Não fazem mal a ninguém."

"Eu gosto disso." Ela pôs a mão sobre a dele, que a ergueu para beijá-la.

"Só mais uma coisa. Quase me esqueci, mas provavelmente é a parte mais importante. As questões da casa são responsabilidade sua. Eu não vou interferir. Os empregados domésticos devem prestar contas a você e a mais ninguém."

Ele fez uma pausa.

"No começo pode ser um pouco complicado. Os empregados ficaram por conta própria por bastante tempo. Vai dar trabalho, mas com certeza você consegue colocá-los na linha outra vez."

"Laurence, vai ser divertido. Mas você não me contou muita coisa sobre a propriedade em si."

"Bom, a mão de obra é tâmil, em sua maioria. Os tâmeis são ótimos trabalhadores, ao contrário da maioria dos cingaleses. Empregamos mais de mil e quinhentas pessoas. Oferecemos uma espécie de escola, uma farmácia e atendimento médico. Eles têm vários outros benefícios, como um armazém e arroz subsidiado."

"E a fabricação do chá em si?"

"Isso é feito na nossa fábrica de chá. O processo é longo, mas posso mostrar para você um dia, se quiser."

"Eu adoraria."

"Ótimo. Então, agora que cuidamos disso, sugiro que tire a tarde para descansar", ele falou, ficando de pé.

Ela olhou para o resto do almoço sobre a mesa, envolveu o próprio corpo com os braços e soltou um longo suspiro. Era chegada a hora. Quando Laurence se abaixou para beijá-la na testa, ela fechou os olhos e foi incapaz de conter um sorriso de satisfação. Ao abrir os olhos, porém, viu que ele já havia se afastado.

"Nós nos vemos à noite", ele falou. "Me desculpe, querida, mas preciso encontrar McGregor agora. A sirene da fábrica de chá toca às quatro, e não vou estar em casa até lá, mas durma um pouco."

Ela sentiu as lágrimas se acumularem sob as pálpebras, e limpou os olhos com o guardanapo. Gwen sabia que Laurence era muito ocupado e, obviamente, a fazenda vinha em primeiro lugar, mas era só sua imaginação ou seu marido lindo e sensível estava se mostrando um tanto distante?

# 3

No fim da tarde seguinte, Gwen estava de pé junto à janela, observando o pôr do sol. O céu e a água estavam quase do mesmo tom de dourado, com o lago emoldurado pelos morros em suas diversas variações de sépia. Ela se afastou e se vestiu com todo cuidado, observando seu reflexo no espelho. A mulher a havia ajudado a prender os cabelos com contas prateadas na altura da nuca, mas Gwen deixou uma mecha solta na lateral. Laurence havia organizado um jantar para apresentá-la como a nova senhora da Fazenda Hooper. Ela queria que sua aparência estivesse impecável, apesar de ter decidido guardar o vestido novo para quando Fran chegasse. Elas poderiam ensaiar o charleston juntas.

Seu vestido para aquela noite era de seda verde-clara, com um barrado de renda na gola e um decote mais baixo que o de costume. Era uma peça de corte mais folgado e cintura baixa, como ditava a moda, com pregas de chiffon na saia perigosamente curta. Houve uma batida na porta.

"Entre."

Laurence parou diante da porta com as pernas ligeiramente afastadas enquanto os dois se olhavam.

Ele vestia um terno preto, com camisa branca, colete branco e gravata-borboleta branca, e havia experimentado pentear os cabelos com uma risca bem reta. Gwen sentiu o corpo tremer sob seu olhar prolongado, e prendeu a respiração.

"Eu... Você... Minha nossa, Gwendolyn!" Ele engoliu em seco.

"Você também está muito bonito, Laurence. Acho que me acostumei a vê-lo de bermuda."

Ele se aproximou, abraçou-a e deu um beijo em sua nuca, pouco abaixo dos cabelos. "Você está deslumbrante."

Ela adorava a sensação do hálito quente dele contra sua pele, e sabia que sua noite seria maravilhosa. Quem duvidaria de um homem como Laurence? Sua presença era fortíssima, bastava estar perto dele para se sentir desejada e tão segura que era impossível sequer pensar que algo poderia dar errado.

"Estou falando sério. Você vai humilhar as outras mulheres com esse vestido."

Ela baixou a cabeça para olhar a peça provocante. "É bem curto."

"Talvez todo mundo precise de uma novidade de vez em quando. Não se esqueça da estola. Mesmo com a lareira acesa fica um pouco frio depois de anoitecer, como você deve ter percebido ontem à noite."

Na noite anterior, Laurence estivera ocupado com os assuntos da propriedade, então o aconchego ao lado do fogo que ela imaginara não se concretizou. Às nove, os criados entraram um por um, por ordem de importância. Primeiro o mordomo de turbante, encarregado de cuidar da casa, em seguida o cozinheiro principal, ou *appu*, como era chamado, que ou sofria de calvície ou havia raspado metade da cabeça e prendia os cabelos que restavam em um coque. Suas feições eram ligeiramente orientais, como se entre seus ancestrais houvesse alguém da Indochina, e ele usava um avental branco comprido por cima do sarongue dourado. Em seguida Naveena apareceu trazendo leite de cabra quente, adoçado com mel de abelha em vez de melaço, ela explicou, antes de desejar boa noite com um sorriso simpático. Depois entraram os cinco camareiros em fila única, que disseram boa-noite em uníssono, e por fim os cules da cozinha, que simplesmente ficaram olhando para os próprios pés descalços e se curvaram. Logo depois do intricado ritual de apresentação dos empregados, Gwen foi para a cama sozinha, usando como pretexto o pé machucado. Ela sorriu ao se lembrar da maneira como tudo tinha acontecido.

"Qual é a graça?", perguntou Laurence.

"Estava pensando nos empregados."

"Você logo se acostuma com eles."

Laurence a beijou na boca, e ela sentiu o cheiro de sabonete e limão em sua pele. De braços dados, eles saíram do quarto na direção da sala, onde seria servido o coquetel antes do jantar.

"Que fragrância é aquela que a empregada usa?", Gwen quis saber.

"Está falando de Naveena?"

"Sim."

"Não sei. Deve ser uma mistura de cardamomo e noz-moscada. Desde que me entendo por gente ela tem esse cheiro."

"Há quanto tempo ela trabalha aqui?"

"Desde que foi contratada pela minha mãe para ser minha aia."

"Pobre Naveena. Até consigo imaginar você pequeno, correndo pela casa toda."

Ele riu. "Minha mãe reuniu uma espécie de registro familiar: cartas, fotografias, certidões de nascimento, de casamento, esse tipo de coisa. Enfim, acho que tenho algumas fotos de Naveena quando era mais nova."

"Eu adoraria ver. Quero saber tudo sobre você."

"Eu mesmo nunca vi tudo. Verity tem uma caixa cheinha dessas coisas na Inglaterra. Quero muito que vocês se conheçam, aliás."

"Pena que ela não pôde ir ao nosso casamento. E se ela trouxesse os álbuns de família na próxima vez que fizer uma visita?"

Ele assentiu. "Claro."

"Naveena também foi a aia de Verity?"

"Não, Verity tinha uma aia mais jovem. Quer dizer, até ir para o internato. Foi difícil para ela quando nossos pais morreram, pobrezinha. Tinha só dez anos."

"O que vai acontecer quando Naveena ficar velha demais para trabalhar?"

"Nós cuidamos dela na velhice", ele respondeu, abrindo as janelas francesas altas. "Vamos pela varanda."

Ela deu um passo à frente com um sorriso. Do lado de fora, os ruídos eram ensurdecedores. *Ra-ta-ta. Tuip, tuip. Tap, tap.* Os farfalhares, assobios e grunhidos guturais subiram em um crescendo, pararam e então recomeçaram. Em seguida veio o som da água corrente, um *cri-cri-cri* agudo e o canto das cigarras para preencher o ar carregado de umidade. Em meio aos arbustos escuros, luzinhas em movimento piscavam às dezenas.

"Vaga-lumes", ele falou.

O olhar de Gwen foi atraído pelas tochas acesas na margem do lago.

"Pensei em fazer uma caminhada noturna mais tarde", sugeriu Laurence. "O lago fica lindo iluminado só pelas tochas e pelo luar."

Ela abriu um sorriso, incapaz de conter sua satisfação com aquela noite agitada.

"E o perigo de depararmos com um búfalo d'água à noite é menor. Eles enxergam mal, e gostam de ficar na água durante o dia quando está calor."

"Minha nossa, é mesmo?"

"Não se engane, são animais perigosos, que vão chifrá-la e pisoteá--la se sentirem que precisam ser agressivos. Mas não se preocupe, não há muitos deles por aqui. São mais comuns na planície de Horton."

Na sala de estar, Florence Shoebotham e seu marido Gregory foram os primeiros a chegar, e, enquanto Laurence e o sr. Shoebotham conversavam junto ao armário de bebidas, Gwen bebia xerez e papeava com a esposa dele. Era uma mulher robusta, com os quadris largos e ombros estreitos típicos de uma inglesa. Usava um vestido florido amarelo-claro que chegava quase aos tornozelos, e tinha uma voz aguda e estridente, que não combinava com seu corpo grandalhão.

"Ora, você é uma belezura, não?", comentou Florence, balançando o queixo gordo enquanto falava. "Espero que consiga aguentar."

Gwen se segurou para não rir. "Aguentar?"

Florence puxou a almofada atrás de si no sofá, e em seguida a colocou no colo ao se aproximar de Gwen. Sua testa era baixa, e os cabelos de um tom desbotado de grisalho, grossos e aparentemente difíceis de pentear. Gwen sentiu um cheiro de gim misturado com suor.

"Com certeza você logo se acostuma com as coisas por aqui. Confie em mim, menina, aconteça o que acontecer, não dê intimidade aos empregados. Isso não dá certo. Eles não gostam disso, e perdem o respeito quando acontece."

"Eu sempre me dei bem com a nossa empregada na Inglaterra."

"Aqui não funciona assim. As raças mais escuras são diferentes, sabe. Ser gentil com eles não vale a pena. Não vale a pena mesmo. E os mestiços são ainda piores."

À medida que a chegada de novos casais era anunciada, Gwen começou a se sentir mais e mais incomodada. Ela conhecia a palavra "mestiço", mas não gostou nada de ouvi-la ser usada daquela maneira.

"É melhor tratá-los como se fossem crianças, e fique de olho no seu *dhobi*. Só na semana passada descobri que meu pijama de seda chinesa foi trocado por quinquilharias em uma feira livre em Hatton."

Gwen se sentia completamente à deriva, e começou a entrar em pânico. Como ela poderia ficar de olho em seu *dhobi* se não sabia nem o que — ou quem — era um *dhobi*?

Ela olhou ao redor da sala. Era para ser uma pequena reunião para um jantar, mas já havia mais de uma dezena de casais presentes, e espaço de sobra para mais. Gwen tentou chamar a atenção do marido, mas acabou dando uma risadinha quando viu Laurence distraído em uma conversa com um careca com orelhas de abano. Um homem chaleira.

"Devem estar falando sobre o preço do chá", comentou Florence quando se deu conta de que ela estava olhando.

"Algum problema com a cotação do chá?"

"Ah, não, querida. Muito pelo contrário. Estamos todos nos saindo muito bem. O Daimler novinho do seu marido é uma prova e tanto disso."

Gwen abriu um sorriso. "É mesmo impressionante."

Um camareiro de paletó branco, parado diante da porta, soou um gongo de metal.

"E não se preocupe, se precisar de alguma coisa é só pedir. Fico feliz em ajudar. Ainda me lembro de como é ser jovem e recém-casada. É muita coisa para aprender." Florence largou a almofada e estendeu a mão. Gwen notou que era um sinal para que ela a ajudasse a se levantar.

A sala de jantar estava bonita com todos os candelabros acesos. Tudo ali brilhava e reluzia, e o ar tinha um cheiro fresco por causa das ervilhas-de-cheiro arranjadas em vasos rasos. Gwen notou que uma mocinha bem-arrumada sorria abertamente para Laurence. Tinha olhos verdes, zigomas pronunciados e pescoço comprido. Seus cabelos loiros estavam penteados na forma de um corte chanel na frente, mas, quando ela se virou, Gwen percebeu que eram compridos e estavam elegantemente presos no pescoço. Estava ricamente adornada com rubis, mas vestida com simplicidade, de preto. Gwen tentou chamar sua atenção, torcendo para que se tornassem amigas.

O homem de óculos e aspecto meigo do outro lado da mesa se apresentou como Partridge. Ela reparou em seu queixo ligeiramente protuberante, em seu bigode curto e na expressão gentil em seus olhos acinzentados. Ele afirmou esperar que ela se adaptasse logo e disse que podia chamá-lo de John.

Nos minutos seguintes, enquanto continuaram trocando mais algumas frases, todos os olhares estavam voltados para ela, mas em pouco tempo o tema da conversa passou a ser as fofocas mais recentes de Nuwara Eliya — quem era quem e o que tinham feito, com quem e por quê. Gwen não entendia a maior parte do que diziam. Não conhecia as pessoas em questão, e assim ficava difícil se interessar. Só quando ficaram todos em silêncio e o homem chaleira bateu com o punho fechado na mesa foi que ela voltou a prestar atenção ao que era dito.

"Uma desgraça, se querem saber minha opinião. Deveriam ter matado todos eles."

Alguns convidados trocaram cochichos paralelos enquanto o homem continuava sua diatribe.

"Do que eles estão falando, John?", murmurou Gwen.

"Houve uma escaramuça em Kandy pouco tempo atrás. O governo britânico reprimiu os culpados de forma brutal, ao que parece. Isso criou uma inquietação generalizada. Mas o que dizem é que não se trata de um protesto contra o governo britânico, e sim de alguma coisa a ver com flores ornamentais."

"Então nós não estamos em perigo?"

Ele sacudiu a cabeça. "Não. Mas isso dá motivo para os velhos coronéis esbravejarem à vontade. Tudo começou dez anos atrás, quando os britânicos abriram fogo contra um grupo de muçulmanos. Foi uma espécie de mal-entendido, na verdade."

"Não parece uma explicação muito satisfatória."

"Não mesmo. Mas saiba que o Congresso Nacional do Ceilão não reivindica abertamente a independência, apenas mais autonomia." Ele sacudiu de novo a cabeça. "Mas, se quer saber, acho que precisamos ser mais cautelosos. Com tudo o que vem acontecendo na Índia, não deve demorar para o Ceilão ir pelo mesmo caminho. Ainda é cedo para dizer, mas, pode escrever, teremos problemas pela frente."

"Me diga, o senhor é socialista?"

"Não, minha cara, sou médico."

Ela sorriu ao ver a expressão divertida no rosto do homem, mas logo em seguida ele assumiu um tom mais sério.

"O problema é que só três representantes de Kandy foram eleitos para o Conselho, então este ano alguns deles abandonaram o Congresso Nacional do Ceilão e criaram uma Assembleia Nacional de Kandy. É nisso que precisamos ficar de olho, nisso e na Liga Jovem de Lanka, que está começando a promover a oposição contra os britânicos."

Gwen arriscou uma olhada para Laurence do outro lado da mesa, torcendo para que ele desse o sinal para que as damas se levantassem da mesa, mas ele estava mirando ao longe, estreitando os olhos.

"Nós os alimentamos", disse um outro homem, "cuidamos deles, oferecemos um teto para se abrigarem. Cumprimos com sobras todos os requisitos necessários. O que mais eles querem? Sinceramente..."

"Mas podemos fazer muito mais", interrompeu Laurence, claramente se segurando para moderar seu temperamento. "Eu construí uma escola, apesar de pouquíssimas crianças a frequentarem. Está na hora de encontrarmos uma solução."

Seus cabelos ondulados estavam desarrumados na frente, um sinal claro de que havia passado as mãos na cabeça, algo que o marido fazia quando estava incomodado, ela já tinha notado. Isso o fez parecer mais jovem, e ela sentiu um desejo desesperador de abraçá-lo.

O médico deu um tapinha em sua mão.

"O Ceilão é... Bom, o Ceilão é o Ceilão. Você logo vai ter sua própria impressão daqui", garantiu ele. "A mudança ainda está distante, mas nós não vamos permanecer imunes à mensagem de *swaraj* de Ghandi para sempre."

"*Swaraj?*"

"Autogoverno."

"Entendo. Isso seria ruim?"

"A esta altura, ninguém sabe."


Depois que todos os convidados se foram, ela ficou empolgadíssima quando Laurence entrou no quarto e deitou de pernas abertas na cama. Com a lareira acesa, o cômodo estava quente demais. Eles não iriam passear no lago?

"Venha, querida", disse ele. "Fique aqui comigo."

Gwen foi até ele e, de roupa e tudo, se deitou sobre as cobertas. Ele se sentou, apoiando o peso do corpo em um dos cotovelos, e sorriu.

"Minha nossa, você é linda."

"Laurence, quem era aquela loira de preto? Não consegui conversar com ela."

"De preto?"

"Sim. Ela era a única."

Ele franziu a testa. "Deve ser Christina Bradshaw. É uma viúva americana. O marido dela era o banqueiro Ernest Bradshaw, por isso aquele monte de joias."

"Ela não parecia ser uma viúva amargurada." Gwen fez uma pausa para observar o rosto inteligente e de feições bem desenhadas do marido. "Laurence, você me ama, não?"

Ele pareceu surpreso. "Por que essa pergunta agora?"

Ela mordeu o lábio, procurando uma forma de dizer o que queria. "Mas você não... O que eu quero dizer é que estou me sentindo meio sozinha desde que cheguei à fazenda. Quero passar mais tempo com você."

"Você está comigo agora."

"Não foi isso que eu quis dizer."

Houve um breve silêncio, durante o qual Gwen se sentiu um tanto insegura de si. "Que árvore é aquela diante da minha janela?", ela perguntou. "Parece uma cerejeira."

"Ai, meu Deus, você não comeu aquilo, né?"

Ela fez que sim com a cabeça.

"É uma fruta amarga. Eles usam para fazer chutney. Eu mesmo sempre mantenho distância dessa coisa." Ele rolou para cima dela de repente e, prensando-a na cama, beijou-a na boca. Ela gostou de sentir o leve cheiro de álcool em seu hálito e, cheia de expectativa, abriu os lábios. Ele contornou o formato de sua boca com o dedo, e toda a tensão abandonou seus músculos, mas então algo estranho aconteceu. Quando Laurence respirou fundo e ficou todo tenso, ela notou algo perturbador em seus olhos. Ela o acariciou no rosto, mas ele continuou a encará-la, com os olhos distantes, como se não soubesse quem estava à sua frente. Em seguida ele engoliu em seco, se levantou e saiu andando.

Gwen ficou paralisada por um instante e, quando saiu para o corredor, notou que ele estava subindo a escada. Para que nenhum empregado a visse correndo atrás do próprio marido, ela voltou para o quarto e se encostou na porta fechada para recobrar o fôlego. Em seguida, fechou os olhos e cedeu a um sentimento de vazio e solidão. A ideia de ver o lago iluminado pelas tochas à noite também não virou realidade. Qual era o problema com ele?

Ela se despiu e foi para a cama. Acostumada a demonstrações diretas e sinceras de sentimentos, estava se sentindo confusa e desejosa dos braços de Laurence em torno de seu corpo, acometida por um surto de saudade de casa. Seu pai teria dado um tapinha em sua mão e dito para que ela erguesse a cabeça. Sua mãe provavelmente lhe faria uma caneca de chocolate quente, que entregaria com um olhar de comiseração no rosto. A prima Fran, com uma expressão fingida de seriedade no rosto, diria simplesmente para ela deixar de ser mole. Gwen gostaria de ser mais parecida com Fran. Ninguém aprovara a ideia de que ela fosse visitar aquela médium, madame Sostajinski, mas ela foi mesmo assim. E quem poderia culpá-la, depois de seus pais sofrerem uma morte tão trágica no naufrágio do *Titanic*?

A preocupação com Laurence espantou seu sono, e, sabendo que provavelmente passaria a noite em claro, Gwen se deitou com os olhos abertos. Ele devia ter suas razões, ela pensou. Mas o que seria capaz de explicar aquela estranha expressão em seu olhar?

# 4

Uma semana inteira se passou, e Gwen estava sentada na sala de estar. Agora mais acostumada aos empregados de passo leve que sempre davam um jeito de não cruzar seu caminho, ela esperava por aqueles que convocara para uma conversa. Depois de observar os trabalhos na casa, ela preparara anotações sobre o que havia visto. Laurence ainda não dormira em sua cama. Sempre havia alguma razão, e ela nunca conseguia argumentar em contrário. Simplesmente teve que se acostumar a não olhar para o rosto de Naveena quando esta trazia seu chá na cama em uma bandeja de prata. Estava mais do que óbvio para a mulher que ela dormia sozinha, e Gwen, por não querer se submeter à piedade de ninguém, preferia guardar a questão para si.

Ela endireitou os ombros e, apesar de chateada, decidiu não pensar mais no assunto, pelo menos por ora. Laurence provavelmente estava preocupado com as questões da fazenda e, com certeza, em breve se aproximaria. Enquanto isso, ela se manteria ocupada se tornando a melhor esposa de que era capaz. Obviamente, não por querer competir com a primeira mulher de Laurence, Caroline. Gwen queria apenas que seu marido tivesse orgulho dela.

Quando ouviu a batida na porta, ela limpou as palmas suadas na saia. Naveena, o *appu*, o mordomo e dois camareiros entraram.

"Estão todos aqui?", ela perguntou com um sorriso, juntando as mãos para esconder o nervosismo.

"Cules da cozinha ocupados", avisou Naveena. "Os outros camareiros também. Só vir nós."

O mordomo e Naveena eram cingaleses. Os demais eram tâmeis. Ela só esperava que todos entendessem inglês e se dessem bem uns com os outros.

"Bem, convoquei esta reunião para que vocês entendam quais são os meus planos."

Eles trocaram olhares.

"Fiz uma lista de coisas cuja responsabilidade é de vocês, e tenho algumas perguntas."

Ninguém se manifestou.

"Em primeiro lugar, de onde vem o leite? Não vi nenhuma vaca na propriedade."

O *appu* ergueu a mão. "Leite vir todo dia, de búfalo, lá dos vales."

"Entendo. Então o suprimento é suficiente?"

Ele fez que sim com a cabeça. "E temos duas cabras também."

"Ótimo. Minha próxima pergunta é: o *dhobi* vem em qual dia da semana?"

"A senhora precisar tratar com ele."

"Ele fala inglês?"

"Ele fala inglês também, não muito bom."

"Mas o suficiente?"

O homem chacoalhou a cabeça.

Ela ainda não sabia se isso era um sim ou um não, mas pelo menos descobrira que o *dhobi* era o homem que cuidava da lavagem das roupas. E também que ele trabalhava para mais de uma propriedade, portanto queria saber se poderia tê-lo com exclusividade.

Ela encarou os rostos cheios de expectativa dos empregados. "A próxima questão é que pretendo ter um canteiro para a cozinha."

Eles se entreolharam, sem entender ao certo.

"Um canteiro na cozinha?", perguntou o *appu*.

Ela sorriu. "Não, um canteiro para plantar produtos para a cozinha. Temos terra de sobra, então faz todo o sentido. Mas vou precisar de trabalhadores para cuidar disso."

O mordomo encolheu os ombros. "Nós não somos jardineiros, senhora. Já temos jardineiro."

"Sim, mas seria trabalho demais para um homem só." Ela conhecera o jardineiro: um baixote excepcionalmente gordo, com a cabeça miúda emoldurada por cabelos pretos crespos e um pescoço da largura da cabeça.

"Ele vir sempre, senhora, mas pergunte a sr. McGregor", disse Naveena. "Ele ceder homens das linhas de trabalho."

Gwen abriu um sorriso. Ainda não havia sido formalmente apresentada a Nick McGregor, e seria a oportunidade ideal para fazer amizade com ele. Ela se levantou.

"Bem, obrigada a todos. Por hoje é só. Devo falar com cada um individualmente sobre as mudanças em suas rotinas diárias."

Eles fizeram uma mesura, e ela saiu da sala, contente com o resultado da conversa.

Além do labrador, ela descobriu dois jovens cães de caça de pequeno porte, Bobbins e Spew, com quem fez amizade, passando horas jogando gravetos e correndo com eles. Atravessando o corredor com os dois em seu encalço, seus pensamentos se voltaram para Laurence. Ela respirou fundo e comprimiu os lábios. Não tinha como forçar o marido a fazer amor com ela, por mais que tentasse. Antes do casamento, quando falaram em constituir uma família, ele havia dito que quanto mais filhos melhor, pelo menos cinco. E, recordando-se do tempo agradabilíssimo que passaram na Inglaterra, e no hotel quando ela chegou, parecia impossível determinar o que havia dado errado.

Era quase hora do almoço, e ela decidiu que chamaria Laurence até seu quarto e exigiria uma explicação. Ele estava em seu dia de folga, e não poderia usar o trabalho como desculpa.

Depois do almoço, enquanto eles limpavam a boca com os guardanapos de linho, ela se levantou e, com os dedos ansiosos para tocá-lo, estendeu a mão. Laurence a segurou, e ela o puxou, percebendo que as palmas das mãos dele estavam geladas. Gwen inclinou a cabeça e piscou algumas vezes.

"Venha."

No quarto, ela fechou as venezianas, mas deixou os vidros abertos, para que o ar pudesse circular. Ele permaneceu absolutamente imóvel, de costas para a janela, e os dois se encararam sem dizer nada.

"Volto daqui a pouquinho", ela avisou.

O rosto dele se manteve impassível.

Ela caminhou até o banheiro, tirou o vestido, soltou as meias de seda e as baixou até os pés — com o calor do Ceilão, abandonou o hábito de usar espartilho assim que desceu do navio. Em seguida se livrou da combinação francesa de seda com a calcinha do mesmo tipo e removeu os suspensórios e os brincos, deixando apenas o colar de pérolas no pescoço. Totalmente nua a não ser pelo adereço, ela se olhou no espelho. Seu rosto estava vermelho por causa das três taças de vinho que tomara, e ela acrescentou mais um pouco de coloração com um toque de ruge Rigaud cor-de-rosa. Olhando-se no espelho, espalhou a maquiagem com o dedo, passando um pouquinho também no pescoço. Munições: era assim que Fran chamava o pó de arroz e o ruge.

Quando voltou ao quarto, Laurence estava sentado na cama com os olhos fechados. Ela foi andando na ponta dos pés e se colocou na frente dele, que não abriu os olhos.

"Laurence?"

Alinhando o peito dos dois na mesma altura, ela pressionou seu corpo contra o dele. Laurence pôs a mão em sua cintura e a segurou por um instante. Em seguida abriu os olhos e a encarou. Ela ficou observando quando ele levou um de seus mamilos à boca, sentindo os joelhos fraquejarem e quase desmaiando ao sentir a eletricidade que a percorria, intensificada pelo fato de ele estar vendo as reações em seu rosto.

Eles permaneceram assim por um breve momento, e então ele a soltou. Enquanto chutava os sapatos para longe, desabotoava a camisa e tirava a calça e a cueca, ela sentiu um aperto no peito. Ele a deitou na cama, e a nuca de Gwen se arrepiou ao senti-lo com o corpo montado sobre o seu, ajustando a posição. Quando a penetrou, ela soltou um suspiro. A sensação fez seu coração se chocar contra as costelas e roubou seu fôlego. Excitada por uma perda completa de inibição, ela cravou as unhas nas costas dele. Foi quando algo mudou. Os olhos dele perderam o foco, e o ritmo se acelerou. Ela havia encorajado isso, mas não conseguia manter a coisa naquele pé, não parecia certo. Como ele podia ter sido consumido tão rapidamente por algo que não parecia ter nada a ver com ela? Gwen pediu para que fossem mais devagar, mas ele aparentemente não ouviu e, alguns segundos depois, soltou um grunhido e tudo acabou.

Ele saiu de cima dela, mas virou a cabeça para o outro lado enquanto recuperava o fôlego.

Houve um silêncio que durou alguns instantes, durante o qual ela lutou contra seus próprios sentimentos.

"Laurence?"

"Me desculpe se machuquei você."

"Não machucou. Laurence, olhe para mim." Ela virou a cabeça dele para si. A verdade era que ele a havia machucado um pouco. Chocada com o vazio que encontrou nos olhos dele, ela sentiu os seus se encherem de lágrimas.

"Querido, me diga qual é o problema. Por favor", ela pediu.

Gwen queria que ele dissesse alguma coisa, qualquer coisa que o trouxesse de volta para ela.

"Estou me sentindo tão..."

Ela ficou à espera.

"O problema é estar aqui", ele disse por fim, e a encarou com um olhar tão desolado que ela estendeu o braço para confortá-lo. Ele segurou sua mão, virou a palma para cima e a beijou.

"Não é você. Você é preciosíssima para mim. Por favor, acredite em mim."

"Então qual é o problema?"

Ele largou a mão dela e sacudiu a cabeça.

"Me desculpe. Não consigo fazer isso", disse, antes de vestir as roupas e sair às pressas do quarto.

Completamente estupefata, e sentindo como se seu coração estivesse prestes a se desmanchar, ela puxou as pérolas do pescoço. O cordão se rompeu, e as esferas miúdas se espalharam pelo chão. *Por que* ele não conseguia fazer isso? Ela o desejava tanto e, acreditando em seu amor, resolvera dedicar sua vida a ser uma boa esposa e uma boa mãe. Gwen sabia que ele a queria, e de verdade — era só se lembrar de como se comportara em Colombo! Mas, estando tão longe de casa, ela não sabia para quem se voltar.

Gwen deve ter dormido, porque não ouviu Naveena entrar no quarto, e teve um sobressalto quando abriu os olhos e viu a cingalesa sentada na cadeira junto à cama, com uma jarra no colo e o rosto redondo com a mesma compostura de sempre. As pérolas recolhidas estavam todas em um pires ao lado da cama.

"Tem limonada, senhora."

A expressão nos olhos escuros da mulher era tão gentil que Gwen caiu no choro. Naveena estendeu a mão e tocou seu braço de leve. Gwen ficou olhando para aquela mão morena e áspera, tão escura em comparação com sua pele branca. Naveena parecia ter uma sabedoria ancestral nos olhos, e Gwen admirava sua compostura. Apesar de desejar que Naveena a abraçasse e acariciasse seus cabelos, ela se lembrou das palavras de Florence Shoebotham e se virou para o outro lado. Era melhor não ter intimidade com os empregados.


Um pouco mais tarde, ansiosa para sair um pouco de casa e tentar salvar alguma coisa de seu dia, Gwen se vestiu às pressas, incapaz de conter o turbilhão que dominava sua mente. Ela se lembrou de seu chapéu, e decidiu explorar o que existia além das árvores altas na lateral da casa. Estava tudo silencioso, e o calor da tarde tornava a atmosfera preguiçosa. Até os pássaros estavam dormindo, e o único som que se ouvia era o zumbido dos insetos. Ela saiu pela porta dos fundos e passou pelo lago. Uma névoa em um tom pálido de lilás se estendia sobre a superfície até onde sua vista era capaz de alcançar. Laurence a alertara para não nadar ali sem supervisão, então ela ignorou o impulso de tirar o vestido e entrar na água.

Os morros geralmente verdejantes do outro lado do lago estavam azuis, e era difícil distinguir as formas coloridas das catadoras de folhas. Sua primeira impressão, porém, permanecia a mesma. Eram como pássaros exóticos, com cestos pendurados sobre os ombros e sáris de todas as cores. Agora ela sabia que todos os trabalhadores braçais da propriedade eram tâmeis. Os cingaleses consideravam vergonhoso esse tipo de trabalho, embora alguns aceitassem ser empregados domésticos, então os proprietários de fazendas se voltaram para a Índia em busca de mão de obra. Alguns tâmeis viviam em meio às plantações havia gerações, segundo Laurence. E, apesar das recomendações em contrário, Gwen queria ver como eram as linhas de trabalho. Ela imaginou cabanas aconchegantes e crianças barrigudinhas cochilando em redes penduradas nas árvores.

Gwen chegou ao pátio, ladeado em um dos lados pela cozinha. As árvores marcavam a delimitação do espaço do lado oposto. Quando ela estava prestes a cruzar o pátio de cascalho, um homem em farrapos apareceu na porta da cozinha. Ele estendeu as duas mãos e chacoalhou a cabeça. Um jovem ajudante de cozinha apareceu, gritou e o empurrou para longe. Em meio à confusão, o homem foi ao chão. O ajudante de cozinha lhe deu um pontapé e voltou para dentro, batendo a porta.

Gwen hesitou por um instante, mas, quando viu que o homem continuava deitado no cascalho, gemendo, criou coragem e correu até ele.

"O senhor está bem?", ela perguntou.

O homem a encarou com seus olhos pretos. Seus cabelos estavam embaraçados, e seu rosto era largo e bem escuro. Quando ele falou, Gwen não entendeu nada. Ele apontou então para os pés descalços, e ela viu uma ferida em supuração.

"Minha nossa, o senhor não pode andar por aí assim. Aqui, pegue no meu braço."

O homem a olhou sem nada compreender, então ela estendeu a mão para ajudá-lo. Quando sentiu que ele estava seguro e equilibrado, incentivou-o com gestos a acompanhá-la até as cozinhas. Ele sacudiu a cabeça e tentou se afastar.

"Mas o senhor precisa. Essa ferida tem que ser lavada e tratada." Ela apontou para o pé do homem. Ele tentou se afastar outra vez, mas, por causa de seu estado, ela conseguiu segurá-lo, pois tinha mais força que ele.

Quando chegaram à porta da cozinha, Gwen virou a maçaneta e abriu. Três pares de olhos acompanharam sua entrada no recinto.

Nenhuma das três pessoas se moveu. Enquanto Gwen e o homem se aproximavam da mesa, ela puxou uma cadeira com uma das mãos para acomodar o ferido.

Os ajudantes de cozinha começaram a murmurar em um idioma que ela supôs ser o tâmil, porque o homem na cadeira pareceu entender e fez menção de se levantar. Gwen pôs a mão no ombro dele e o empurrou de volta, antes de olhar ao redor. Era possível sentir cheiro de querosene, e ela notou também duas caixas para acondicionar carnes e diversos armários cor de creme com as pernas equilibradas dentro de tigelas e coisas do tipo — para matar os insetos, foi o que ela pensou. Havia algumas pias baixas e um fogão a lenha, onde era queimado o grande estoque de madeira empilhado logo ao lado. O cheiro no recinto era uma mistura de suor humano, óleo de coco e do curry que haviam comido no almoço. O primeiro curry de sua vida.

"Muito bem", ela falou, apontando para duas tinas grandes d'água ao lado das pias. "Preciso de uma tigela de água morna e de um pouco de musselina."

Os ajudantes de cozinha permaneceram olhando para ela. Gwen repetiu o pedido, acrescentando um "por favor". Mesmo assim, ninguém se moveu. Ela ficou se perguntando o que fazer, mas nesse momento o *appu* apareceu. Ela sorriu, imaginando que com ele a conversa chegaria a algum lugar; afinal, ele sempre lhe dava boa noite, e a tratara com respeito durante a reunião que haviam tido. No entanto, alguma coisa em seu olhar revelava que ele não estava muito feliz.

"O que é isso?"

"Quero que me tragam água para limpar a ferida deste homem", ela falou.

O *appu* estalou os dentes e soltou um assobio. "Não pode."

Gwen sentiu sua pele se arrepiar. "Como assim, não posso? Sou a senhora da Fazenda Hooper, e insisto que você faça com que me obedeçam."

Ele parecia tentado a se manter firme em sua posição, mas então, aparentemente se colocando em seu lugar, virou-se para um dos cules da cozinha e, fazendo cara feia, murmurou algo e apontou para a pia. O jovem correu e um minuto depois voltou com uma tigela de água e alguns pedaços de musselina. Laurence tinha razão. Os empregados haviam ficado por conta própria por tempo demais. Gwen mergulhou um pedaço de musselina na água e limpou a ferida o quanto o homem foi capaz de aguentar.

"O pé dele está terrivelmente infeccionado", ela comentou. "Se não for tratado, ele pode perdê-lo."

O *appu* deu de ombros, e o descontentamento era visível em seus olhos. "Os trabalhadores da fábrica e dos campos não poder entrar na casa."

"Você sabe o que aconteceu com ele?", ela perguntou.

"Um prego, senhora."

"Onde fica o iodo?"

Os ajudantes de cozinha olharam para o *appu*, que encolheu os ombros outra vez.

"Iodo, homem, e não demore", disse Gwen, sentindo a tensão começar a enrijecer seus ombros.

O homem foi até um armário na parede e voltou com um pequeno frasco. Foi impossível para Gwen não notar o ressentimento que ele demonstrou ao fazer isso. Não importava o que o cozinheiro pensava, ela disse a si mesma; o importante era ajudar aquele pobre coitado.

"E as bandagens?", perguntou Gwen.

O cozinheiro pegou um rolo de faixa e o entregou junto com o frasco de iodo a um ajudante de cozinha, que passou tudo para Gwen.

"Ele se machucar sozinho, senhora", disse o cozinheiro. "Homem muito preguiçoso. Arruma problema."

"Não me interessa. E, já que está aqui, dê a ele um saco de arroz. Ele tem família?"

"Seis filhos, senhora."

"Então dê dois sacos de arroz."

A boca do cozinheiro se abriu em protesto, mas ele pareceu pensar melhor, deu de ombros e ordenou ao cule da cozinha que pegasse o arroz.

Quando Gwen terminou o curativo no pé do homem, ajudou-o a se levantar, sob os olhares do *appu* e dos cules. Não foi fácil amparálo até a porta, e uma ajuda seria bem-vinda. Juntos, porém, eles conseguiram sair da casa e caminhar até o paredão de árvores altas. Ela ouviu uma comoção eclodir atrás de si na cozinha, mas manteve a cabeça erguida e continuou andando pelo caminho bem marcado por entre as árvores, com o homem saltitando com uma perna só e apoiado em seu braço. Quando ele tentou se soltar e pôr o pé enfaixado no chão, ela sacudiu a cabeça.

Era um lugar de vegetação densa, com raízes espalhadas pelo caminho. Além de sustentar o peso dele em um dos braços, com a outra mão ela precisava espantar um milhão de criaturas aladas. Eles caminharam uns oitocentos metros sob uma luz esverdeada filtrada pelas árvores e um cheiro intenso de folhas, terra e vegetação apodrecida, em um progresso tão lento que ela perdeu a noção de distância.

Depois de um tempo, as árvores rarearam e então surgiu uma clareira. Ela ouviu o som de crianças gritando à distância. Mais adiante no caminho de terra, havia uma fileira de mais ou menos uma dúzia de cabanas de madeira com telhado de zinco, todas ligadas uma às outras por uma espécie de terraço precário. Em meio às árvores, fileiras similares de cabanas — algumas com teto de zinco, outras de folhas de palmeira — podiam ser vistas em todas as direções. Em frente a cada uma havia as casinhas, latrinas improvisadas com serragem que fediam terrivelmente. Sáris em tons fortes de vermelho, azul e roxo pendiam dos varais, flutuando sobre o chão de terra batida. Diversos velhos usando apenas tangas sentavam-se de pernas cruzadas diante das cabanas, fumando um tabaco malcheiroso em meio a galinhas magricelas que ciscavam no chão.

Uma mulher apareceu. Quando viu Gwen, ela levantou a voz para o homem e chamou seus três filhos para dentro. O restante das crianças se reuniu em torno de Gwen, tagarelando animadamente e apontando para diferentes partes de suas roupas. Uma delas, mais ousada, tocou em sua saia.

"Olá", disse Gwen, estendendo a mão, mas a criança deu um passo para trás, ficando tímida de repente. Ela fez uma anotação mental para trazer doces em sua próxima visita.

Pareciam todas iguais, todas com pele escura e reluzente, com cabelos pretos e ondulados, corpos magros e barrigas grandes. Elas a encaravam com seus lindos olhos castanhos, que não se assemelhavam aos de crianças pequenas. Uma ou duas não pareciam muito bem, e todas estavam desnutridas.

"São seus filhos?", ela perguntou ao homem.

Obviamente incapaz de entendê-la, ele encolheu os ombros.

Enquanto Gwen observava um pássaro bicando o chão à procura de minhocas e insetos, a mulher que aparecera gritando veio até ela e fez uma mesura, mantendo os olhos baixos. Tinha cabelos partidos ao meio, narinas largas, zigomas pronunciados e lóbulos da orelha compridos. O homem entregou a ela os dois sacos de arroz. A mulher os pegou, e dessa vez arriscou um rápido olhar para Gwen, difícil de identificar. Parecia contrariedade, ou talvez medo. Poderia ser piedade, e, se fosse mesmo isso, era mais difícil ainda de compreender. A mulher tinha tão pouco, e Gwen tinha tudo. Mesmo o colar que a tâmil usava se resumia a um cordão com sementes vermelhas. A mulher fez outra mesura, puxou para o lado a cortina esfarrapada que cobria a frente da cabana e desapareceu lá dentro. As cabanas tinham mais ou menos três metros por três metros e meio, sendo menores que o vestíbulo da casa de Laurence, e pareciam ser bem frias à noite.

Em questão de instantes, o céu ficou vermelho. Ela ouviu o barulho dos grilos e, na direção do lago, o coro das rãs começar. Gwen soltou o braço do homem, deu um passo para trás e se virou correndo na direção das árvores, em meio ao anoitecer repentino.

O caminho estava escuro. As copas das árvores bloqueavam o pouco de luz do dia que restava. Ela sentiu um calafrio de medo. Havia barulhos de sobra naquele bosque: farfalhares e rangidos, sons de passos, respirações pesadas. Laurence tinha dito que havia javalis selvagens por ali, e que eles eram agressivos. Ela se perguntou o que mais poderia haver. Cervos, talvez, e cobras com certeza. Cobras nas árvores, cobras no mato. Algumas poderiam não ser muito ameaçadoras, mas e as serpentes venenosas? Ela acelerou o passo. Laurence avisara, e ela não dera ouvidos. Em que estava pensando? Na escuridão sufocante, ficava difícil respirar, e impossível ver o caminho à frente. Era preciso se orientar apenas pelo tato. Seus pés engancharam em cipós no chão, ela perdeu o equilíbrio e ralou a testa e o braço em um tronco de árvore.

Quando viu as luzes piscantes da casa, seu coração estava disparado, e apenas quando saiu aos tropeções do meio das árvores e chegou ao pátio foi que voltou a respirar normalmente.

Mas então, enquanto atravessava o pátio às escuras, uma voz gritou em um tom imperativo. Não era o vigia noturno.

Droga, ela pensou, reconhecendo o sotaque escocês. No meio de tanta gente, tinha que ser justamente a pessoa em quem ela queria causar uma boa impressão.

"Sou eu, Gwendolyn", ela falou ao chegar à porta e aproximar o rosto da luz.

"Que diabos estava fazendo, saindo do meio das árvores desse jeito?"

"Desculpe, sr. McGregor."

"A casa pode ser responsabilidade sua, mas tudo o que acontece na propriedade me diz respeito. Sra. Hooper, seu lugar não é nem perto das linhas de trabalho. Acredito que seja de lá que esteja vindo, não?"

Motivada por uma sensação de injustiça, ela elevou o tom de voz. "Eu só estava tentando ajudar."

Ela observou os vasos estourados no rosto do homem. Era um sujeito grandalhão de cabelos ruivos, já ralos nas têmporas, pescoço grosso e queixo largo. O bigode era espesso, os lábios eram finos e os olhos, de um azul intenso. Ele segurou seu braço ferido com uma força exagerada.

"O senhor está me machucando", ela falou. "Agradeço se tirar a mão de mim, sr. McGregor."

Ele a encarou com uma expressão contrariada. "Seu marido vai ficar sabendo disso, sra. Hooper."

"Tem razão", ela respondeu, com mais segurança do que de fato sentia. "Vai mesmo."

Nesse momento, Gwen sentiu um alívio tremendo ao ver Laurence saindo de dentro da casa. Ele sorria, mas houve um momento de tensão quando encarou McGregor sem dizer palavra. O estranhamento logo passou, e Laurence estendeu a mão para ela. "Vamos cuidar de você."

Apesar de abalada, ela abriu um sorrisinho e segurou a mão dele.

Laurence se virou para McGregor. "Ora, Nick, não aconteceu nada de mais. Logo Gwen vai entender como as coisas funcionam."

McGregor parecia prestes a explodir, mas não disse nada.

"São só os primeiros dias. Vamos ter paciência." Laurence a abraçou. "Pronto, pode se apoiar em mim."

A corrida em meio à escuridão das árvores a deixara vulnerável, e ela percebeu que provocara uma situação desagradável entre McGregor e Laurence. Alguma coisa naquele sujeito a deixou alarmada, ainda que não só ele — as privações que testemunhara nas linhas de trabalho a haviam perturbado também. E, apesar de não se sentir mais tão confortável com Laurence depois do incidente no quarto, ela ficou imensamente feliz por ter os braços dele em torno de seu corpo, e torceu para que surgisse uma chance de conversar sobre o que havia acontecido.


Na manhã seguinte, depois de elaborar um novo plano para a limpeza de rotina da casa e de tentar entender a contabilidade doméstica por mais de duas horas, esses assuntos logo foram deixados de lado em sua mente. A postura de McGregor era um problema mais difícil de ignorar, e ela precisaria da ajuda dele para conseguir seus jardineiros.

Gwen pegou o papel com os planos que havia feito para sua pérgula; talvez jasmins brancos subindo por uma treliça de metal, ficou pensando ao sair pelas portas francesas.

O lago brilhava sob o céu de um azul intenso, escuro na sombra, mas quase prateado à luz do sol, pontuado por um ou outro traço de verde. Gwen passou pelo jacarandá azul e sentiu o cheiro de uma flor desconhecida no ar. Gralhas saíram voando do gramado bem cuidado e bem aparado, composto por um tipo de grama mais dura que a inglesa. Ela queria encontrar um lugar para deixar sua marca, mas sem aborrecer o velho tâmil, que parecia considerar seus aqueles gramados e canteiros. Gwen teria que consultar Laurence sobre o local para plantar sua horta, mas por ora se ocuparia de conseguir o melhor lugar possível para sua pérgula.

Bobbins e Spew iam se enrodilhando em suas pernas, como sempre faziam. Ela jogou a bolinha com força, e eles despareceram em meio aos arbustos, perto de onde as gralhas bicavam o gramado à procura de minhocas.

"Pronto", disse ela. "Vão buscar!"

Spew era o mais ousado, e, aonde quer que fosse a bolinha, ia atrás. Ela observou quando ele se agachou para passar por uma abertura nos arbustos e se embrenhar na parte mais alta da vegetação do jardim.

Gwen estava irritada. Quando fora procurar por Laurence naquela manhã, encontrara Naveena, que informara ter deixado um bilhete em sua penteadeira, um recado do patrão.

Ao abri-lo, Gwen descobriu, por meio da caligrafia marcante e sem rodeios de Laurence, que não o veria nos dois dias seguintes. Eles não puderam nem conversar. Agora ela era informada por escrito de que ele tinha ido a Colombo buscar Fran; e, como também era juiz de paz e magistrado extraoficial em assuntos de polícia, tinha um trabalho a fazer no tribunal em Hatton. Os ânimos estavam exaltados em um vilarejo local, e ele precisava acalmar os nativos e decidir quem era o verdadeiro culpado.

Gwen sentiu uma saudade repentina de casa. Repreendeu-se por isso, mas era impossível não ficar irritada com o fato de ele não tê-la avisado pessoalmente, nem perguntado se queria acompanhá-lo. Por outro lado, ele havia dito que o calor em Colombo estaria insuportável por causa do atraso das chuvas das monções. Pelo menos ali, nos morros de Dickoya, o tempo estava fresco, e, como pretendia passar o dia fora de casa, ela ficou contente por isso.

Enquanto chamava Spew, o sr. Ravasinghe voltou à sua mente. Ela já havia se pegado pensando naquele encontro fortuito várias vezes. Ele fora de uma consideração ímpar, mas Gwen sentia que o homem de pele morena, cabelos ondulados e olhos escuros e reluzentes estava escondendo alguma coisa.

Ela não conseguia encontrar o cão de caça.

Bobbins estava escavando, com o traseiro erguido no ar, exatamente na abertura por onde Spew desaparecera atrás da bolinha, perto dos arbustos de antúrios com folhas em formato de coração e flores delicadas que ela vira em sua primeira manhã na fazenda. Gwen foi até lá e fez um carinho no animal.

"Para onde ele foi, hein, Bobbins?"

Ela ouviu um latido e olhou por uma pequena abertura à sombra de uma árvore grande, mas a pouca luminosidade não permitia que visse muita coisa. Gwen puxou alguns ramos de uma espécie de trepadeira. A coisa toda cedeu com uma facilidade surpreendente, e, quando ela puxou mais um pouco, uma espécie de túnel com mato alto se revelou entre as árvores. Se o túnel tinha uma entrada, devia ter uma saída. Ela produziu uma abertura grande o suficiente para permitir sua passagem, arranhando o braço em alguns espinhos afiados, mas, quando conseguiu entrar, era possível ficar quase de pé lá dentro.

"Spew, estou indo buscar você", gritou.

O túnel fazia uma curva e dava acesso a um lance de degraus de pedra em descendente cobertos de musgo. Ela olhou para a luz que entrava pela abertura do túnel. Parecia seguro, concluiu, apesar do medo de que pudesse haver cobras. Permanecendo totalmente imóvel, deu uma espiada no chão ao redor; nada se moveu, e, como o vento não batia naquele lugar confinado, não se ouvia nem ao menos o farfalhar das folhas.

Ela seguiu em frente, escutando apenas os próprios passos, o zumbido dos mosquitos e a respiração ofegante de Bobbins.

Depois de descer os degraus escorregadios, deparou com uma pequena clareira, que algum dia deveria ter sido bem maior. Ali os arbustos e trepadeiras estavam tão crescidos que só havia espaço para ela em um banco de pedra apoiado em dois tocos de árvore. Era parecido com o esconderijo de infância que ela e Fran haviam criado no meio do bosque em Owl Tree, com sua luz filtrada e todos os ruídos do exterior abafados pelas árvores. Era um lugar pacífico. Bobbins se sentou em silêncio aos seus pés. Gwen respirou fundo e reconheceu o cheiro de madressilvas, misturado a um odor amargo de ervas.

O silêncio se quebrou quando Spew apareceu rastejando na clareira, com o nariz rosado coberto de terra e carregando algo na boca.

"Largue isso, Spew!", ela falou.

O cãozinho de caça rosnou e se manteve onde estava.

"Venha para cá, seu cachorro malcriado, e largue isso."

Ele não obedeceu.

Gwen ficou de pé, segurou-o pela coleira e agarrou uma das pontas do objeto. Quando o puxou para si, viu que era um pedaço de um brinquedo de madeira. Um navio, ela pensou, uma embarcação sem as velas.

O cãozinho perdeu a vontade de fazer pirraça. Abanou o rabo e largou o resto do brinquedo aos pés de Gwen.

"De quem pode ter sido isso?", ela questionou em voz alta, sorrindo para os cães. "Não adianta nada perguntar para vocês, não é?"

Os cães se dirigiram para o ponto de onde Spew aparecera. Gwen foi atrás, imaginando que, caso aquele local já tivesse sido uma grande clareira, seria o lugar perfeito para sua pérgula. Para ter uma visão mais clara, ela tentou abrir caminho por arbustos carregados de uma frutinha miúda, mas só conseguiu arrancar os ramos menores e os gravetos. Seria preciso um par de luvas de jardinagem e boas tesouras de poda.

Gwen se agachou sobre os calcanhares, com as mãos ardendo por causa dos cortes e arranhões. Decidiu desistir e voltar outra hora, com um equipamento mais apropriado.

Spew continuava cavando, e então começou a latir. Ela reconheceu a empolgação daquele latido — Spew encontrara algo. Gwen arrancou mais algumas folhas em seu caminho e se aproximou para ver. Diante dela, havia uma pedra lisa e coberta de musgo, levemente inclinada para a esquerda. O chão ao redor estava repleto de flores silvestres clarinhas. Ela respirou fundo o ar úmido e amadeirado, sentindo-se hesitante. Parecia um pequeno túmulo. Olhando ao redor quando ouviu algo se mexer entre as folhas, mas incapaz de conter sua curiosidade, ela raspou o musgo com as próprias mãos, quebrando uma unha no processo.

Quando terminou, passou o dedo indicador pelas letras. Havia apenas um nome entalhado na pedra: THOMAS BENJAMIN. Nenhuma data. Nenhuma indicação de quem pudesse ter sido a pessoa. Um irmão de Laurence, talvez, ou o filho de algum visitante. Seu marido, porém, nunca mencionara a morte de nenhuma criança. Se não perguntasse a Laurence, seria impossível saber por que Thomas Benjamin estava escondido naquele local inacessível, e não devidamente sepultado no cemitério da igreja. E o fato de Laurence nunca ter tocado no assunto a fez pensar que ele não ia gostar de sua descoberta.

# 5

Dois dias depois, ao ouvir o som do carro de Laurence se aproximando, apesar de uma leve pontada de ansiedade, uma sensação agradável tomou conta dela. O dia estava frio e enevoado, e Gwen aproveitou para voltar a se ocupar da contabilidade doméstica. As contas não batiam. Ela não foi capaz de detectar exatamente o que havia de errado, mas pelo menos conseguira mandar um recado ao *dhobi*, avisando que queria vê-lo no dia seguinte. Fora isso, não podia nem dar uma volta completa no jardim, e a vista do lago estava irritantemente escondida pela névoa.

Ela jogou um xale de crochê nos ombros para esconder os arranhões nos braços e saiu correndo pelo corredor, e depois porta afora.

Fran estava descendo pela porta de trás do Daimler, com um sorriso enorme no rosto. Gwen foi correndo em sua direção, lançou os braços em torno dela e a abraçou com toda a força. Em seguida, se inclinou para trás a fim de dar uma boa olhada na prima.

"Minha nossa, Fran, olha só você!"

Fran arrancou o chapéu cloche da cabeça, amarelo com uma flor de feltro, e balançou a cabeça, apontando para os cabelos. "O que você achou?"

Os cabelos castanhos e reluzentes de Fran estavam cacheados nas pontas, cortados em um chanel ainda mais curto que o anterior, com uma franja comprida. Sob a luz do sol, os fios mais claros reluziam como ouro. Ela marcara o contorno dos olhos com delineador preto, e estava usando um batom vermelho-vivo. Por baixo da franja, seus olhos azuis faiscavam.

Ela riu e deu mais uma voltinha.

O novo volteio revelou sua figura curvilínea, delineada por um vestido sem mangas de voal. Um barrado de renda na saia e um cintinho de contas pretas logo acima do quadril completavam o visual. As luvas, que iam até os cotovelos, combinavam perfeitamente com o vestido e o chapéu amarelos.

"Está um pouco frio, não?", ela comentou. "Pensei que fosse estar calor."

"Tenho uma porção de roupas de frio que você pode usar. Vai esfriar ainda mais quando chegarem as chuvas das monções. Dizem que estão para vir a qualquer momento. Como foi em Colombo?"

"Um horror. Uma umidade terrível. E todo mundo parecia tão exaltado. Mas que viagem maravilhosa. Nunca vi nada parecido. Acho que subimos milhares de metros. E as vistas daquelas pontes de ferro!"

"As vistas são maravilhosas, mas me deixaram com dor de cabeça", contou Gwen, virando-se para Laurence. "A que altitude estamos aqui, Laurence?"

"Olá, querida." Seu sorriso de alegria e seu deleite em vê-la apagaram momentaneamente a má impressão de sua última vez na cama. Ele fez uma pausa e em seguida se curvou para ajudar outra mulher a desembarcar do assento do passageiro.

"E, respondendo à sua pergunta", ele falou, endireitando-se, "são mais de mil e quinhentos metros."

"É a irmã dele", murmurou Fran, fazendo uma careta. "Já estava lá em Colombo, hospedada no Galle Face. Nós passamos para pegá-la. Mal dirigiu a palavra a mim durante toda a viagem para cá."

A mulher alta de pé no chão de cascalho do outro lado do carro jogou a cabeça para trás e riu de alguma coisa que Laurence falou.

"Gwendolyn", chamou Laurence enquanto caminhava na direção da esposa. "Conheça a minha querida irmã, Verity."

Laurence e a irmã contornaram o carro, e Verity estendeu a mão. Como o irmão, tinha olhos castanhos escuros, e a mesma covinha no queixo. Seu rosto era comprido e magro, e Gwen não pôde deixar de notar que as feições características dos Hooper não caíam tão bem em uma mulher. Quando ela se inclinou para a frente e beijou seu rosto, Gwen sentiu um cheiro não muito agradável na pele da cunhada.

"Que arranhão é esse?", perguntou Laurence, tocando o braço da esposa.

Ela sorriu. "Eu esbarrei em uma árvore. Você sabe como eu sou."

"Minha cara Gwendolyn", disse Verity. "Eu estava ansiosíssima para conhecê-la. Laurence me contou tudo."

Gwen sorriu outra vez. Ela sabia que Laurence e a irmã eram próximos, mas esperava sinceramente que ele não tivesse contado tudo.

"Eu lamento muito ter perdido seu casamento. É imperdoável, eu sei, mas estava nas profundezas da África." Ela deu uma risadinha, fez um biquinho e então se voltou para Laurence. "Vou ficar no meu antigo quarto?"

Ele sorriu e a pegou pelo braço. "Onde mais poderia ser?"

Ela o beijou no rosto duas vezes. "Meu querido, queridíssimo irmão, eu estava com muita saudade de você." Os dois saíram andando, de braços dados, e começaram a subir os degraus para entrar na casa.

"Ah, Gwendolyn", Verity chamou, virando a cabeça para trás. "Mande um empregado levar minha mala. O baú só chega amanhã."

"Claro", respondeu Gwen, observando os dois até entrarem. Um baú. Quanto tempo a irmã de Laurence estava planejando ficar?

Fran estava olhando para ela. "Está tudo bem?"

"Tudo maravilhoso", disse Gwen, com um sorriso. Bom, pelo menos ficaria, ela pensou. "Estou tão feliz que você finalmente esteja aqui."

"Eu quero saber de tudo", avisou Fran, cutucando Gwen com o cotovelo. "Tudo mesmo."

As duas caíram na risada.


No dia seguinte, Gwen acordou bem cedo para conseguir falar com Laurence no café da manhã. Cheia de expectativa para enfim conversar com o marido, ela sorriu e abriu a porta da sala de jantar.

"Ah", exclamou quando deparou com Verity comendo *kedgeree*, e o cheiro de peixe embrulhou seu estômago.

"Querida", disse Verity, dando um tapinha no assento da cadeira ao lado. "Laurence acabou de sair, mas é melhor assim, podemos passar a manhã toda nos conhecendo."

"Seria ótimo. Dormiu bem?"

"Não exatamente, mas nunca fui de dormir muito. Mas vejo que o mesmo não pode ser dito da sua prima Fran."

Gwen deu uma risada, mas notou que as olheiras no rosto de Verity não pareciam tão acentuadas quanto no dia anterior. "Tem razão", ela falou. "Fran gosta de se levantar tarde."

"Acho que uma caminhada cairia bem esta manhã. O que me diz?"

"Preciso conversar com o *dhobi* às onze e meia. Ao que parece, algumas das melhores camisas de Laurence não voltaram com o restante da roupa limpa."

"Ah, temos muito tempo até lá, querida. Diga que vem comigo. Vou ficar muito triste se não vier."

Gwen deu uma boa olhada em Verity. Não era exatamente feia, mas não parecia nada calorosa; a linha de expressão permanente entre suas sobrancelhas devia contribuir para essa impressão. Verity provavelmente tinha ciência disso, porque de tempos em tempos erguia a sobrancelha para tentar tornar a pele mais lisa. Infelizmente, esse gesto deixava seus olhos arregalados, conferindo-lhe o aspecto de uma coruja. Mas, fora as olheiras, naquela manhã parecia mais corada, menos amarelada. O ar fresco dos morros devia lhe fazer bem.

"É claro", disse Gwen. "Não quero ver você triste, mas preciso estar de volta para a conversa com o *dhobi* antes do almoço. E vou precisar trocar de sapatos."

"Combinado. Agora venha se sentar. O *kedgeree* está divino. Ou talvez você prefira coalhada de búfala com melaço. É o xarope doce tirado das árvores *kithul*."

"Eu sei."

"É verdade."

Gwen deu uma olhada na coalhada de búfala. Parecia mais um

creme talhado, com uma calda marrom jogada por cima. "Hoje não. Só uma torrada para mim está bom."

"Ora, não é à toa que você é tão magrinha, se for só isso que come!"

Gwen sorriu, mas se sentia bem desconfortável na presença da cunhada, que agora estava tamborilando os dedos na mesa, como se estivesse com pressa. Uma caminhada com ela não era exatamente o que Gwen planejava para aquela manhã, sobretudo porque, depois do almoço, iriam todos a Nuwara Eliya, e sua mala ainda estava por fazer.

Quando foi pôr um sapato mais adequado para caminhar, encontrou Naveena arrumando seu quarto.

"Senhora caminhar com a irmã."

"Isso mesmo."

Por um momento, Naveena pareceu prestes a dizer algo, mas no fim se manteve em silêncio e se limitou a entregar os sapatos a Gwen.

Quando foram para o sol da manhã, Gwen ficou mais animada com a saída. O dia estava lindo e ainda fresco, embora a névoa já começasse a se dissipar. Era possível enxergar a quilômetros de distância, e havia apenas nuvens pequenas e branquinhas no céu. Nas árvores, os pássaros cantavam sem parar, e um cheiro doce pairava no ar.

"Vamos descer e dar umas voltas ao redor do lago. Eu mostro o caminho. Pode ser assim?", sugeriu Verity.

"Claro. Eu ainda não sei andar direito por aqui."

Verity sorriu e ofereceu o braço a ela.

Gwen olhou para os morros cobertos pela plantação de chá, com seu verde intenso vibrando sob o sol. Intrigada com a maneira como as mulheres apanhavam as folhas, ela apontou para os caminhos ziguezagueantes que subiam em direção aos cumes.

"Eu bem que gostaria de passear por aqueles caminhos. Adoraria ver as catadoras de perto."

Verity franziu a testa. "Colhedoras, querida, não catadoras. Mas não, hoje não. Você pode acabar caindo em um canal de irrigação. Tenho uma ideia melhor. Podemos nos afastar do lago um pouquinho e ir até meu bosque favorito. É um lugar absolutamente mágico. Laurence e eu brincávamos de esconde-esconde lá durante as férias de verão."

"Vocês dois foram para o internato na Inglaterra?"

"Ah, sim, mas não na mesma época. Eu fui para o Malvern. Laurence é bem mais velho que eu. Mas você sabe disso, claro."

Gwen assentiu com a cabeça, e elas continuaram andando pelo caminho ao redor do lago por mais ou menos meia hora. A água era calma no centro, e bem escura. Nas beiradas era mais clara, e ficava se chocando contra as pedras no local onde pássaros cinzentos com peito branco e barriga cor de canela abriam as asas e bicavam suas penas.

"Galinhas d'água", comentou Verity. "É aqui que precisamos virar." Ela apontou para uma trilha.

As árvores eram esparsas no início, mas, à medida que se aprofundaram no bosque, o ar se encheu com os odores e sons das criaturas que se movimentavam ao redor. Gwen parou para escutar.

"São só lagartos", disse Verity. "E pássaros, claro, e talvez uma ou outra cobra de árvore. Nada digno de preocupação, garanto. É um lugar meio selvagem e fechado, mas se ficar sempre perto de mim você vai estar segura. Fila indiana agora. Você vem atrás."

Gwen estendeu a mão para tocar os galhos de uma árvore grossa, mas as folhas espetavam, e ela recolheu os dedos rapidamente. Era um bosque de aparência mais selvagem do que aqueles que conhecera, mas não de uma forma ameaçadora. Ela gostou da atmosfera nostálgica do local. Os gravetos estalavam sob seus pés, e o ar parecia tingido de verde nos locais onde os raios do sol não alcançavam.

Verity sorriu. "Se tiver alguma coisa que queira saber, é só perguntar. Tenho certeza de que você vai se dar maravilhosamente bem aqui."

"Obrigada", respondeu Gwen. "Tem uma coisa. Fiquei em dúvida sobre as chaves da despensa. Existem duas cópias. Eu devo ficar com ambas?"

"Não, isso seria um peso terrível nas suas costas. Entregue uma cópia ao *appu*. Assim ele não precisa recorrer a você para tudo." Ela apontou para algumas flores violáceas na beira do caminho. "Não são uma graça? Eu queria ter trazido um cesto."

"Talvez da próxima vez."

"Ponha uma nos seus cabelos", disse Verity, e se abaixou para apanhar uma das flores. "Deixe que eu coloco para você."

Ela posicionou a flor em uma das mechas soltas dos cabelos de Gwen e deu um passo para trás. "Pronto. Perfeito. Combina com seus olhos. Vamos em frente?"

Elas seguiram adiante, Verity falando o tempo todo e se mostrando uma companhia tão agradável que Gwen relaxou e perdeu a noção do tempo. O cheiro do lago não estava mais por perto, e de repente ela se lembrou da conversa que marcara com o *dhobi*.

"Ah, meu Deus. Eu me esqueci. Verity, precisamos voltar." Ela começou a olhar ao redor.

"Claro, mas não pelo caminho por onde viemos. Demoraria um tempão. Tem um atalho logo ali. Laurence e eu usávamos sempre. Assim você chega mais rápido." Verity apontou para o caminho e deu um passo na outra direção.

"Você não vem?"

"Acho que vou pelo caminho mais longo, se você não se importar. A manhã está muito bonita, e eu não estou com pressa. Está vendo aquela trilha? Siga por ela por cinquenta metros e vire à direita quando chegar a uma pequena encruzilhada. Tem uma figueira bem no meio do caminho. Não tem como errar."

"Obrigada."

Verity abriu um sorriso radiante. "Assim você vai direto para lá. É só seguir em frente. Nós nos vemos na casa."

Gwen seguiu na direção apontada por Verity, e fez a curva no local onde uma figueira se erguia bem no meio do caminho. A manhã havia sido agradável, assim como a conclusão de que sua cunhada era muito mais simpática do que parecia. Ela estava contente. Seria ótimo se as duas se tornassem amigas.

Ela seguiu andando, esperando deparar a qualquer momento com a água reluzente do lago, mas depois de percorrer certa distância notou que a trilha se embrenhava cada vez mais na mata. Pedras enormes surgiam no caminho, e até o canto dos pássaros cessara. Gwen olhou ao redor, mas o senso de direção nunca fora seu forte.

Um pouco mais adiante, o caminho entrava em declive. Aquilo não estava certo. Ela olhou para trás e percebeu que já estava descendo fazia algum tempo, mas, para voltar à casa, precisaria estar subindo.

Ela se sentou em uma pedra coberta de limo, passou os dedos pelos cabelos, limpou o suor da testa e decidiu dar meia-volta e refazer seus passos. Não estava com medo, só irritada por ter se perdido, e, para complicar, quanto mais andava, menos reconhecia o caminho. Um galho baixo se enroscou em seus cabelos, e, quando ela o removeu, perdeu um dos grampos. Mais adiante, tropeçou e caiu com o traseiro no chão, rasgando seu vestido novo de voal.

Com as mãos arranhadas, ela tirou as folhas das roupas, mas, quando ficou de pé, sentiu a parte posterior das coxas arderem. Ela se virou para olhar e notou que a pele normalmente clara estava bem vermelha. Algo a havia mordido. Olhando ao redor, percebeu que havia caído sentada sobre um monte de formigas.

Pelo menos era um dia claro de sol. Ela voltou a andar e, depois de pegar o caminho errado várias vezes, enfim encontrou a figueira. No fim, voltaria pelo caminho mais longo, sem nenhuma opção àquela altura a não ser pegar a trilha que havia percorrido com Verity no sentido contrário. E chegaria atrasada, muito atrasada.

Quando se viu diante do lago, sentiu o coração se acelerar ao enxergar sua nova casa à distância. Começou a correr, sem se importar com o estado de seus cabelos e de suas roupas. Já mais perto da casa, viu Laurence andando de um lado para o outro na beira do lago, usando a mão para proteger as vistas do sol da tarde. Quando a viu, ele ficou imóvel, observando sua aproximação apressada.

Ela ficou felicíssima em reencontrá-lo, tanto que pensou que seu coração fosse explodir de alegria.

"Foi bom o passeio?", ele perguntou, com uma expressão séria. Em seguida, com a boca contorcida para um dos lados e as sobrancelhas ligeiramente erguidas, abriu um sorriso.

"Não zombe de mim. Eu me perdi."

"O que eu faço com você?"

"Eu não queria ter me perdido." Ela coçou a parte de trás das pernas. "E fui mordida também."

"Pelo quê?"

Ela fez uma careta. "Eram só formigas."

"Não existem 'só formigas' no Ceilão. Mas, falando sério, eu jamais me perdoaria se acontecesse alguma coisa com você. Prometa que vai ser mais cuidadosa."

Ela assumiu uma expressão que lhe pareceu mais solene, mas não conseguiu mantê-la por muito tempo. Logo em seguida, abriu um sorriso, e os dois acabaram caindo na risada.

"Você está parecendo meu pai."

"Às vezes eu me sinto como se fosse." Ela o puxou para mais perto. "A não ser por essa parte."

O beijo foi demorado e profundo.

Nesse momento, Verity apareceu. "Ah, aí está você", ela falou, em um tom leve. "Desculpe interromper. Já cheguei há um tempão. Estávamos preocupadíssimos."

"Mas eu peguei o caminho que você indicou. E fui mordida por formigas."

"Você pegou a trilha da direita? Perto da figueira, lembra?"

Gwen franziu a testa.

"Tudo bem. Agora você já está aqui." Laurence a abraçou e pegou o lenço do bolso para limpar a terra de seu rosto. "Acabou perdendo o almoço, claro, mas pode agradecer a Verity por ter falado com o *dhobi* em seu lugar."

Verity confirmou com um gesto afirmativo e sorriu. "Não precisa agradecer. Vou dizer ao *appu* para preparar uns sanduíches para você, posso? E vou pegar também uma loção para passar nas picadas de formigas."

"Obrigada."

Quando Verity voltou para dentro da casa, Laurence segurou a mão de Gwen. "E depois, querida, precisamos nos preparar para ir ao baile."

"Laurence", ela falou, apertando a mão dele. "Eu queria conversar... sobre aquele dia."

O rosto dele assumiu uma expressão séria. "Desculpe se fui muito bruto."

Ela ficou olhando para o chão por um momento. Era uma conversa que precisava acontecer, mas não naquele momento, com a irmã dele por perto. Talvez depois do baile eles tivessem uma chance de ficar a sós.

"Vamos esquecer isso por enquanto, certo?", ela sugeriu. "Mas o que eu queria mesmo era explicar por que fui até as linhas de trabalho."

Ele a interrompeu. "McGregor já me contou."

"Você sabia que o homem estava ferido?"

"Você é muito gentil, Gwen, e muito atenciosa, mas trata-se de um velho conhecido de todos, está sempre criando problemas. O que estão dizendo é que se machucou de propósito."

"Por que ele faria isso?"

"Para nos obrigar a pagar pelos dias em que vai ficar sem trabalhar."

"Bom, se as pessoas se machucam, nós precisamos ajudar."

"Não se o ferimento for autoinfligido."

Ela ficou pensativa por um instante. "Não gostei muito da maneira como McGregor falou comigo."

"É só o jeito dele. Não foi nada pessoal."

Gwen suspirou e, lembrando-se dos olhos frios e dos lábios estreitos de McGregor, não conseguiu se convencer disso.

"Deixe as questões envolvendo os trabalhadores da fazenda nas mãos de McGregor. Ele não gosta de ter sua autoridade contestada, principalmente por uma mulher, acho. Ele é irredutível em seus modos antiquados."

"Parece haver muita gente desse tipo por aqui."

Ele encolheu os ombros. "Ainda existe muito a fazer, mas, com as diferentes facções em disputa no Ceilão, não podemos nos dar ao luxo de deixar de contar com a ajuda de ninguém por querer impor mudanças em um ritmo acelerado demais. Para fazer alguma diferença para o país, precisamos de um consenso."

"E se não houver consenso?"

Ele pareceu bem sério ao responder: "Precisa haver, Gwen".

Houve uma pausa.

"Você gosta de McGregor."

"Acho que sim. Eu o deixei no comando de tudo durante a guerra, com apenas dois assistentes. Ele não podia lutar, sabe."

"Ah, é?"

"Como você deve ter percebido, ele tem uma perna coxa. Mas conseguiu comandar uma força de trabalho de mais de mil pessoas de forma admirável, e tem minha total confiança."

"Então eu vou aprender a gostar dele."

"Sendo mais exato, são mais de mil e quinhentas pessoas, agora que eu assumi o controle de mais uma propriedade. Houve problemas sérios com alguns cules que vieram transferidos de lá. Existem muito mais coisas acontecendo por aqui além da colheita das folhas."

"Por que só as mulheres são catadoras?"

"Elas têm dedos mais ágeis. E nós as chamamos de colhedoras."

"Verity me falou. E os homens?"

"Existem outros trabalhos que exigem força física. Cavar, plantar, fertilizar, limpar valas e, obviamente, podar. Temos muita gente envolvida na poda, e os filhos dos trabalhadores passam recolhendo os galhos cortados para usar em casa, no fogo. Só não se esqueça de uma coisa: você agiu motivada unicamente pela decência, mas o trabalho de McGregor é garantir sua segurança."

Ela assentiu com a cabeça.

"Você deve ter percebido que os empregados domésticos se julgam um tanto superiores aos trabalhadores da fazenda. Nós não queremos que eles se aborreçam também. Por falar nisso, como vão as coisas? Alguém está causando problemas?"

Ela pensou em falar sobre as contas, mas decidiu que era melhor não. A casa era responsabilidade sua, e ela daria um jeito de descobrir o que havia de errado.

Quando ele a beijou na boca, ela sentiu o cheiro de sabonete e limão outra vez. "Agora vamos, minha linda esposa", ele falou. "Que tal nos divertirmos um pouco?"


O Baile Anual do clube de golfe seria realizado no Grand Hotel em Nuwara Eliya. O casarão em estilo elisabetano era cercado de jardins impecáveis, com dois tipos de grama e cobertos de margaridas. Gwen estava ansiosa para o evento fazia dias. Ela teria a chance de usar seu novo vestido rosa e prateado, e com certeza dançaria o charleston junto com Fran.

A viagem até a cidade levava três horas, passando por estradas sinuosas nas montanhas, e Gwen ficou um pouco enjoada. Quando enfim chegaram e ela desceu do carro, o ar fresco com cheiro de menta logo a revigorou. A cidadezinha parecia um vilarejo em Gloucestershire, com uma torre com um relógio, um imponente memorial de guerra e uma igreja em estilo inglês.

Mais cedo, ao sair de casa, Gwen ficara surpresa ao ver que Verity havia se acomodado no assento do passageiro ao lado de Laurence. Não escondeu sua contrariedade, mas também não pediu que a cunhada saísse de lá.

Verity se virou para trás. "Você não se incomoda, não é, Gwen? Nós não nos vemos há um tempão."

O orgulho de Gwen ficou um pouco ferido — afinal de contas, o banco da frente deveria ser ocupado por ela —, mas ela entendia que Laurence e Verity queriam conversar.

No hotel, Laurence já havia reservado os quartos com antecedência. Quando ele entrou no saguão, Gwen o acompanhou até a recepção.

"Você e Fran vão dividir um quarto", ele avisou. "Vão se divertir muito juntas."

Ela olhou para as pessoas circulando ao redor, e precisou engolir as palavras que sentiu vontade de dizer.

"Vai ser como nos velhos tempos", ele falou, em um tom um pouco defensivo. Em seguida, virou-se para conversar com o atendente.

"Não é essa a questão", ela sussurrou. "Pelo amor de Deus, Laurence..."

"Agora não, Gwen, por favor. Aqui está a chave."

Ela o segurou pela manga. "Esse assunto ainda não está encerrado!"

Ele não respondeu. Ela mordeu a língua, segurando-se para conter a súbita explosão de sentimentos. Como não queria ser vista chorando no saguão do hotel, virou-se e começou a se afastar.

Ele estendeu a mão. "Desculpe, sei que precisamos conversar. Acho que não fui exatamente..."

Quando ele ia concluir, Verity se aproximou dos dois. Lançando um olhar amigável para Gwen, ela se abraçou ao irmão e apoiou a cabeça em seu ombro. Laurence tentou se desculpar com uma expressão silenciosa, mas, vermelha de raiva, Gwen virou as costas e foi atrás de Fran.

O quarto era grande e confortável, com um sofá, duas camas com mosquiteiros, dois criados-mudos e uma penteadeira combinando, onde três orquídeas clarinhas haviam sido lindamente arranjadas. Fran tirou o vestido e o xale de lã que Gwen lhe emprestara, e imediatamente se enfiou sob os lençóis limpíssimos de uma das camas. Ela estendeu a mão, e um bracelete brilhou em seu pulso. "Veja, é um templo budista. Comprei em uma daquelas feiras livres barulhentas das ruas de Colombo."

Gwen examinou o novo pingente no bracelete de Fran.

"E então, está gostando da vida de casada?", Fran perguntou, com as sobrancelhas erguidas e um sorriso no rosto.

"Está boa."

"Boa? Deveria ser muito mais que isso."

Gwen se fez de desentendida e encolheu os ombros.

"Vamos, conte. Você sabe do que estou falando."

A expressão de Gwen ganhou ares de desânimo, e ela baixou a cabeça.

Fran se sentou imediatamente. "Ai, Gwennie, o que foi?"

Houve um breve silêncio, enquanto Gwen se dividia entre a necessidade de falar e a obrigação de se manter leal a Laurence.

"Estou ficando assustada. Ele machucou você?" Fran estendeu uma das mãos.

Gwen sacudiu a cabeça e ergueu os olhos. "Não foi por querer."

"Você está coberta de arranhões."

"Os arranhões foram todos culpa minha."

"Que bom. Laurence parece ser bonzinho, não faria uma coisa dessas."

Gwen franziu a testa. "Ele é uma boa pessoa."

"Então por que você está tão infeliz?" Ela fez uma pausa. "É por isso, não? Ele é bonzinho demais. Você não está se divertindo muito, não é?"

Gwen engoliu em seco e sentiu o pescoço ficar quente. "Nós estávamos. Mas aí..."

"Ah, isso não é nada bom. De que adianta ter um compromisso com um homem e não desfrutar da parte boa? Ele sabe como fazer?"

"Ele já foi casado. Claro que sabe."

Fran sacudiu a cabeça. "Nem sempre é assim. Alguns homens não levam jeito para a coisa."

"Na Inglaterra foi maravilhoso." Gwen sentiu que seu rosto estava todo vermelho. "E em Colombo."

"Então tem alguma coisa o incomodando."

"Na verdade, acho que ele está *preocupado* com alguma coisa, mas não quer me contar."

"Conversar não adianta. Vamos deixar você irresistível, para ele ficar morrendo de vontade. É assim que se conquista o coração de um homem!"

Gwen sorriu. Depois que Fran fora para Londres da última vez, e antes do casamento com Laurence, Gwen tentara falar sobre assuntos íntimos com a mãe. A conversa havia terminado em murmúrios gaguejados e sem sentido. Sua mãe provavelmente nunca ouvira falar em orgasmos, e a ideia de seu pai bigodudo agradando sexualmente a esposa era suficiente para traumatizar ou provocar gargalhadas em qualquer um. Sua mãe não mencionou nem as "necessidades masculinas" que tantas risadinhas provocavam nos tempos de colégio interno.

Fran interrompeu seus pensamentos. "Esqueci de contar. Acho que posso ter conseguido um emprego para quando voltar para casa."

"Você não precisa de emprego. Tem o aluguel de suas propriedades."

"Pelo salário não preciso mesmo, mas estava ficando cansada de festas e champanhe. Você sempre se ocupou fazendo seus queijos fedorentos, por que eu não posso ter uma distração também?"

Essa lembrança evocou muita coisa. A saudade que ela sentia de seus pais e do casarão antigo em que viviam chegava até a doer. Depois que sua mãe transformara um velho celeiro em um galpão para fabricação de queijos, o cheiro forte e característico havia ficado impregnado no lugar. Gwen sacudiu a cabeça. Agora estava na terra da canela e do jasmim, e não adiantava querer viver no passado.

"Vamos nos arrumar agora?", sugeriu Fran.

Depois que ambas tomaram banho, Gwen colocou uma faixa com bordado de pérolas na cabeça, e Fran a ajudou a pentear os cabelos de modo que os cachos escuros caíssem soltos por cima de sua nuca estreita. Os cabelos castanhos de Fran, em seu corte curto e chique, revoavam ao redor de sua cabeça, reluzentes sob a faixa vermelha com uma pena combinando.

Fran olhou para Gwen de cima a baixo.

"Estou bem?"

Fran abriu um sorriso. "Que comece a operação sedução!"

Às onze da noite, o baile estava a todo vapor. A orquestra havia parado para um intervalo, e Gwen olhou ao redor, para as pessoas que circulavam pelo salão. A maioria das mulheres usava vestidos antiquados em tons pastel, mal mostrando os tornozelos. Até as moças mais jovens se vestiam como as mães.

Laurence, todo elegante em seu smoking, não conseguia tirar os olhos de Gwen, e eles estavam dançando uma valsa lenta quando sua irmã o requisitou. Quando Gwen se afastou, ele abriu um sorriso malicioso. Sem conseguir encontrar Fran, ela se viu sem saber o que fazer. Estava encostada em uma coluna na entrada, ouvindo o turbilhão de vozes e cumprimentando com acenos de cabeça alguns rostos vagamente familiares quando ouviu um homem lhe dizer:

"Sra. Hooper. Que prazer."

Ela se virou e lá estava ele, elegantíssimo em seu terno escuro com um colete lindamente bordado com tons de vermelho e dourado. Os olhos dele se fixaram por tempo demais em seu rosto. Do dia em que se conheceram, ficara a recordação daqueles olhos cor de caramelo, que se tornaram calorosos quando ele sorriu, transformando a expressão de seu rosto. Gwen ficou um tanto sem jeito, e buscou uma palavra para descrever aquele homem. Exótico era uma em que já pensara antes, mas havia algo mais. Desconcertante, talvez? Ela tentou abrir um sorriso, mas não conseguiu. Em seguida, lembrando-se de manter as boas maneiras, estendeu a mão, e ele roçou de leve os lábios na luva de seda que ultrapassava a altura dos cotovelos.

"Sr. Ravasinghe. Como vai?"

"A senhora está linda hoje. Não está dançando?"

"Obrigada, e não, no momento não." Dessa vez, lisonjeada com a atenção, ela conseguiu sorrir, mas imediatamente ficou envergonhada. "Laurence está na pista com a irmã."

Ele balançou a cabeça. "Ah, sim. Verity Hooper."

"O senhor a conhece?"

Ele inclinou a cabeça. "Nossos caminhos já se cruzaram."

"Eu só a conheci recentemente. Ela parece muito apegada a Laurence."

"Sim, eu me lembro disso." Ele parou de falar e abriu um sorriso. "Poderia me ceder uma dança, sra. Hooper, quando a orquestra voltar?"

"Por favor, me chame de Gwen. Mas não sei se devo." Ela olhou ao redor e viu Fran voltando ao salão pela entrada oposta, carregando algo debaixo do braço. Como sempre, ela parecia extremamente dramática com seu vestido vermelho de baile e seus sapatinhos da mesma cor.

"Ah, veja só. Vou apresentá-lo à minha prima e melhor amiga, Frances Myant."

Quando Fran se aproximou, Gwen notou a atração imediata que se estabeleceu entre a prima e Savi Ravasinghe. Os dois ficaram se olhando por um bom tempo, e ele pareceu incapaz de falar. Fran esbanjava saúde e glamour, e Gwen percebeu que ela nunca estivera tão linda, pois acima de tudo era a paixão pela vida que a fazia se destacar. Sua confiança parecia fazer as pessoas se afastarem, como se tivessem medo de acabar ofuscadas. Ou isso, ou não aprovavam de forma alguma sua conduta.

Por um instante, Gwen sentiu uma pontada de inveja. Ainda que, em duas ocasiões desde que se conheceram, Savi Ravasinghe tivesse expressado sua admiração por ela, em nenhum momento a olhara daquela maneira. Não havia motivo para Gwen ficar vermelha quando ele a encarava. Era tolice sua. Ele apenas tomara conta dela, como um irmão mais velho faria, protegendo-a sob sua asa. Mesmo o convite para dançar feito poucos instantes antes parecia só um ato de gentileza. Ela tossiu para atrair a atenção dos dois e apresentá-los devidamente.

"Veja o que eu trouxe", disse Fran. Ela segurava dois discos gravados com microfones elétricos modernos.

"Vou pedir para aquele jovem tocá-los." Ela apontou para o homem de terno encarregado do gramofone de corda. "Conhece o charleston, sr. Ravasinghe?"

Ele sacudiu a cabeça e lançou um olhar de desânimo.

Ela sorriu e o pegou pelo braço. "Ora, tudo bem, eu ensino vocês dois."

Por cima do ombro de Fran, Gwen notou que Laurence fora abordado por Christina, a viúva americana. Era o tipo de mulher que atraía os olhares masculinos — seu vestido bem cortado de cetim preto, que se ajustava nos lugares mais estratégicos, era uma garantia disso. Gwen observou os cabelos ondulados de Laurence, e sentiu vontade de atravessar o salão para se colocar ao lado do marido. Inclusive fez um sinal com a mão, mas notou que Laurence não a viu, e que continuava a sorrir para Christina. Ela foi obrigada a se segurar para não sucumbir ao ciúme quando a mulher ergueu a mão e o tocou no rosto. Nesse momento, Laurence percebeu que a esposa estava olhando, fez um aceno para Christina e veio até ela.

"Gwendolyn. Aí está você."

"O que você estava conversando com aquela mulher?" Ela percebeu que sua voz havia soado dolorosamente petulante.

Ele fez uma careta. "Era sobre um negócio."

Ela estreitou os olhos e respirou fundo. "Laurence, eu vi muito bem que ela passou a mão no seu rosto."

Ele riu.

"Não tem graça..."

Ele a abraçou pela cintura, puxando-a para mais perto, e sorriu. "Só tenho olhos para você. Mas enfim, ela é praticamente a dona de um banco."

Laurence falou como se isso explicasse tudo. Em seguida, seu rosto assumiu uma expressão bem séria.

"Mais importante que isso é que vi você conversando com Ravasinghe. Veja, você pode se divertir, dançar o charleston com Fran, fazer o que quiser, mas prefiro não vê-la ao lado dele."

Ela se desvencilhou do abraço. "Você não gosta dele?"

"Não é uma questão de gostar ou não gostar."

"Então o quê? Não me diga que é porque ele é cingalês."

"Espero de verdade que você não me julgue assim tão superficial."

"Não julgo, não mesmo. Mas acho o sr. Ravasinghe um homem charmoso."

Laurence lançou a ela um olhar perturbado. "Charmoso? É isso que você acha?"

"Sim." Ela fez uma breve pausa. "Os seus conhecidos cingaleses costumam frequentar a casa?"

"De vez em quando."

"E nós frequentamos a casa deles?"

"Sei que isso pode parecer estranho para você, mas não, nem as dos relativamente bem de vida como Ravasinghe." Ele sacudiu a cabeça, e, quando voltou a falar, seu tom de voz mudou. "Ele está pintando um retrato de Christina, aliás."

"Ele é pintor? Não sabia. Você parece incomodado."

"Por que ficaria?", ele rebateu. "Agora venha, quero apresentá-la a algumas pessoas."

"Ah, não. Fran vai nos ensinar a dançar o charleston agora." Irritada com ele, Gwen lhe deu as costas e se juntou à prima e a Savi junto ao gramofone.

Depois disso, Laurence não se aproximou mais. Enquanto fingia olhar em outra direção, Gwen o viu dançar com Christina mais de uma vez. Tentou não ser infantil a respeito, mas a visão dos dois juntos a deixava doente. Que audácia, a de Laurence, dizendo com quem ela poderia ou não poderia conversar, sendo que aquela mulher o abraçava e tocava seu rosto como se fosse sua dona. Depois disso, sentindo uma vontade incontrolável de se comportar mal, Gwen bebeu várias taças de champanhe de uma vez.

79

Durante mais ou menos uma hora, Fran, Savi Ravasinghe e Gwen dançaram o charleston, sob os olhares de recriminação disfarçada dos mais velhos, que sem dúvida torciam para a orquestra voltar logo a fim de retomar suas valsas e seus foxtrotes. Um ou dois convidados mais jovens se juntaram à dança, e por um momento até Verity, que riu e se divertiu tanto que Gwen sentiu estar se afeiçoando a ela de verdade.

Mais tarde, quando Fran desapareceu de vista e Verity não estava por perto, Gwen perdeu o ânimo, e seu desejo de desforra desapareceu. Ela pegou uma taça de champanhe com um garçom que passava por perto, saiu do salão de baile e foi até o saguão do hotel, onde se encostou na parede atrás da escadaria, sentindo-se zonza, perguntando-se o que fazer para tirar Laurence das garras da viúva americana.

Quando Savi Ravasinghe apareceu, seus olhos eram desolação pura.

"Espere aqui", disse ele. "Vou procurar seu marido."

"Estou me sentindo zonza. Por favor, não me deixe aqui."

"Pois bem. Em que quarto está hospedada? Eu a ajudo a subir."

Ela deu uma risadinha. "Acho que estou um pouco bêbada."

Ele tomou a taça de sua mão e a deixou sobre uma mesa. "Não é nada que um copo d'água e uma noite de sono não possam curar. Vamos. Apoie-se em mim."

Ele beijou sua mão enluvada e a segurou pelo braço. Sob o tecido de seda, ela sentiu a frieza da mão dele contra o calor de seu corpo. No fundo da mente, ela sabia que não era apropriado permitir que um desconhecido a levasse lá para cima, mas, depois da maneira como vira Laurence dançando com Christina, decidiu deixar de lado a prudência.

"Está com a chave?"

"Está na bolsa." Ela parou para olhá-lo. "O senhor sempre aparece para me livrar de encrencas."

Ele riu. "Bom, a senhora parece ter uma predisposição para se encrencar."

"Por falar nisso, acho que estou passando mal."

"Certo. Vamos subir agora mesmo, sra. Hooper." Ele a apertou com um pouco mais de força, e ela sentiu seus joelhos fraquejarem.

"Apoie-se no meu braço. Quando estiver instalada, vou procurar sua prima."

Enquanto ele a ajudava a subir alguns degraus, ela ouviu o som de passos. Quando olhou para cima, viu Florence Shoebotham se aproximando, com seu nariz reluzente e seu queixo gordo. Como fala essa mulher, pensou Gwen, à espera de um comentário maldoso, mas, para sua surpresa, Florence passou sem dizer uma palavra.

"Droga! Aposto que ela vai contar a Laurence."

"Contar o quê?"

Ela fez um gesto com a mão, sentindo-se extremamente zonza. "Ah, nada. Só que eu estava um pouco alta."

O sr. Ravasinghe a conduziu até o quarto, e os dois entraram juntos. Quando ela sentiu os dedos dele roçarem seus tornozelos ao tirar os sapatos, ficou surpresa com tamanha proximidade. Gwen mordeu o lábio, com medo de demonstrar que havia sentido algo que não deveria. Ele a ajudou a se deitar sobre as cobertas. Quando ela fechou os olhos, ele acariciou sua testa de leve. Era um gesto reconfortante, e ela queria que ele continuasse, mas, com um pouco de vergonha, afastou-se discretamente.

"Eu amo Laurence", Gwen murmurou, arrastando as palavras.

"Claro que sim. Está passando mal?"

"Um pouco. O quarto está rodando."

"Então vou esperar que durma. Não quero deixá-la sozinha aqui correndo o risco de passar mal."

Ele era um homem e tanto, ela pensou, com o estômago revirado. Em seguida acabou dizendo isso em voz alta, soluçou e levou a mão à boca. "Ooops!"

Ele continuou a acariciar de leve seu rosto.

Parte dela sabia que era preciso mandá-lo sair, mas, em meio à solidão e à saudade de casa, aquele era o tipo de contato humano pelo qual ela ansiava, e todo e qualquer pensamento de prudência desaparecera com a última taça de champanhe. A imagem recorrente de Christina em seu vestido preto, flertando com Laurence, fez seus olhos arderem, e ela começou a resmungar consigo mesma.

"Posso ajudá-la a ficar mais confortável, se quiser."

"Obrigada."

Ele segurou o copo para que ela bebesse um pouco de água, e pôs outro travesseiro sob sua cabeça. Ela tirou a echarpe quando sentiu calor e então, em meio a um sono febril, seu corpo pareceu em chamas. Deitada na cama de braços abertos, ela sentiu a nuca doer. Em alguns momentos, ele parecia ainda estar lá, e em outros não. Gwen teve sonhos perturbadores no qual o sr. Ravasinghe a tocava, e ela retribuía o toque, mas então de repente ele se transformava em Laurence e tudo parecia certo. Ela podia fazer amor com o marido o quanto quisesse. Quando acordou de fato, notou que devia ter aberto os botões do vestido e tirado as meias durante o sono — lembrou-se que estava morrendo de calor —, e sua calcinha francesa nova de seda estava jogada no chão. Quando Fran apareceu, no meio da noite, mandou que Gwen entrasse debaixo das cobertas.

"Veja só seu estado, Gwen. Está seminua e toda amarrotada. O que você andou fazendo?"

"Não lembro."

"Está cheirando a bebida."

"Eu bebi, Franny", respondeu Gwen, ainda se sentindo grogue. "Bebi champanhe."

Fran apagou a lamparina a gás do quarto e se deitou na mesma cama, aconchegando-se atrás dela como as duas costumavam fazer quando eram crianças.


No dia seguinte, no café da manhã, Fran não estava por perto, e Verity tinha ido fazer uma caminhada. Laurence parecia bem-disposto, e perguntou se ela havia se divertido. Gwen respondeu que sim, mas que havia exagerado no champanhe e ido para a cama mais cedo por causa da dor de cabeça.

"Eu procurei por você, mas não consegui encontrá-la. Verity me disse que você devia ter subido com Fran."

"Verity também estava bem alterada. Por que você não foi me ver?"

"Eu não quis acordá-la." Ele fez uma pausa e abriu um sorriso.

"Acho que você e Fran deram ao nosso grupo de amigos um motivo e tanto para falatórios."

Gwen sentiu o rosto queimar. Sua recordação da noite anterior estava um tanto enevoada, mas ela se lembrava de se sentir terrivelmente zonza, e de ter sido amparada até o quarto pelo sr. Ravasinghe.

Ela olhou para o marido e pensou no que poderia dizer. "Gostou de dançar com Christina?", perguntou, com a intenção de soar brincalhona, mas notando que seu tom de voz era tenso.

Ele encolheu os ombros enquanto passava manteiga e geleia na torrada. "Ela é uma velha amiga."

"E nada mais?"

Ele a encarou e abriu um sorriso. "Agora, nada mais."

"E antes não era só isso?"

"Não, antes de você não era só isso."

Gwen mordeu o lábio. Sabia que não estava sendo justa, mas se sentiu incomodada mesmo assim. "E agora acabou?"

"Com certeza."

"Não foi o que pareceu."

Ele franziu a testa. "Ela gosta de provocar. Não ligue."

"Não é por causa dela, então?"

"O quê?"

Ela respirou fundo. "A maneira como você está se comportando."

Foi só sua imaginação ou a expressão dele mudou enquanto sacudia a cabeça?

"Está tudo acabado para ela também?"

"O que é isso, Gwen? A Inquisição Espanhola? Eu já disse que acabou."

"E o que você ia me falar ontem?"

Ele pareceu confuso.

"No saguão, quando chegamos."

"Ah, aquilo... Sim... Sim, claro."

Ela decidiu não insistir, e procurou outra coisa para falar. Foi quando se lembrou. Era a primeira oportunidade que aparecia para conversar sobre o pequeno túmulo que havia encontrado. Gwen deu um gole no chá, limpou a boca, mordeu um pedaço da torrada com geleia — uma encomenda especial da Fortnum & Mason, notou —, abriu um breve sorriso e então disse:

"Quem era Thomas, Laurence?"

O corpo de Laurence ficou tenso, e ele baixou os olhos.

Enquanto aguardava a resposta, ela ouviu os sons das pessoas tomando o café da manhã: os murmúrios matinais desconexos, os garçons de passos leves, o leve tilintar dos talheres contra a porcelana. O tempo foi passando, criando um silêncio desconfortável. Laurence ia dizer alguma coisa, afinal? Ela sentiu uma coceira na nuca, e se remexeu na cadeira. Em seguida passou manteiga em mais uma torrada, que ofereceu a ele.

"Laurence?"

Ele ergueu os olhos, levantou uma das mãos e acidentalmente derrubou a torrada. Quando a encarou, seu rosto parecia sem expressão. "Seria melhor se você não ficasse bisbilhotando por lá."

O tom de voz dele foi impassível, mas ela notou a reprimenda e franziu a testa, um pouco por tristeza e um pouco por raiva. "Eu não estava bisbilhotando, como você disse. Estava procurando o lugar ideal para minha pérgula. E, enfim, Spew fugiu correndo para lá, e precisei ir atrás. Não sabia que ia topar com um túmulo."

"Sua pérgula?" Ele respirou fundo e estremeceu.

"Sim."

Houve outro momento de silêncio.

"Por favor, me diga. Quem era Thomas?"

Quando soltou o ar, Laurence parecia estar olhando por cima de seu ombro esquerdo, e não diretamente para ela. Gwen deu uma última mordida na torrada e o observou atentamente quando ele coçou o queixo.

"Achei tão triste ele ficar lá isolado. Por que não foi colocado na igreja? As pessoas não costumam enterrar gente no jardim, mesmo sendo só uma criança." Ela deu mais um gole no chá.

"Thomas não era *só* uma criança. Era o filho de Caroline."

Ela quase engasgou com o chá.

Laurence ficou em silêncio e limpou a boca. Em seguida, pôs o guardanapo na mesa e pigarreou como se fosse voltar a falar. Como isso não aconteceu, ela resolveu perguntar de uma vez.

"*Só* de Caroline?"

"Era o filho de Caroline... e meu também." Ele se levantou e saiu da mesa.

Ela se recostou na cadeira. Tudo que sabia sobre Caroline era o que Laurence havia lhe contado quando se conheceram. Ele já fora casado antes, e sua esposa adoecera e morrera. Não houve menção alguma a um garotinho. Gwen lamentava muito por ele, mas por que não dizer nada, se era uma coisa tão importante? Por que permitir que o local do túmulo do próprio filho virasse um matagal?

# 6

Fran deixara um bilhete na recepção avisando que talvez ficasse mais tempo no Grand Hotel em Nuwara Eliya, e que poderiam voltar sem ela. Gwen ficou preocupada, porque quando pegaram a estrada, logo depois do café da manhã, nuvens pesadas pairavam acima de sua cabeça, tingindo o céu de amarelo. Se as chuvas chegassem, Fran corria o risco de não conseguir voltar. Laurence havia dito que no ano anterior algumas partes do caminho para Hatton ficaram intransitáveis, e que a única maneira de passar era de barco. Apesar de estar ansiosa para ver pela primeira vez as monções, Gwen ficaria mais tranquila se Fran estivesse em segurança ao seu lado.

Depois que chegaram, Gwen e Laurence se evitaram durante boa parte da tarde, e depois ele foi até a fábrica de chá. Dentro da casa, a atmosfera aparentava estar mudada. Havia uma umidade que antes não estava lá: um ar quente e espesso, tão pesado que parecia possível cortá-lo com uma tesoura, e com um aroma doce ao qual ela não estava habituada. O silêncio também parecia opressivo demais, e, por não poder falar com Fran sobre Thomas, Gwen estava se sentindo tremendamente infeliz.

Na hora do chá, quando foi até a cozinha verificar o suprimento de arroz, ela encontrou Nick McGregor sentado à mesa com seu cachimbo e uma xícara de chá fumegante. Apesar de ter sua própria casa, não muito distante dali, ele costumava passar pela sede da fazenda com frequência para descansar as pernas.

Quando ela mencionou a questão dos jardineiros, ele se mostrou surpreendentemente prestativo, concordando em deslocar trabalhadores para a horta, que se revezariam na função. Gwen ficou satisfeitíssima com o resultado da conversa. Ao que parecia, havia cometido um erro ao julgar McGregor. Talvez a dor que sentia por causa da perna coxa o deixasse irritadiço.

Em seguida, Gwen pensou em dar uma volta em torno do lago com Spew no fim da tarde. Não lhe pareceu uma boa ideia, por causa da chuva iminente, que deixaria os caminhos e os degraus em torno da casa tremendamente escorregadios. Em vez disso, posicionou uma das almofadas bordadas sob a cabeça, afundou-se no sofá e fechou os olhos.

O som da chegada de Laurence chamou sua atenção. Ela sempre reconhecia os ruídos que ele fazia. Não sabia ao certo por quê. Pela maneira confiante como andava, talvez, que dava a sensação de que o dono da casa estava de volta, ou talvez porque nesses momentos Tapper enfim se levantava do cesto onde ficava deitado.

Ela saiu e encontrou Laurence parado no corredor, olhando para as próprias mãos, com a camisa encharcada de sangue. Gwen prendeu a respiração.

"O que aconteceu?"

Ele a encarou por um instante, com a testa franzida, e em seguida virou a cabeça na direção de um dos três cestos de Tapper. Ela olhou ao redor e viu que o cão não aparecera no corredor.

"Onde está Tapper?"

O queixo de Laurence tremia, e ele parecia estar se esforçando para se controlar.

"Querido, me diga", ela insistiu.

Ele tentou falar, mas suas palavras saíram de forma abrupta demais para que ela pudesse entendê-lo. Gwen pegou a sineta da mesinha do corredor e a tocou duas vezes. Enquanto esperavam, tentou reconfortá-lo, mas ele afastou suas mãos e continuou olhando para o chão.

Em questão de minutos, o mordomo chegou.

"Por favor, peça a Naveena para providenciar água e uma camiseta limpa para o patrão. Diga que ela pode levar direto para o quarto dele."

"Sim, senhora."

"Venha, Laurence", ela chamou. "Vamos para o seu quarto. Você pode me contar o que aconteceu quando estiver se sentindo melhor."

Gwen o segurou pelo cotovelo, e ele se deixou ser conduzido para seu quarto, no fim do longo corredor no andar de cima. Ela só entrara no quarto de Laurence duas vezes; nas duas ocasiões, fora interrompida — na primeira por um camareiro que foi fazer a limpeza, e na segunda por Naveena, que apareceu para guardar as camisas passadas de Laurence.

Ele abriu a porta. Um cheiro leve de incenso pairava no ar, e, com as cortinas de veludo azul-escuro quase fechadas, apenas uma nesga da luz do dia aparecia.

"Está escuro", ela comentou ao ligar os dois abajures elétricos.

Ele pareceu não notar.

Era um quarto suntuoso, não o refúgio masculino que a princípio ela esperava, e não parecia ter nada a ver com Laurence. Havia dois abajures de cúpulas azuladas, algumas fotografias emolduradas em uma escrivaninha e peças decorativas de porcelana no mantel. Um grande tapete persa escondia parte do piso de reluzente madeira, e a cama era coberta com um edredom de cetim da cor de chocolate amargo. O mosquiteiro ficava pendurado em uma argola pesada presa ao teto, amarrado em um nó acima da cama. A mobília, ao contrário do quarto dela, era escura.

Houve uma batida na porta, e Naveena entrou com uma toalha, uma tigela com água e uma camisa branca limpa para Laurence. Apesar de ter visto o sangue em sua camisa, ela não disse nada, apenas estendeu a mão e deu um tapinha em seu braço. Ele ergueu a cabeça, e eles se olharam. Gwen não compreendeu o que aquilo significava, mas os dois certamente se entendiam.

"Certo", disse Gwen quando Naveena saiu do quarto. "Vamos tirar essa camisa."

Ela afastou as cobertas, e Laurence se sentou na beirada da cama enquanto Gwen abria os botões de sua camisa. Em seguida, removeu a peça com gestos cautelosos, para o caso de haver algum ferimento.

Ela limpou o sangue das mãos dele, e Laurence ficou de pé para tirar a calça. Quando o examinou, ela notou que não parecia ferido.

"Quer me contar o que aconteceu?", perguntou.

Ele respirou fundo, sentou-se novamente na cama e bateu com os punhos cerrados no colchão. "Eles mataram Tapper. Meu Tapper. Os desgraçados cortaram a garganta dele."

Gwen levou a mão ao pescoço. "Ah, Laurence. Eu sinto muito."

Ela se sentou ao lado dele, que se apoiou em seu corpo. As mãos de Laurence se contraíam sem parar no próprio colo. Nenhum dos dois disse nada, mas os sentimentos reprimidos eram evidentes nas mãos dele, com movimentos tão eloquentes que ele parecia tentar usá-los para se comunicar. Depois de um tempo, Laurence ficou imóvel, e ela o abraçou, acariciando seus cabelos e murmurando. Em seguida, ele começou a soluçar, um choro sentido que parecia vir do fundo de seu ser.

Gwen só tinha visto o pai chorar uma vez, quando o irmão dele, o pai de Fran, morreu afogado. Nessa ocasião, ela ficou sentada com a cabeça entre as mãos, assustada com o som de seu forte e corajoso pai soluçando como um menino. Mas pelo menos isso lhe ensinou que era preciso esperar que Laurence desabafasse toda sua tristeza, como seu pai havia feito.

Quando ele se acalmou, ela limpou seu rosto e o beijou várias vezes nas bochechas, sentindo o gosto salgado das lágrimas. Em seguida o beijou na testa e no nariz, como sua mãe costumava fazer quando ela se machucava.

Ela segurou o rosto de Laurence com as duas mãos e o encarou bem nos olhos. Imediatamente, percebeu que o choro não era só por causa de Tapper.

Ela o beijou nos lábios. "Venha para a cama."

Os dois se despiram parcialmente e se deitaram lado a lado, ficando imóveis por um tempo. Ela sentiu o calor do corpo dele contra o seu, e notou que a respiração do marido se acalmara.

"Você quer me contar por que mataram Tapper?"

Ele se virou de lado para olhá-la. "Tivemos um problema nas linhas de trabalho."

Gwen ergueu as sobrancelhas. "Laurence, por que você não me contou?"

"Não queria que você ficasse preocupada."

"Eu gostaria de me envolver mais. Minha mãe e meu pai sempre conversaram sobre seus problemas, e eu quero que comigo também seja assim."

"É um trabalho de homem, administrar uma fazenda. E você já tem muito o que fazer comandando a casa." Ele fez uma pausa. "O problema é que talvez eu tenha permitido que McGregor punisse os culpados com rigidez demais."

"O que você vai fazer?"

Ele franziu a testa. "Não sei, não sei mesmo. As coisas estão mudando, e estou conseguindo alguns progressos com outros plantadores, mas é uma luta. Tudo costumava ser tão simples."

"Por que você não começa me contando como eram as coisas? Desde o começo. Me conte sobre Caroline e Thomas."

Houve um silêncio por alguns instantes, e Gwen torceu para que não tivesse exagerado nas perguntas.

"Você teria adorado Caroline."

Um pouco tensa, ela ficou à espera. Por fim, ele se deitou de barriga para cima e, olhando para o teto, engoliu em seco. Quando voltou a falar, ela precisou se esforçar para ouvir.

"Eu a amava de verdade, Gwen." Houve mais uma longa pausa. "Mas depois do bebê..."

"Foi quando ela ficou doente?"

Ele não falou, só soltou um suspiro trêmulo. Ela o enlaçou pelo peito e o beijou no rosto, sentindo a barba por fazer espetar seus lábios.

"Onde ela está enterrada?"

"Na igreja anglicana."

Gwen franziu a testa. "Mas Thomas não?"

Ele fez outra pausa, e pareceu pesar as palavras antes de se virar outra vez para encará-la.

Ela o observou atentamente, e ficou tensa.

"Ela teria preferido que ele ficasse aqui, em casa. Me desculpe por não ter contado sobre ele. Eu sei que deveria. Mas o que aconteceu foi doloroso demais."

Gwen o olhou nos olhos e sentiu um nó na garganta. Para alguém acostumado a esconder os próprios sentimentos, ele estava se mostrando abaladíssimo, de uma maneira como ela nunca havia visto antes. Era como se houvesse algo inacessível por trás daquela tristeza, algo muito maior que o luto, e parecia corroê-lo por dentro. Embora estivesse curiosa para saber que doença causara a morte de Caroline e do bebê, ela se sentiu incapaz de pressioná-lo.

Ela balançou a cabeça. "Eu entendo."

Ele fechou os olhos.

Deitada ao lado dele daquela maneira, Gwen sentiu um desejo bem familiar, e tentou ignorar seus batimentos acelerados. Porém, como se tivesse sido acometido pela mesma sensação, ele pôs a mão bem em cima de seu seio, abriu os olhos e sorriu. Com uma expressão totalmente diferente no rosto, passou os polegares por seu pescoço e seus lábios e acariciou o contorno de sua boca, a princípio com leveza, mas depois com mais convicção. Quando entreabriu os lábios, ela sentiu o calor da língua dele. Laurence montou sobre ela no colchão, e Gwen notou que o sofrimento profundo de alguma forma despertara o desejo do marido. Antes mesmo que ela pudesse se dar conta de como acontecera, ele já estava erguendo sua saia, e ela o ajudava a tirar a roupa de baixo. Ela soltou um gemido ao erguer o próprio corpo, arqueando as costas para tirar a combinação. E então, de novo deitada, esfregou os quadris contra o dele, e os dois fizeram amor. Ela havia se sentido perdida sem ele, mas Laurence estava voltando a ser como era, e a alegria de Gwen com isso era incontrolável.

Quando terminaram, ouviu-se o som de uma trovoada, alto como o disparo de uma arma, e uma chuva fortíssima; o céu estava liberando o que até então segurara, despejando todo seu conteúdo sobre a terra mais abaixo. Gwen ficou deitada escutando, aconchegada junto a ele. De repente começou a rir, e sentiu o corpo dele tremer quando a acompanhou na gargalhada, um riso de felicidade e liberdade, e foi como se tudo o que ele vinha mantendo dentro de si tivesse cedido.

"Me desculpe, Gwen, sobre a outra vez. Não sei o que me deu, sinceramente."

"Shh."

Ele a virou e levou um dedo aos seus lábios. "Não, eu preciso dizer isso. Por favor, me perdoe. Não sei onde estava com a cabeça. Eu estava tão..."

Ela o viu hesitar, e notou uma expressão conflituosa no rosto dele. Ao perceber que estava indeciso sobre continuar falando, tentou dizer algo para incentivá-lo.

"Não foi por causa de Caroline?"

"Não exatamente."

"Então?"

Ele soltou um suspiro profundo. "Estar aqui na fazenda com você... Isso trouxe tudo de volta."

A chuva aplacou o calor em vários graus, e Gwen, revigorada, se remexeu na cama, sentindo-se como se a força da tempestade tropical tivesse se enraizado dentro dela e estivesse se espalhando por seu sangue.

"Eu queria poder ficar aqui para sempre, mas deve estar na hora de descermos", ela falou.

Depois que eles se vestiram, antes de apagar as luzes, Gwen olhou para as fotografias que vira antes na escrivaninha. Uma delas, de uma mulher sentada em um tapete xadrez no jardim, com a cabeça de Tapper apoiada no colo, chamou sua atenção. Era loira, e estava sorrindo. Laurence não percebeu que Gwen estava olhando.

"Obrigado", disse ele, e segurou sua mão enquanto atravessavam o corredor.

"Não precisa me agradecer."

"Mas eu sou grato. Você nem imagina quanto." Ele a beijou outra vez, e, enquanto desciam para o jantar, em meio à algazarra dos corvos, Gwen olhou pela janela do patamar da escada. Já era noite, mas ainda era possível sentir a névoa branca cobrindo tudo.

Na sala de estar, Gwen ficou contente ao encontrar Fran entretida em uma conversa com Verity. Ambas se viraram para olhar quando ela e Laurence entraram de mãos dadas.

"Ora, vocês dois estão radiantes", comentou Fran.

Laurence sorriu e piscou para ela. Gwen notou que, embora Verity tivesse aberto um sorrisinho, não pareceu ser dos mais sinceros.

"Você mudou de ideia. Como fez para voltar?", perguntou Gwen, virando-se para Fran.

Embora Fran projetasse uma imagem de confiança para o resto do mundo, Gwen sabia que não era bem assim, que na verdade sua prima ainda lutava para superar a morte dos pais. Ela se deu conta de que isso era algo que Fran e Verity tinham em comum, e se perguntou se seria suficiente para aproximá-las.

"Depois de curar a ressaca, peguei o trem até Hatton", Fran contou. "Que jornada! Mas Savi foi muito gentil. Ele me emprestou o valor da passagem e providenciou uma carona até a estação em Nanu Oya. Eu tinha deixado todo meu dinheiro aqui na casa."

Laurence comprimiu os lábios. "Ora, então você precisa mandar devolver o que deve para o sr. Ravasinghe imediatamente."

"Não precisa. Vou encontrá-lo em Nuwara Eliya na semana que vem, se o tempo permitir. Este país é maravilhoso, não? Ele prometeu me mostrar outros lugares. Gwen, você também está convidada. E nós vamos almoçar com Christina. Ele vai pintar um retrato dela. Não é incrível?"

Laurence se virou de costas, e Gwen percebeu que os ombros dele estavam tensos.

"Espero que eu esteja convidada também", disse Verity, com uma risadinha.

Fran olhou para trás e encolheu os ombros. "Eles não mencionaram o seu nome, infelizmente. Então não, acho que vamos ser só Gwen e eu."

Gwen sentiu pena da cunhada ao vê-la se virar e sair. Ela parecia não ter ninguém no mundo além do irmão, e Gwen desconfiava que alguma coisa a perturbava. Aquela jovem nunca parecia à vontade, e não fazia muito esforço para mostrar o que tinha de melhor. Seus cabelos curtos não combinavam com o rosto anguloso, e, a não ser por um vestido cor de ferrugem, ela nunca usava as cores certas. Deveria usar tons que complementassem seus olhos castanhos, e não exagerar nas cores berrantes e ácidas como fazia.

Gwen preferia os tons de violeta, e não só porque combinavam com seus olhos, mas porque adorava vestir todas as cores inglesas do verão. Cores de ervilhas-de-cheiro, segundo Fran. Seu vestido naquela noite era de um verde clarinho, e, apesar de ela não ter podido se trocar, ainda estava limpo e alinhado. Um exemplo de homem prático, Laurence não se importava com o que vestia, e gostava de circular pela propriedade de bermudas e com uma velha camisa de manga curta bege, com um chapéu gasto na cabeça. Naquela noite, parecendo contente e confiante, sem nenhum traço de perturbação no olhar, ele usava algo mais próximo de um traje social.

Depois do jantar, Laurence foi acender a lareira, e Verity se sentou ao piano. Sobre o instrumento havia uma dezena ou mais de fotos emolduradas em porta-retratos prateados, onde Laurence aparecia a céu aberto, em meio a diversos cães e homens em trajes de caça com espingardas na mão.

Enquanto tocava, Verity cantava com uma voz bem afinada, e parecia recuperada da alfinetada de Fran. Enquanto lia a letra das músicas por cima do ombro de Verity, Gwen notou pela primeira vez que a cunhada roía as unhas.

A diversão da noite ficou por conta de Fran, quando eles começaram a brincar de charadas, e Gwen ficou com a barriga doendo de tanto rir.

Entender melhor Fran era uma preocupação constante na família de Gwen desde sua infância. Desde que se entendia por gente, Fran gostava de atuar, fosse criando um teatrinho de bonecos para contar uma história ou subindo em um palco improvisado de caixotes de laranja para cantar uma opereta, fazendo gestos exagerados com os braços. Suas roupas geralmente acompanhavam seu gosto para o drama: vestidos vermelhos, casacos com lantejoulas e conjuntinhos de um amarelo berrante.

Sua família já parecia habituada a isso, e, embora Laurence parecesse bem receptivo a ela, Verity não parecia entendê-la muito bem. Gwen sabia que Fran na verdade era uma mulher inteligente e sensível, e que seu comportamento era só uma forma de defesa contra um mundo injusto. Observando as sobrancelhas erguidas de Verity, Gwen temeu que a cunhada considerasse Fran uma desavergonhada, sobretudo quando, com um sorrisinho, interrompeu a brincadeira para falar com o irmão.

"Laurence, que tal um passeio em torno do lago amanhã? Podemos usar os cavalos da propriedade. Com certeza Nick não vai se incomodar."

Laurence apontou para a chuva.

"Bom, nós podemos nadar, só nós dois, como fazíamos quando éramos crianças, lembra? Acho que Gwen não vai querer ir."

Gwen ouviu a última parte da frase. "Ir aonde?"

"Ah, eu estava pensando em cavalgar ou talvez nadar um pouco." Ela sorriu. "Pensei que você não fosse querer... Mas é claro que você deveria ir também."

"Nós nunca nadamos durante as monções", murmurou Laurence.

Verity se segurou no braço dele. "Nadamos, sim. Tenho certeza."

O relacionamento de Laurence com a irmã era complexo. Gwen sabia que, depois que os pais deles haviam morrido, Laurence se tornara responsável por lhe dar uma mesada e lhe garantir proteção em todos os sentidos. Gwen achava que Verity, aos vinte e seis anos, já deveria estar casada, e não encostada no irmão. Mas, pelo que Laurence havia dito, quando um casamento foi enfim anunciado, Verity acabou desistindo no último momento.

Para Gwen, era impossível não pensar em como Caroline se dava com ela. Sua cunhada parecia amigável na maior parte do tempo, mas nem sempre. Ela foi até a janela e olhou para fora. A chuva caía em jorros prateados, iluminados pelas luzes da casa. Haveria poças espalhadas pelo gramado de manhã, ela pensou ao se virar de novo para a sala. Laurence deu uma piscadinha para a esposa. Gwen não resistiu e se aproximou, sentando-se no outro braço da poltrona. Ele se desvencilhou de Verity e pôs a mão sobre seu joelho, fazendo um carinho de leve, mas, tão logo percebeu que não havia ninguém olhando, escorregou-a por baixo de sua saia. Isso a deixou um tanto aérea, e ela sentiu vontade de ficar a sós com ele. Embora a morte de Tapper tivesse sido terrível, foi por causa disso que tudo havia mudado. Laurence se abriu e voltou a ser quem era, e Gwen estava determinada a fazer qualquer coisa para que continuasse assim.

# 7

De manhã, quando acordava e via a luz pálida e amarelada do dia, Gwen sentia que sua vida não poderia ser melhor. Uma semana se passara, e em todas aquelas noites Laurence dormiu com ela. Ele parecia libertado de algum peso, e se mostrou o mesmo amante apaixonado que era antes de sua chegada à fazenda. Eles faziam amor à noite e ao amanhecer também. O som da respiração dele enquanto dormia era reconfortante, e, quando acordava primeiro, ela ficava deitada escutando, admirada com a própria sorte.

Ela ouviu o som distante de um galo cantando, e as pálpebras de Laurence se agitaram.

"Olá, querida", ele falou, abrindo os olhos e estendendo a mão para ela.

Ela se aconchegou junto ao marido, desfrutando do carinho.

"Vamos mandar trazer a comida para cá e passar o dia na cama?", ele sugeriu.

"Sério? Você não vai trabalhar?"

"Não. Hoje vai ser um dia dedicado a você. Então, o que vai querer fazer?"

"Sabe o que eu queria, Laurence?"

Ele sorriu. "Me conte."

Ela sussurrou no ouvido dele.

Ele riu e fez uma careta. "Ora, por essa eu não esperava! Já se cansou de mim?"

Ela o beijou com força na boca. "Nunca!"

"Bom, se estiver falando sério mesmo, não vejo por que você não pode saber como é feito o chá."

"Eu sabia tudo sobre a fabricação de queijo lá em Owl Tree."

"Sim, claro, eu experimentei... Então você quer mesmo se levantar?"

Ela acariciou os cabelos dele, e os dois permaneceram deitados.

Ele começou a beijar sua orelha. Todos os dias, Laurence parecia descobrir uma nova parte de seu corpo, proporcionando sensações que ela jamais imaginou serem possíveis. Naquele dia, depois da orelha, ele passou por seus seios, pelo contorno de sua cintura e por entre suas pernas, onde ela sentiu que o desejava. No entanto, ele passou direto quando ela arqueou as costas, e se concentrou em um ponto sensível na parte posterior de seus joelhos. Quando terminou de beijá--la, ele examinou as cicatrizes na parte frontal das articulações.

"Meu Deus, menina, como foi que você fez isso?"

"Foi lá em Owl Tree. Quando eu era criança, subia na árvore da coruja à procura de fantasmas, mas sempre acabava caindo antes de encontrar um."

Ele sacudiu a cabeça. "Você é impossível."

Quem poderia imaginar que a vida poderia ser tão divina, foi o que ela pensou enquanto faziam amor. E, sentindo o calor da pele dele contra a sua, os questionamentos sobre o chá desapareceram totalmente de sua mente.

Duas horas depois, com a chuva dando uma trégua, mas uma névoa pesada ainda pairando no ar, Laurence a conduziu morro acima por uma trilha que ela nunca tinha visto antes. Quando viram o lago, Gwen notou que a água ainda estava marrom, por causa da lama arrastada pelos temporais. A mata estava estranhamente silenciosa, com as gotas d'água que pingavam das árvores lhe conferindo um caráter fantasmagórico. Por um instante, Gwen acreditou na existência dos demônios que, segundo Naveena, ainda se escondiam por lá. Durante todo o caminho, o cheiro da grama e das orquídeas selvagens parecia intensificado pela chuva. Spew, que se mostrava cada vez mais apegado a Gwen, ia correndo na frente, farejando e investigando.

"Que flores são essas?", ela perguntou, olhando para uma planta alta.

"Trombetas dos anjos, é como as chamamos", ele contou, e então apontou para uma construção retangular com fileiras e fileiras de janelas fechadas no alto do morro atrás da casa. "Veja, ali está a fábrica."

Ela segurou o braço dele. "Antes de entrarmos, queria saber se você descobriu quem fez aquilo com Tapper."

Uma expressão de tristeza surgiu no rosto de Laurence. "É difícil conseguir provas. Eles são muito unidos, sabe. E o fato de ser uma questão que nos põe contra eles também não ajuda muito."

"Mas por que mataram Tapper?"

"Para vingar uma antiga injustiça."

Ela suspirou. As coisas por lá eram muito complicadas. Ela fora educada para ser gentil com as pessoas e os animais. Quando as pessoas eram bem tratadas, geralmente respondiam com o mesmo tratamento.

Quando enfim chegaram às instalações, ela estava ofegante, observando os homens de pele escura debruçados sobre o terraço, lavando as janelas. Laurence abriu a porta e, em meio aos sons de cânticos religiosos hindus que ressoavam à distância, ordenou que Spew esperasse do lado de fora.

Ele convidou Gwen a entrar. Ela ouviu o ruído das máquinas em operação no andar de cima, e um cheiro parecido com o de remédio.

Ele notou que ela prestava atenção aos barulhos. "Temos bastante maquinário envolvido aqui. Era tudo movido a lenha, e em muitas propriedades ainda é, mas eu decidi investir em máquinas novas movidas a óleo. Fui um dos primeiros, na verdade, apesar de ainda termos nossa fornalha a lenha para a secagem. Usamos uma madeira chamada goma azul. É uma espécie de eucalipto."

Gwen assentiu com a cabeça. "Dá para sentir o cheiro."

"O prédio tem quatro andares", ele falou. "Quer se sentar um pouco para recuperar o fôlego?"

"Não." Ela olhou ao redor do espaçoso pavimento térreo. "Não pensei que fosse tão grande."

"O chá precisa ser arejado."

"Então, o que acontece aqui?"

Os olhos dele se iluminaram. "Quer mesmo saber?"

"Claro."

"É um processo complicado, mas aqui é onde chegam os cestos com o chá verde para pesagem. Mas existem outras estações de pesagem também. As mulheres são pagas por peso, sabe. Precisamos ficar de olho para ver se elas não incluem nada que possa tornar a carga mais volumosa. Só queremos a parte da ponta dos arbustos. Duas folhas e um broto, é o que dizemos."

Ela notou que ele foi gentil e amigável com um homem que se aproximou e disse algo no idioma tâmil. Depois de responder, também em tâmil, Laurence a abraçou pelos ombros.

"Gwen, deixe-me apresentá-la ao gerente, meu fabricante de chá. Darish é o encarregado de todo o processo de manufatura."

O homem fez um aceno de cabeça um tanto inseguro e uma mesura antes de se afastar outra vez.

"Ele só tinha visto uma mulher branca entrar aqui antes."

"Caroline?"

"Não, na verdade foi Christina. Vamos lá em cima para eu mostrar as mesas de secagem natural. Quando temos muitas folhas, Darish e o supervisor de secagem trabalham até duas da manhã, mas agora, por causa do tempo, está mais tranquilo."

Para Gwen não parecia nada tranquilo, e sim um turbilhão de atividade e ruídos de fundo. Ela estava se sentindo um tanto desconfortável, mas sem saber se era por causa da menção a Christina ou do cheiro intoxicante das folhas, pungente, um tanto amargo e estranhíssimo. Gwen disse a si mesma para parar de ser tola. Laurence garantira que estava tudo acabado.

Eles passaram por pilhas de cestos e todo tipo de parafernália — ferramentas, cordas e afins — enquanto se dirigiam ao andar superior.

"É aqui em cima que nós deixamos as folhas secarem naturalmente", ele contou quando chegaram ao alto das escadas. "O nome da folha de chá é *Camellia sinensis*."

Gwen olhou para as quatro longas mesas nas quais as folhas estavam estendidas. "Quanto tempo elas demoram para secar?"

Ele a enlaçou pela cintura, e ela se apoiou no corpo dele, apreciando a sensação de ser trazida para o mundo do marido.

"Depende do clima. Quando está nublado, como agora, demora mais. As folhas precisam de ar quente para secar, sabe. A temperatura precisa ser a ideal. Às vezes precisamos acender a fornalha para aquecer o ambiente e secar as folhas. É isso que você está ouvindo. Mas, quando está calor, com as janelas abertas, o vento que vem de fora já basta."

"E o que tem no andar de baixo?"

"Quando as folhas secam, passam pelos rolos para serem quebradas. Você quer ver?"

Ela viu as folhas secas serem posicionadas em rampas e descidas até uma máquina no piso inferior. Quando Darish se juntou a eles de novo, Laurence arregaçou as mangas e andou um pouco ao redor das máquinas para verificar seu funcionamento, parecendo tão à vontade em seu ambiente que ela foi incapaz de conter um sorriso.

Ele disse alguma coisa em tâmil para Darish. O funcionário balançou a cabeça e foi fazer o que havia sido ordenado.

"Vamos descer?" Laurence a pegou pelo braço e a conduziu para as escadas. "As folhas ainda vão ser comprimidas nos rolos."

"E depois?"

"Uma hélice giratória tritura o chá, que depois é peneirado para separar as partículas maiores das menores."

Ela farejou o ar, que ali tinha cheiro de grama cortada, e olhou para as folhas de chá, que àquela altura pareciam tabaco picado.

"Depois o chá ainda vai ser fermentado. É a fermentação que dá aquela cor preta."

"Nunca imaginei que o chá que eu tomava de manhã envolvia tanto trabalho."

Ele a beijou no alto da cabeça. "E não é só isso. Depois o chá ainda passa pelo fogo para interromper a fermentação, e é peneirado várias vezes. Em seguida vem a inspeção final, e só então é tudo embalado e mandado para Londres ou Colombo."

"É tanta coisa para fazer. Seu funcionário deve ser muito competente."

Laurence riu. "É mesmo. Como você pode ver, ele tem vários fabricantes assistentes, além de dezenas de trabalhadores, mas vive aqui na propriedade desde menino. Trabalhou para o meu pai também, e conhece muito bem a função."

"E quem é que vende o chá?"

"O chá é vendido em leilão, em Colombo ou em Londres. Quem cuida das questões financeiras é meu corretor. Mas acho que a sirene do meio-dia vai tocar daqui a pouco, e você vai considerar o barulho insuportável aqui dentro."

Ele sorriu, e era impossível para ela não constatar que havia se casado com um homem poderoso. Laurence não só tinha um físico imponente, mas era também muito determinado, e demonstrava grande liderança. Embora tivesse mencionado dificuldades para implementar algumas mudanças que queria fazer, Gwen tinha certeza absoluta de que ele conseguiria.

"Adorei saber que você tem esse interesse", ele comentou.

"Caroline não tinha?"

"Na verdade, não." Ele a pegou pelo braço e a conduziu até a saída.

As nuvens tinham se dissipado, e o céu estava claro. Parecia até que não ia mais chover.

"Laurence, eu estava pensando, por que a sua irmã nunca se casou?"

Ele franziu a testa e assumiu uma expressão séria. "Eu ainda tenho esperanças."

"Mas por que isso não aconteceu?"

"Não sei. Ela é uma menina complicada, Gwen. Espero que você entenda. Quando os homens mostram interesse, ela os afasta. Para mim, é um mistério."

Gwen preferiu não dizer que às vezes achava que Verity sabotava a própria aparência de propósito, para não atrair a atenção dos homens. Ela respirou fundo e soltou um suspiro.

Depois que eles haviam descido uns cem metros pela trilha, a sirene tocou. Ela tapou os ouvidos e acabou tropeçando em um galho caído no caminho.

Ele grunhiu. "Eu avisei."

Gwen se levantou e saiu correndo. Laurence e Spew foram atrás. Quando a alcançou, Laurence a pegou nos braços e tirou seus pés do chão.

"Pode me soltar agora mesmo, Laurence Christopher Hooper. Imagine só se alguém vê isso!"

"Você é incapaz de descer um morro sem se arranhar, se ralar ou se cortar, então eu vou carregá-la."


Naquela tarde, uma gritaria distraiu a atenção de Gwen do livro que estava lendo depois do almoço. Uma história interessante de mistério. Com certa relutância, ela abandonou a leitura e foi verificar o que estava acontecendo.

Gwen ouviu Laurence chamar Naveena. De pé no corredor, ele tentava consolar Fran, que estava sentada com uma expressão furiosa e lágrimas escorrendo pelo rosto vermelho.

Ela foi direto até a prima. "Querida, o que foi que aconteceu? Alguma notícia ruim?"

Fran sacudiu a cabeça e engoliu em seco, mas, incapaz de falar, começou a soluçar outra vez.

"Foi o bracelete dela que desapareceu", contou Laurence. "Mas não sei por que ela está tão chateada. Eu disse que compraria um novo, mas isso a fez chorar ainda mais."

Fran ficou de pé, deu meia-volta e saiu correndo.

"Está vendo o que eu disse?"

"Ah, Laurence. Você é um tonto mesmo. Esse bracelete era da mãe dela. Os pingentes eram todos únicos, e minha tia colecionou um por um durante a vida. Todos eles significam alguma coisa para Fran. É um objeto insubstituível."

Laurence ficou sério. "Eu não tinha ideia. Tem alguma coisa que nós possamos fazer?"

"Ajude a encontrar o bracelete, Laurence. É isso que você pode fazer. Mande todos os empregados procurarem. Eu vou consolar minha prima."

\*

No dia seguinte, Fran não apareceu à mesa para o café da manhã, então Gwen bateu à porta do quarto e entrou na ponta dos pés. Lá dentro, as cortinas estavam fechadas, e o odor azedo de uma noite suarenta pairava no ar. Ela caminhou até a janela para deixar o ar fresco circular.

"Aconteceu alguma coisa?", ela perguntou, olhando para Fran. "Você ainda nem se levantou. Já se esqueceu de que vamos sair para almoçar?"

"Estou me sentindo péssima, Gwen. Muito mal mesmo."

Gwen olhou para os lábios carnudos de Fran, para os cílios compridos e as duas manchas rosadas em uma pele até então sempre impecável. Como Fran conseguia continuar tão linda mesmo estando mal, com sintomas de resfriado? Nesses momentos, Gwen parecia etérea na melhor das hipóteses, e fantasmagórica na pior.

Ela se sentou na beirada da cama e tocou a testa da prima. Era raro ver Fran sentindo pena de si mesma.

"Você está bem quente", comentou Gwen. "Vou mandar Naveena trazer mingau e chá na cama."

"Não consigo comer nada."

"Talvez não, mas precisa beber bastante líquido."

Gwen nem tentou esconder sua decepção. Aquele era o dia em que ela e Fran iriam a Nuwara Eliya almoçar com Christina e o sr. Ravasinghe. Ela queria rever Christina, em parte por curiosidade e em parte para se tranquilizar, mas Fran acordara com febre, e provavelmente não poderia ir.

"É porque você ficou abalada demais ontem", comentou Gwen. "E esse tempo não ajuda."

Fran soltou um grunhido. "Acho que nunca mais vou encontrar meu bracelete. Ele foi roubado, tenho certeza."

Gwen refletiu um pouco a respeito. "Você ainda estava com ele depois do baile?"

"Claro. Você sabe que eu uso quase todo dia, e teria dado falta se não estivesse com ele."

103

"Sinto muito."

Fran fungou.

"Bom, não se preocupe com o que marcamos para hoje. Podemos ir outro dia."

"Não, Gwen, você precisa ir. Savi vai apresentar a pintura. Pelo menos uma de nós precisa estar lá."

"Você gosta mesmo do sr. Ravasinghe, não é, Fran?"

Fran ficou corada. "Gosto, sim. E bastante, na verdade."

"Eu acredito. Sei que ele é um homem atraente, e que em alguns círculos é desejável ser visto como patrono das artes, mas a família teria um ataque." Apesar de dizer aquilo com um sorriso, era uma recriminação.

"Eles são seus pais, Gwen, não meus."

Houve um instante de silêncio.

"Enfim", disse Gwen. "Eu não posso ir sem você. Acho que Laurence não aprovaria. Não sei por quê, mas ele não gosta muito de Savi."

Fran fez um gesto de irritação. "Deve ser porque ele é cingalês."

Gwen sacudiu a cabeça. "Não. Eu não acho que seja por isso."

"Mas você não precisa contar a ele. Seria terrível fazer essa desfeita com Savi. Por favor, me diga que vai."

"E se Laurence descobrir?"

"Ah, com certeza você dá um jeito. Tem como voltar antes do jantar?"

"De trem, provavelmente."

"Então, você vai estar aqui. Ele não vai nem perceber."

Gwen riu. "Se é tão importante assim... E Laurence não vai almoçar em casa hoje. Mas quem vai cuidar de você?"

"Naveena pode me trazer coisas para beber e trocar os lençóis. Além disso, o mordomo pode chamar o médico, se for necessário."

"Acho que eu poderia convidar Verity para ir comigo."

Fran ergueu as sobrancelhas.

"Pensando melhor, talvez não."

Fran riu. "Não me diga que a angelical Gwendolyn Hooper está admitindo que não gosta de alguém?"

Gwen a cutucou nas costelas com os cotovelos. "Não é que eu não goste dela."

"Ai! Eu estou doente, sabia? Mas, se você quiser ir, é melhor se apressar, ou vai perder o trem." Ela fez uma pausa. "Só mais uma coisa."

"Diga", assentiu Gwen, inclinando-se para ajeitar as cobertas de Fran.

"Descubra se ele gosta de mim, Gwen. Por favor."

Gwen riu ao se levantar, mas percebera o tom ansioso na voz da prima.

"Por favor?"

"Não, sinceramente eu não posso. Isso é ridículo."

"Eu vou voltar para a Inglaterra em breve", argumentou Fran, recuperando a firmeza na voz. "Só quero saber se tenho uma chance, antes de ir embora."

"Chance de quê, exatamente?"

Fran deu de ombros. "Isso é o que vamos ver."

Gwen se posicionou ao lado da cama e segurou a mão de Fran. "O sr. Ravasinghe é formidável, mas você não pode se casar com ele, Frannie. Você entende isso, não?"

Fran retirou a mão da prima. "Não vejo por que não."

Gwen suspirou e pensou um pouco a respeito. "Para começo de conversa, além de mim, ninguém mais falaria com você."

"Eu não ligo. Savi e eu poderíamos viver como selvagens em uma ilha deserta no oceano Índico. Ele poderia me pintar nua todos os dias. E, quando o sol bronzeasse minha pele, nós dois ficaríamos da mesma cor."

Gwen riu. "Não seja ridícula. Um minuto debaixo do sol e você vira um camarão."

"Você é uma desmancha-prazeres, Gwendolyn Hooper."

"Não, só gosto de ser realista. Agora vou indo. Cuide-se."


Christina estava usando outro vestido preto, com um decote generoso e luvas de renda até os cotovelos. Seus olhos verdes brilhavam, e Gwen reparou também nas sobrancelhas bem desenhadas. Os cabelos loiros estavam quase soltos, caindo em cachos sobre as costas; junto com as contas pretas amarradas aos fios, transmitiam uma impressão de glamour sem esforço. Na testa, ela prendera uma faixa prateada com pedraria, e complementou o visual com brincos e gargantilha de azeviche. Gwen, em seu vestido simples de tom pastel, sentia-se eclipsada.

"Então", disse Cristina, brandindo a piteira de ébano no ar. "Ouvi dizer que você conheceu o sr. Ravasinghe antes mesmo de pôr os pés no Ceilão."

"Foi mesmo... Ele foi muito gentil."

"Ah, Savi é assim mesmo. Ele é gentil com todo mundo, não é mesmo, queridinho? Fico surpresa por não ter se embrenhado na selva com ele imediatamente."

Gwen riu. "Essa ideia passou pela minha cabeça."

"Por outro lado, você fisgou o homem mais cobiçado do Ceilão."

Savi se virou para Gwen e deu uma piscadinha. "Não leve nada disso a sério. A principal ocupação de Christina é provocar as pessoas, de um jeito ou de outro."

"Bom, desde que meu querido Ernest bateu as botas, o que mais me resta além de ganhar ainda mais dinheiro e irritar as pessoas? Ele me deixou um banco. Você sabe quanto isso é entediante? Já faz muitos anos, claro. Mas vou parar com isso agora mesmo. Não é justo com nossa recém-chegada. Espero que fiquemos amicíssimas, Gwen."

Gwen respondeu com palavras vagas. Nunca havia conhecido alguém como Christina, e não era apenas seu estranho sotaque nova-iorquino que a tornava diferente. O desconfortável pensamento de que era justamente isso que a tornava atraente para Laurence surgiu em sua mente.

"Por que está no Ceilão, sra. Bradshaw?"

"Ora, por favor, não seja tão formal. Pode me chamar de Christina."

Gwen sorriu.

"Já faz anos que venho ao Ceilão, mas estou aqui desta vez porque Savi prometeu pintar um retrato meu. Descobri seu trabalho há muito tempo, em uma pequena exposição em Nova York. São tão íntimos, seus retratos. Ele revela o coração de seus modelos. Eu, por exemplo, me apaixonei por ele. É o que acontece com todas, no fim das contas. Você precisa pagar para que ele a pinte."

"Ah, eu..."

"Espero que você goste de pato", interrompeu Christina. "Vamos começar com uma berinjela ao curry, e depois um belíssimo pato com mel."

Enquanto Christina os conduzia para a sala de jantar, Gwen parou diante de uma máscara enorme pendurada na parede do corredor.

"O que é isso?"

"Uma máscara tradicional para a dança com o demônio."

Gwen ficou boquiaberta diante daquela coisa horrenda. Quando deu um passo para trás, esbarrou no sr. Ravasinghe, que pôs a mão em suas costas. A máscara era aterradora. Uma abominação. Com cabelos cinzentos desgrenhados e trinta centímetros de comprimento, tinha uma boca vermelha escancarada com os dentes à mostra, além de orelhas escarlate nas laterais. Os olhos laranja eram arregalados, e o nariz e as bochechas eram pintados de branco.

"Foi seu maravilhoso marido que me deu", contou Christina. "Um presentinho. Você sabe como ele é atencioso."

Gwen ficou estupefata, tanto com a máscara quanto com o comportamento de Christina.

Ela se lembrou de um pouco mais cedo, quando, depois de pegar uma carruagem na pequena estação de Nanu Oya, se encontrara com o sr. Ravasinghe no Grand Hotel. Ela o havia esperado na rua, e sentido o cheiro de eucalipto que vinha do cume enevoado do Pidurutalagala. Como estava bem com Laurence, ficara envergonhada do interesse que demonstrara anteriormente pelo pintor. Apesar de mal se lembrar do que acontecera, era inevitável não sentir vergonha por ter bebido tanto champanhe no baile.

Hoje, do lado de fora do Grand Hotel, ele abrira um sorriso enorme como se nada tivesse acontecido, e a segurara pelo braço para ajudá-la a atravessar uma rua apinhada de carros de boi e riquixás. Nesse momento, uma voz estridente a chamara.

"Olá. Como vai você?", perguntou a mulher, encarando-a e dilatando as narinas. Gwen estava começando a pensar que Florence era a voz de sua consciência.

"Muito bem, obrigada", ela respondeu.

"Espero que seu marido também esteja bem, querida." A palavra *marido* foi devidamente enfatizada.

"Florence, é um prazer revê-la, mas não podemos parar para conversar agora. Estamos indo almoçar."

As narinas de Florence se dilataram de novo, e seu queixo gordo balançou. "Sem Laurence?"

"Sim, ele está ocupado hoje. Resolvendo uma questão na fábrica de chá."

"Tenho certeza de que Deus olhará por você, querida", ela acrescentou, estreitando os olhos para o sr. Ravasinghe.

Depois disso, eles passaram por um pequeno estúdio de fotografia. Gwen olhou para a vitrine e ficou intrigada ao ver uma foto de uma cerimônia de casamento entre um europeu e uma cingalesa em trajes tradicionais. Imediatamente pensou em Fran.

O sr. Ravasinghe percebeu que ela estava olhando. "Isso não era incomum antigamente, sabe. Até o século dezenove, o governo incentivava os casamentos inter-raciais."

"E por que isso mudou?"

"Por diversas razões. Em 1869, o canal de Suez foi aberto, e assim ficou mais fácil para as inglesas viajarem para cá. Até então, elas eram uma presença rara. Mas mesmo antes disso o governo estava preocupado com a manutenção do poder. Com medo de que os descendentes eurasianos dos casamentos inter-raciais não fossem tão leais ao Império."

Depois de se sentar à mesa de jantar, sem tirar os olhos de Christina, Gwen se perguntou se não teria sido um tanto rude com Fran sobre o sr. Ravasinghe.

"Ah", disse Christina, batendo palmas. "Aí vem a berinjela."

O empregado serviu um prato que Gwen não reconheceu.

"Não precisa se preocupar, Gwen", garantiu Savi. "Não tem nada além de berinjela com temperos e condimentos. Uma delícia. Experimente."

Gwen espetou um pedaço com o garfo. A textura lhe pareceu estranha na boca, mas os sabores eram ótimos, e abriram seu apetite. "Muito bom."

"Você é toda educadinha. Vamos ter que mudar isso, não é, Savi?"

O sr. Ravasinghe lançou mais um olhar de alerta na direção da viúva.

"Ah, está bem. Você é um chato, Savi."

Enquanto os dois conversavam, Gwen se ocupou de limpar o prato de berinjela. A comida estrangeira estava começando a cair em seu gosto, mas ela ainda se sentia um tanto intimidada por Christina. Um sentimento familiar tomou conta de Gwen, que teve dificuldade para engolir a última garfada ao pensar em Laurence e Christina outra vez. Uma dança com o demônio! Laurence havia dado aquilo para ela com algum significado especial ou as pessoas no Ceilão tinham o costume de se presentear com coisas horrendas? Ela não queria revelar sua ignorância, mas era preciso tocar em uma questão crucial.

"Você conhece meu marido faz tempo?", perguntou.

Christina fez uma pausa antes de responder, e então sorriu. "Ah, sim. Laurence e eu nos conhecemos há muito tempo. Você é uma mulher de sorte."

Gwen olhou para o sr. Ravasinghe, que se limitou a inclinar a cabeça. Ele não estranhou nem um pouco o fato de ela ter aparecido sozinha, e a acompanhou até o casarão alugado por Christina com a cortesia habitual. Suas roupas eram impecáveis — terno escuro e uma camisa branca que brilhava contra sua pele morena —, e ele se mantivera tão próximo durante o caminho que era possível sentir o cheiro de canela. Mesmo assim, ela se perguntou por que estaria com a barba por fazer, como se tivesse acordado tarde e sem tempo de se barbear, ou então como se não houvesse dormido a noite toda.

"Lamento muitíssimo por sua prima", ele comentou, percebendo que Gwen o encarava. "Espero que se recupere rapidamente. Pretendia convidá-la para um passeio de barco pelo lago em Kandy, agora que as chuvas pararam. Kandy é a capital das montanhas."

"Fran adoraria. Vou transmitir o convite."

Ele balançou a cabeça. "Por falar nisso, se Fran ainda estiver aqui em julho, vocês duas iriam adorar ver a procissão de lua cheia à luz de velas em Kandy. O nome da celebração é Perahera, e é espetacular. Os elefantes desfilam enfeitados com ouro e prata."

Christina soltou um assobio. "Venham mesmo. A procissão é uma celebração do dente de Buda Gautama. Já ouviu essa história?"

Gwen fez que não com a cabeça.

"Séculos atrás, dizem que uma princesa trouxe esse dente da Índia para o Ceilão, escondido nos cabelos. Hoje ele é exibido pelas ruas ao som de tambores, seguido por dançarinos fantasiados. Vamos todos juntos", sugeriu Christina. "Você convida Laurence, Gwen, ou eu posso chamá-lo?"

"Eu convido", respondeu Gwen, forçando uma risadinha para disfarçar sua irritação com o fato de Christina fazer questão de mostrar que ainda tinha certa intimidade com Laurence.

Depois da sobremesa, Christina acendeu um cigarro e ficou de pé. "Acho que está na hora de mostrar sua tela, não é mesmo, sr. Ravasinghe? Mas primeiro preciso passar um pó no nariz."

Ela passou por trás da cadeira de Savi, que se levantou. Gwen sentiu uma nota de Tabac Blond de Caron, um perfume americano que Fran usava. A fragrância parecia fazer todo sentido ali, na presença de uma loira americana fumando cigarro. Christina deu um beijo no rosto do sr. Ravasinghe e passou os dedos com unhas pintadas pelos cabelos ondulados do pintor. Quando o sr. Ravasinghe se virou para ela, Gwen aproveitou para dar uma boa olhada em seu perfil. Era um homem muito bonito, uma impressão talvez ressaltada pelo toque de perigo transmitido por seus olhos. Ele afastou a mão da viúva dos cabelos com uma ternura que deixou Gwen desconcertada.

Ela estava evitando perguntar ao sr. Ravasinghe se gostara de sua prima, mas, agora que Christina lhes dera um tempo a sós, a oportunidade parecia perfeita. Apesar de ter dito a Fran que não faria isso, naquele momento pareceu importante mencionar o assunto.

"Por falar em Fran", começou Gwen.

"Nós estávamos falando dela?"

"Sim, agora há pouco."

"Claro. E o que a senhora quer falar sobre sua agradabilíssima prima?"

"O que achou dela, sr. Ravasinghe?"

"Pode me chamar de Savi." Ele fez uma pausa e abriu um sorriso caloroso, encarando-a bem nos olhos. "Eu a achei absolutamente formidável."

"Então gostou dela?"

"Quem não gostaria? Por outro lado, eu teria gostado de qualquer prima sua, sra. Hooper."

Ela sorriu, mas estava ainda mais em dúvida. Ele gostara de Fran, mas teria gostado de qualquer prima sua. Que tipo de resposta era essa?

Quando Christina voltou, ele estendeu a mão para Gwen e foram todos até um cômodo arejado no fundo da casa. Duas janelas altas proporcionavam uma vista para um jardim com terraços, e a tela, coberta por uma cortina de veludo vermelha, estava apoiada em um cavalete no centro da sala.

"Estamos prontos?", perguntou Christina, puxando o tecido vermelho com um floreio.

Gwen viu o retrato de Christina e então se virou para o sr. Ravasinghe, que sorriu e a encarou sem piscar, como se estivesse à espera de um comentário.

"É incomum", disse ela, um tanto hesitante.

"É mais que isso, querido Savi. É sublime", comentou Christina.

O problema era que Gwen não tinha certeza. Não que não tivesse gostado do quadro, mas por algum motivo ficara com a impressão de que ele estava zombando dela. Que ambos estavam. Ele era o exemplo perfeito de homem bem-educado, mas havia algo a mais em seu comportamento, e não era só o fato de tê-la visto embriagada, ou acariciado sua testa e a colocado na cama.

"Não é o que você está vendo que a incomoda", comentou Christina.

Gwen olhou para ela e franziu a testa.

"O que você tem medo de ver é o que poderia acontecer a seguir." Savi riu. "Ou o que já aconteceu."

Gwen olhou outra vez para a tela, mas a segunda análise só serviu para reforçar sua primeira impressão. O rosto de Christina estava vermelho, os cabelos, embaraçados, e só o que se via sobre seu corpo era um colar de azeviche e um olhar de malícia. O retrato terminava logo abaixo dos seios desnudos. Gwen sabia que estava sendo ridícula, mas detestou pensar que Laurence havia visto Christina daquela maneira.

"Savi pintou a primeira mulher de seu marido também, sabia?"

"Eu não vi esse quadro."

"Acredito que Laurence tenha tirado da parede depois da morte dela."

Gwen ficou pensativa por um momento. "Você conheceu Caroline?"

"Não muito bem. Conheci Laurence melhor só mais tarde. Savi foi contratado para retratar Verity também, antes do casamento, e tinha até feito os esboços preliminares, mas ela acabou desistindo e voltando para a Inglaterra. Ninguém entendeu por que ela dispensou o pobre coitado. Era alguém do governo, e uma ótima pessoa, pelo que ouvi dizer. O que você acha da sua cunhada?"

"Eu não a conheço muito bem."

"O que você acha de Verity Hooper, Savi? Conte para nós."

A testa levemente franzida do sr. Ravasinghe era suficiente para demonstrar sua desaprovação, mas não era possível saber se tinha a ver com Verity como pessoa ou com o fato de torná-la um tema daquela conversa.

"Bom", continuou Christina, "na minha opinião ela é uma entojada, que, além do irmão, só gosta mesmo de cavalos. Ou pelo menos era assim, quando ela vivia na Inglaterra."

"Ela é uma alma perturbada", disse Savi, fazendo uma pausa para tirar um caderno de esboços do bolso do paletó. "Tudo bem se eu fizer um desenho seu, sra. Hooper?"

"Ah, não sei. Laurence..."

"Laurence não está aqui, querida. Vamos em frente", disse Christina.

O sr. Ravasinghe estava sorrindo para ela. "Seu rosto tem um frescor excepcional. Gostaria de capturar isso."

"Muito bem. E como quer que eu fique?"

"Exatamente como está."

# 8

Assim que voltou a se sentir bem, Fran saiu da cama, vestiu-se e se preparou para pegar o trem de Hatton para Nanu Oya, a estação mais próxima de Nuwara Eliya. Sua bagagem estava a caminho de Colombo, e o sr. Ravasinghe prometera levá-la pessoalmente de carro até lá depois do passeio por Kandy. De Colombo, ela voltaria à Inglaterra. As duas primas se abraçaram quando McGregor trouxe o carro, resmungando que não era um maldito chofer. Gwen sorria, mas a verdade era que sentiria muita falta da amiga.

"Cuide-se bem, Fran."

Fran riu. "E quando foi que deixei de fazer isso?"

"O tempo todo. Vou sentir saudades."

"Eu também, mas vou voltar. Talvez já no ano que vem."

Fran deu um último abraço em Gwen, entrou no carro e, quando McGregor começou a subir o caminho inclinado morro acima, ainda se debruçou na janela para acenar até desaparecer de vista. Gwen se lembrou da conversa das duas no café da manhã, quando, vermelha de vergonha, confessara o ciúme que sentia de Christina.

Fran riu. "Está com medo de que Laurence não consiga resistir a ela?"

"Não sei."

"Não seja boba. Está na cara que ele adora você, e não colocaria seu amor em risco por causa de uma americana que exagera na maquiagem."

Gwen remexeu o cascalho com o pé, sacudiu a cabeça e, torcendo para que a prima estivesse certa, voltou para dentro de casa para escrever à mãe. A partida de Fran a deixara com saudade da Inglaterra.

Na manhã seguinte, quando acordou, Gwen precisou correr até o banheiro, para vomitar no lavatório. Ou a berinjela estava estragada, ou ela pegara a doença que havia acometido Fran, embora a prima não tivesse mencionado nada sobre enjoos. Como o cule da latrina ainda não tinha chegado, ela mesma despejou meio balde de serragem por cima do que fizera, pois o cheiro embrulhava seu estômago ainda mais.

Ela tocou a sineta para chamar Naveena e, enquanto esperava, abriu as cortinas e olhou para o céu aberto com pouquíssimas nuvens brancas. Esperando que a chuva só voltasse em outubro, durante a segunda temporada de monções do ano, ela respirou fundo e inalou o ar de aroma doce.

Naveena bateu na porta e entrou trazendo dois ovos cozidos em uma bandeja de ébano, junto com uma colher de prata. "Bom dia, senhora", ela falou.

"Ah, eu não vou conseguir comer nada. Estou passando muito mal."

"A senhora saber que comer é bom. Crepe de ovo, então?"

Gwen fez que não com a cabeça. O crepe de ovo era uma espécie de massa em forma de tigela com um ovo em cima.

A mulher sorriu e chacoalhou a cabeça. "Não querer provar chá com especiarias, senhora?"

"O que tem nele?"

"Canela, cravo e um pouco de gengibre."

"E o melhor chá da Fazenda Hooper, espero", acrescentou Gwen. "Mas, como eu disse, estou passando muito mal. Acho que prefiro uma xícara de chá normal, pode ser?"

A mulher sorriu de novo, e seu rosto se iluminou. "Eu fez especialmente. Bom para sua condição."

Gwen a encarou. "Para um estômago embrulhado? Minha mãe sempre diz que quanto mais puro, melhor."

A mulher continuou sorrindo, balançando a cabeça e fazendo gestos curiosos com a mão, como o de pássaros batendo asas. Gwen não achava que os empregados eram pessoas incapazes de pensar e ter sentimentos, como Florence achava, e muitas vezes se pegava pensando no que poderia passar pela cabeça deles. Era a primeira vez que o rosto normalmente impassível da mulher revelava alguma emoção.

"Que foi, Naveena? Por que está sorrindo para mim desse jeito?"

"Senhora! Primeira esposa do patrão igualzinho. Precisa observar direito o calendário, senhora!"

"Por quê? Perdi alguma coisa importante? Vou me trocar agora mesmo. Já estou me sentindo muito melhor. O que quer que fosse, acho que já passou."

A mulher apanhou o calendário da escrivaninha onde Gwen fazia suas listas de tarefas domésticas.

"Precisar preparar quarto de bebê, senhora."

Quarto de bebê? Ela sentiu um calor subir para seu rosto quando examinou as datas. Como fora possível que não tivesse se dado conta? Devia ter sido no dia seguinte ao baile, quando Laurence se abriu e eles fizeram amor com vontade, a não ser que tivesse sido antes. Mas o que importava? Era isso que ela queria, era isso que ela havia sonhado desde que pôs os olhos em Laurence e pensou: *Esse homem é o pai dos meus filhos.* Ela deveria ter percebido. Andava se sentindo zonza, um tanto sem energia, em certos momentos tinha muita fome, e seus seios pareciam estranhamente cheios. Com a doença de Fran, havia coisas demais em sua cabeça, e ela deixou de verificar o calendário. Agora que sabia, mal podia esperar para contar a Laurence, e passou os braços em torno do próprio corpo, ansiosa.

Aconteceu tão depressa que Gwen percebeu que nem sabia onde ficava o quarto de bebê. Parecia um absurdo que ela ainda não conhecesse totalmente a casa. Havia o escritório de Laurence no térreo; ela tentara abri-lo uma vez ou outra à procura dele, mas estava sempre trancado. O quarto do marido ela tinha visto algumas vezes antes, quando fora espiar a foto da mulher loira. Gwen havia virado a foto e visto o nome de Caroline no verso, e inclusive procurara o retrato feito por Savi, mas não estava em nenhum lugar ao alcance da vista. Ela também conhecera cinco quartos de hóspedes e outros dois banheiros, mas havia outras duas portas trancadas que imaginou serem depósitos, uma em seu banheiro e outra no corredor. Gwen deveria ter pedido para olhar lá dentro.

"Por que você não me mostra o quarto de bebê esta manhã?", ela perguntou, sorrindo para Naveena.

A mulher fechou a cara. "Não sei, senhora. Ninguém entrar desde que..."

"Ah, entendi. Bom, eu não tenho medo de um pouco de sujeira. Faço questão que você me mostre assim que me trocar."

A mulher fez que sim com a cabeça e saiu do quarto.


Quando Naveena voltou, uma hora depois, Gwen ficou surpresa que a mulher a tivesse levado diretamente à porta trancada dentro do banheiro.

"É por aqui, senhora. Eu tem a chave."

Ela destrancou e abriu a porta, e elas entraram em um corredor bem curto, que Gwen constatou ser paralelo ao principal, que cortava todo o pavimento. Em seguida viraram à esquerda e entraram em um outro cômodo.

Uma vez lá dentro, Gwen ficou imediatamente paralisada, sentindo-se desconfortável. O interior era escuro, e o cheiro acre incomodou seu nariz.

Naveena abriu o vidro e as venezianas. "Desculpe, senhora. Patrão não deixar limpar."

Com o cômodo iluminado, Gwen deu uma olhada ao redor, alarmada por ver teias de aranha tão densas que era quase impossível enxergar através delas, além de uma grossa camada de poeira incrustada de insetos sobre a mobília, o piso, a poltrona de amamentação e o berço. O cheiro era... Bom, ela nem conseguia definir. Decadência, obviamente, que não era o odor normalmente associado a um quarto de criança, mas havia algo mais: o lugar cheirava a tristeza, e estando ali era impossível não pensar nas esperanças destruídas de Laurence.

"Oh, Naveena. Que tristeza. Quanto tempo faz?"

"Doze anos, senhora", respondeu a aia enquanto ela examinava o cômodo.

"Você devia gostar muito de Caroline e do pequeno Thomas."

"Eu não fala disso...", ela retrucou, com a voz embargada.

"Foi por causa do bebê que Caroline ficou doente?"

Naveena assumiu uma expressão bem séria. Ela assentiu com a cabeça, mas não disse nada.

Gwen queria saber mais, porém mudou de ideia quando viu o quanto a mulher estava abalada.

"O lugar precisa de uma boa limpeza", ela falou.

"Sim, senhora."

Gwen sabia que limpar um quarto no Ceilão era bem diferente do que se considerava uma faxina em Gloucestershire. Na fazenda, tudo era removido para a limpeza, inclusive os tapetes, enfeites de parede e os móveis pesados. Depois era tudo empilhado no gramado. Enquanto o cômodo era limpo e desinfetado, uma outra equipe de camareiros tirava o pó dos tapetes e polia os móveis. Nada ficava intocado.

"Quando estiver tudo lá fora, mande queimar."

Gwen deu uma boa olhada num canto na parede. Examinando mais de perto, o que parecia ser bolor se revelou um mural, e ainda era possível distinguir a cena. Quando se aproximou e tocou o local, uma fina camada de poeira saiu em seu dedo.

"Pode me arrumar um pano, Naveena?"

A mulher lhe entregou um pedaço de musselina que trazia no bolso, e Gwen limpou uma parte da parede.

Ela deu uma boa olhada, contornando a imagem com os dedos. "É uma paisagem fictícia, não? Veja só. Cachoeiras e rios, e aqui, bem aqui, montanhas bonitas e... talvez um palácio, ou seria um templo?"

"É templo budista perto de Kandy. Pintado por primeira mulher de patrão. Imagem do nosso país, senhora. É Ceilão."

"Ela era artista?"

Naveena assentiu com a cabeça.

Gwen respirou fundo, segurando o ar por um momento, e então expirou com força. "Ora, o que estamos esperando? Vamos levar tudo isso lá para fora. E acho melhor pintar a parede por cima do mural."

Enquanto Gwen voltava para o quarto, ela pensou em Caroline. A primeira esposa de Laurence havia feito muitos esforços para deixar aquele quarto bonito, e Gwen imaginou que a elegância da casa também era obra sua. Imediatamente, ela se arrependeu da decisão de pintar a parede por cima do mural. Talvez o sr. Ravasinghe pudesse restaurá-lo, apesar da antipatia irracional que Laurence sentia pelo homem.

Quando Laurence voltou para casa a fim de almoçar, havia uma fogueira no jardim, e o último móvel do quarto de bebê estava queimando.

"Olá", disse ele ao entrar na sala de estar, com uma expressão de surpresa. "Resolveu fazer uma fogueira?"

Ela o encarou com um sorriso escancarado no rosto. "Querido", Gwen falou, batendo no sofá ao seu lado. "Sente-se aqui. Tenho uma coisa para contar."


No dia seguinte, antes de Verity partir rumo ao sul, para passar um tempo na fazenda de pescados de uma amiga — com a possibilidade de uma visita à Inglaterra depois disso —, Laurence, Gwen e ela estavam sentados na varanda, terminando o café da manhã.

"Tem um cavalo que estou interessada em comprar", anunciou Verity. "Sinto falta de ter minha própria montaria."

Gwen não escondeu sua surpresa. "Minha nossa, você tem dinheiro para isso?"

"Ah, tenho minha mesada."

Laurence se virou para acariciar um dos cachorros.

"Eu não sabia que era tão generosa."

Verity abriu um sorriso de satisfação. "Laurence sempre cuidou bem de mim. Por que pararia agora?"

Gwen encolheu os ombros. Se Laurence continuasse sendo assim tão generoso, Verity provavelmente nunca ia querer ir embora.

"Mas você deve querer se casar e formar sua própria família, não?"

"Ah, devo?"

Gwen não a entendia muito bem, mas, depois que a cunhada foi embora, decidiu conversar melhor a respeito com Laurence.

"Não acho bom que Verity pense que pode viver conosco para sempre. Afinal, ela tem uma casa na Inglaterra."

Ele soltou um suspiro profundo. "Ela é minha irmã, Gwen. E se sente sozinha por lá. O que eu posso fazer?"

"Você poderia incentivá-la a construir sua própria vida. Quando o bebê chegar..."

Ele a interrompeu. "Quando o bebê chegar, tenho certeza de que ela vai ser de grande ajuda para você."

Gwen fez uma careta. "Eu não quero que ela seja de grande ajuda para mim."

"Sem sua mãe por perto, você vai precisar de alguém."

"Prefiro pedir a Fran."

"Sou obrigado a ser inflexível nesse ponto. Verity já está instalada aqui, e, apesar de sua prima ser muito charmosa, não sei se é a pessoa certa para ficar ao seu lado."

Gwen teve que segurar as lágrimas de raiva. "Não me lembro de ter sido consultada sobre Verity estar 'instalada' aqui."

Um músculo começou a tremer na mandíbula de Laurence. "Desculpe, querida, mas a decisão não era sua."

"E o que faz você pensar que Verity é a pessoa certa? Eu não quero a ajuda dela. O bebê é meu, e eu quero Fran."

"Acho que é justo dizer que o bebê é 'nosso'." Ele sorriu. "A não ser, claro, que seja resultado de algum tipo de concepção imaculada."

Ela jogou o guardanapo na mesa e, sentindo-se terrivelmente tensa, ficou de pé. "Isso não é justo, Laurence, não mesmo!"

Gwen correu para o quarto, tirou os sapatos e, em um acesso de raiva, jogou-os na parede antes de começar a se desfazer em soluços. Ela fechou as venezianas e as cortinas, tirou o vestido e se jogou de bruços na cama, afundando o rosto no travesseiro. Depois de um tempo, ao notar que ele não vinha, entrou debaixo das cobertas e, sentindo pena de si mesma, cobriu-se até a cabeça, do mesmo modo como fazia na infância. Pensar na casa em que fora criada a fez soluçar ainda mais, e, encolhida em posição fetal, ela chorou até os olhos arderem.

Gwen se lembrou do dia anterior, quando perguntara a Naveena por que não havia sido a aia de Verity também.

Naveena sacudira a cabeça. "Mulher mais jovem. Mais forte."

"Mas você a conhece bem?"

Naveena chacoalhou a cabeça. "Sim e não, senhora."

"Como assim?"

"Muito difícil, aquela. Desde menina sempre causar problema."

Ao pensar nisso, Gwen se sentiu ainda mais inclinada a ter Fran ao seu lado quando viesse o bebê.

Um pouco mais tarde, ela ouviu uma batida na porta, seguida da voz de Laurence. "Você está bem, Gwendolyn?"

Gwen limpou os olhos no lençol, mas não respondeu. Aquilo não era justo, e, para completar, ela havia feito papel de boba. Decidiu não falar com ele.

"Gwendolyn?"

Ela fungou.

"Querida, desculpe por ter sido grosseiro."

"Saia daqui."

Ela ouviu quando ele deu uma risadinha, e, apesar de sua determinação anterior, acabou rindo e chorando ao mesmo tempo.

Quando ele abriu a porta e veio se sentar na cama, ela estendeu a mão.

"Gwen, eu amo você. Não queria que ficasse chateada."

Ele limpou seu rosto e começou a beijar suas bochechas molhadas de lágrimas. Em seguida, tirou sua combinação e a deitou de barriga para cima. Ela ficou observando enquanto ele arrancava os sapatos e a calça. Ele era tão forte, e tinha a pele tão bronzeada por causa do sol que, quando tirava a roupa, ela sempre se excitava. Quando ele arrancou a camisa por cima da cabeça, ela sentiu seus seios se comprimirem e seu estômago se revirar. O fato de não esconder o quanto o queria o incentivou ainda mais, e despertou sentimentos ainda mais fortes em Gwen.

"Venha", ela falou, incapaz de esperar, e estendeu os braços para ele.

Ele sorriu e, pelo olhar em seu rosto, Gwen percebeu que aquela vez seria especial. Laurence pôs a mão na curvatura quase imperceptível de sua barriga, acariciando-a até fazê-la gemer. Em seguida a beijou naquele local, e foi descendo a boca, roçando de leve sua pele, até que sua cabeça desapareceu entre as pernas de Gwen.

Ela estava certa, obviamente. Aquela vez foi especial, e no final ela quase foi às lágrimas.

Quando brigava com sua mãe, o pai de Gwen nunca pedia desculpas. Em vez disso, fazia uma xícara de chá e servia à esposa junto com um biscoito. Gwen riu. Aquilo era muito melhor que um biscoito, e, se sempre que fizessem as pazes fosse assim, ela não se incomodaria de brigar mais vezes.


Fora a discussão sobre Verity, Laurence era a consideração em pessoa. Ela estava apenas grávida, não doente, como sempre repetia, mas na verdade adorava ser alvo de tanta atenção. Em julho, depois de uma breve discussão sobre sua capacidade de resistir a uma viagem, eles foram a Kandy junto com Christina e outra amiga, mas sem o sr. Ravasinghe. Quando Gwen perguntou sobre Savi, Christina deu de ombros e informou que ele estava em Londres.

A procissão foi um evento inspirador, mas Gwen ficou o tempo todo agarrada em Laurence, com medo de ser esmagada pela multidão, e talvez até pelos elefantes. O ar cheirava a incenso e flores, e ela precisava se beliscar o tempo todo para verificar se não estava sonhando. Se por um lado Gwen se sentia um tanto sem graça com suas roupas de grávida, Christina estava espetacular em seu vestido esvoaçante de chiffon preto. Apesar das tentativas da americana de atrair a atenção de Laurence, ele não demonstrou nenhum interesse, e, imensamente aliviada, Gwen pensou que havia sido tola por desconfiar que seu marido não seria capaz de resistir àquela mulher.

Depois disso, apesar de algumas semanas com enjoos, ela pareceu entrar em uma espécie de estado de alegria permanente. Laurence dizia que ela estava florescendo, mais linda do que nunca. E era assim mesmo que se sentia. Verity manteve distância, e não voltou mais. Apenas quando entrou no quinto mês, em um dia em que foi convidada para um chá da tarde com Florence Shoebotham, seu tamanho chamou atenção. Outras pessoas notaram também, mas foi Florence quem comentou que Gwen parecia ter engordado demais, e se ofereceu para chamar o dr. Partridge.

Quando, no dia seguinte, John Partridge entrou no quarto de Gwen, estendendo a mão, ela se alegrou bastante em vê-lo.

"Ah, que bom que é você, John", disse, ficando de pé. "Espero que não haja nada de errado comigo."

"Não precisa se levantar", ele falou, e perguntou como ela se sentia.

"Ando muito cansada, e sofrendo muito com o calor."

"Isso é normal. Alguma outra preocupação?"

Ela pôs os pés em cima da cama. "Meus tornozelos incharam um pouco."

Ele alisou o bigode e puxou uma cadeira. "Bom, então é preciso descansar com mais frequência. Mas, para uma mulher jovem como você, tornozelos inchados não são um problema muito sério."

"Tenho dores de cabeça terríveis, mas isso sempre foi assim."

Ele contorceu a boca, pensativo, e deu um tapinha em sua mão. "Você ganhou peso *mesmo*. Acho melhor examiná-la. Gostaria de ter uma mulher presente?"

"Ah, não tem ninguém aqui. Só Naveena. Minha prima Frances voltou para a Inglaterra já faz um tempinho." Ela soltou um suspiro profundo.

"Algum problema, Gwen?"

Ela ficou se perguntando sobre o que dizer. Laurence não cedera um milímetro sobre sua decisão de que Verity seria a melhor pessoa para ajudá-la com o parto e o bebê. Isso estava se mostrando uma pedra em seu sapato, e não era pequena. Ela estava contente, mas, à medida que os meses se passavam e o nascimento se aproximava, sentia cada vez mais vontade de estar com a mãe. Gwen queria ter ao lado alguém com quem se sentisse confortável, e detestava o fato de Laurence achar que Verity deveria ser essa pessoa. Sinceramente, não era uma questão de não confiar na cunhada, mas a ideia de não ter nenhum ente querido por perto causava um profundo desalento. E se o parto fosse difícil? E se ela não se comportasse de acordo? Mas, sempre que abordava a questão com Laurence, ele se mantinha firme, e ela começou a se perguntar se não estava sendo irracional.

Gwen suspirou e olhou para o médico. "É que Laurence convidou a irmã para me fazer companhia e me ajudar com as coisas, sabe. Ela está no litoral, mas talvez volte para a casa da família em Yorkshire por um tempo. A propriedade foi vendida, mas mantiveram um cantinho para ela."

"Você prefere dar à luz na Inglaterra, Gwen?"

"Não. Pelo menos não em Yorkshire. Não é isso. É que eu não estou muito certa de que quero Verity aqui." Ela fez uma careta, e seu lábio inferior começou a tremer.

"Com certeza você não tem por que se preocupar. Sua cunhada vai ser de grande ajuda, e talvez passar um tempo a sós com ela e o bebê a ajude a conhecê-la melhor."

"Você acha?"

"Ela sofreu, sabe. Até mais que Laurence, eu acho."

"Ah, é?"

"Quando os pais morreram, Verity ainda era novinha, e Laurence passou a ser uma espécie de pai para ela. O problema foi que ele se casou logo em seguida, e na maior parte do ano ela ficava no internato."

"Por que ela não veio morar aqui depois de sair da escola?"

"Ela fez isso por um tempo, e gostava muito daqui, mas todas as suas amigas estavam na Inglaterra. Acho que Laurence pensou que ela fosse viver melhor por lá. Então, em seu aniversário de vinte e um anos, Laurence cedeu esse lugar para ela morar em Yorkshire."

"Ele cuida mesmo bem dela."

"E isso é bom. Dizem que ela foi rejeitada pela única pessoa que já quis de verdade."

"E quem era?"

Ele sacudiu a cabeça. "Toda família tem seus segredos, não? Talvez seja melhor perguntar para o próprio Laurence. Mas acho que Verity também pode se beneficiar do fato de ser útil a você. Pode começar a se sentir melhor consigo mesma. Agora deite-se e me deixe examinar sua barriga."

Enquanto Gwen se acomodava na cama, ele abriu a bolsa de couro e retirou um instrumento que parecia um chifre. Ela não sabia se toda família tinha mesmo segredos, mas ao se lembrar da mãe e do pai teve um terrível acesso de saudades.

123

"Só vou escutar um pouco", ele falou.

"E existe mais algum segredo de família?", ela perguntou.

O médico encolheu os ombros. "Quem sabe, Gwen? Principalmente quando diz respeito a relações humanas."

Ela olhou para o teto e, enquanto ouvia o som de coisas sendo arrastadas e esfregadas no andar de cima, pensou a respeito do que o médico falara sobre Verity. Ele olhou para cima também.

"É dia de faxina no quarto de Laurence."

"Como anda sua relação com seu marido, Gwen? Estão ansiosos para ser pais?"

"Claro. Por que pergunta?"

"Por nada. Existem gêmeos no seu lado da família, ou talvez no dele?"

"Minha avó era gêmea."

"Bom, talvez a razão para você ter ganhado tanto peso não seja nada de errado. Acho que você está grávida de gêmeos."

Ela ficou boquiaberta, e soltou um suspiro de susto. "É mesmo? Tem certeza?"

"Certeza não dá para ter, mas é o que parece."

Gwen olhou pela janela enquanto tentava ordenar seus sentimentos. Dois bebês! Era uma boa notícia, não? Uma macaquinha langur estava sentada sobre a mesa do café da manhã na varanda, com um filhote agarrado à barriga. A mamãe langur olhou para Gwen, com seus olhos castanhos arregalados e seus pelos dourados e arrepiados formando um halo em torno do rostinho escuro.

"Alguma coisa em especial que eu não possa fazer?" Ela ficou vermelha. "Com Laurence, é o que quero dizer."

Ele sorriu. "Não se preocupe com isso. Faz bem para você. Só precisamos monitorar a gravidez, nada mais, e você precisa de mais repouso. Isso é fundamental."

"Obrigada, John. Estava pensando em fazer um piquenique antes da próxima temporada de chuvas, na beira do lago. Você acha que tudo bem?"

"Sim, mas não entre na água, e cuidado com as sanguessugas que vivem nas margens."

# 9

O piquenique foi marcado de modo a coincidir com a chegada de Verity do sul. Dois camareiros carregaram a cesta e os cobertores, e foram buscar uma cadeira para Gwen na velha cabana onde ficavam os barcos na beira do lago. Enquanto Laurence, Verity e sua amiga Pru Bertram se instalavam sobre os cobertores de estampa xadrez, viram um macaco toque de rabo comprido subir em uma árvore próxima.

Gwen estava usando um vestido verde de algodão, mais largo na parte de cima para criar volume onde era preciso, e se sentou com um chapelão de sol protegendo a cabeça. Todas as manhãs, sempre que passava as mãos na barriga e nos seios depois do banho, olhava admirada para seu corpo em rápida transformação e esfregava um pouco de óleo de amêndoa com infusão de gengibre na pele. Agora que as semanas de enjoos haviam terminado de vez, ela esperava ter um respiro antes de ganhar ainda mais peso.

Nick McGregor também fora convidado, mas recusou, alegando ter que resolver um problema com os cules.

"Mais algum problema nas linhas de trabalho?", ela murmurou para Laurence.

"Sempre existem os pequenos desentendimentos. Nada que mereça muita preocupação."

Ela assentiu com a cabeça. Desde o incidente com o tâmil com o pé ferido, McGregor vinha se mostrando frio com Gwen. Ele a ajudava a se comunicar com os novos jardineiros, e demonstrara algum interesse em sua ideia de fabricar queijo, mas fora isso se mantinha distante. Ela tentou incluí-lo em seus novos planos para a casa, mas ele só tinha olhos para o chá.

Era um dia radiante, com o sol brilhando sobre o lago e uma leve brisa para refrescar a pele. Gwen observou duas borboletas clarinhas revoando sobre a superfície da água. Spew saiu à caça, saltando, mergulhando e se divertindo com a bagunça que fazia. Bobbins se sentou à beira do lago com a cabeça sobre as patas. A cadela não era aventureira como o irmão, e além disso estava prenhe e pesada. Gwen a observava de perto, e sentia uma grande dose de compaixão sempre que via o abdome distendido do animal.

"Que engraçado", comentou Gwen. Ela se inclinou para trás, a fim de tomar um pouco de sol no rosto. "Bobbins é a observadora, e Spew, o executor. É um pouco como eu e Fran. Queria muito que ela estivesse aqui, Laurence."

"Nós já conversamos sobre isso, querida."

"Prometo que vou fazer tudo o que puder para ajudar", garantiu Verity. "Foi por isso que ainda não voltei à Inglaterra."

"E Gwen é grata por isso, certamente."

Verity abriu um grande sorriso. "Querido, vamos abrir a cesta."

Laurence desamarrou os nós dos panos, pegou duas garrafas de champanhe, várias taças e três travessas de sanduíches.

"Humm", ele falou, tirando a tampa de uma das travessas para sentir o cheiro. "Estes parecem ser de salmão e pepino."

"E os outros?", perguntou Gwen, sentindo-se faminta.

"Você poderia ver o que tem nas outras duas travessas, Pru?", pediu Laurence.

Pru era quieta e discreta, uma típica inglesa de pele clara que sob o sol do Ceilão ficava toda vermelha. Apesar de ser um pouco mais velha, era uma amiga fiel de Verity.

"Claro." Ela pegou as duas travessas. "Estes são de alface com ovo, e nestes tem uma coisa que não sei o que é... Ah, sim, claro, berinjela."

"Berinjela no sanduíche?", questionou Gwen, lembrando-se de seu almoço na casa de Christina.

Verity confirmou com um aceno de cabeça. "Com certeza! Sempre trazemos pratos estrangeiros em nossos piqueniques, não é mesmo, Laurence? É uma tradição familiar. Você não tem isso na sua família também?"

Laurence ajeitou o chapéu e se virou para a irmã. "Nós somos a família de Gwen agora, Verity."

Verity ficou vermelha. "Claro. Não foi isso que eu quis dizer..."

Ele abriu uma garrafa de champanhe, serviu as taças e ergueu a sua. "À minha maravilhosa esposa."

"Viva, viva!", disse Pru.

Quando comeram até se fartar, Verity, que bebera mais champanhe do que o aconselhável, ficou de pé. "Bem, como você bem sabe, Laurence, está na hora de darmos um passeio ao redor do lago. Vocês vêm?"

"Acho que não consigo", respondeu Gwen, estendendo a mão para Laurence.

"Mas você vem, não é, Laurence? Você sempre passeia comigo nos piqueniques. Gwen vai ficar bem com Pru."

"Mesmo assim, vou ficar aqui com Gwen."

Gwen lançou um olhar de agradecimento para o marido, que apertou sua mão.

"Cuidado com os búfalos d'água", ele avisou quando Verity começou a se afastar, parecendo um pouco enfezada.

Nesse momento, Spew saiu correndo do lago, perseguindo um grupo de garças, e quando passou por Verity acabou deixando-a toda molhada. Gwen olhou ao redor à procura de Bobbins, que pelo jeito desaparecera.

"Droga de cachorro!", esbravejou Verity, passando as mãos no vestido molhado. Como sempre, havia escolhido a cor errada, pensou Gwen. O laranja não combinava com pessoas de pele amarelada. E, com a luz do sol se refletindo no rosto, Verity era acidez pura.

"Eu acompanho você, Verity", ofereceu-se Pru, começando a se levantar.

"Não. Vou levar Spew para correr um pouco. Você não está em muito boa forma, vai ficar com calor. Vamos, Spew."

Pru ficou desanimada, e se sentou outra vez. "Pois é, você tem razão. Não tenho tanta energia quanto você."

Gwen chamou Laurence, que tinha se afastado alguns passos na direção do lago. "Você acha que eu poderia só molhar os pés?"

Laurence se virou. "Não vejo por que não. Também não quero que você fique cheia de não-me-toques."

"Você quer vir, Pru?", Gwen perguntou enquanto tirava os sapatos.

Pru fez que não com a cabeça, e Gwen desceu a barranca com Laurence, sentou-se e tirou as meias com uma das mãos enquanto segurava o chapéu de sol com a outra. Ele a ajudou, e eles entraram um pouco mais. A água era um tanto barrenta, e ela encolheu os dedos ao sentir sua temperatura fria.

"É tão gostoso aqui, não?", ela comentou.

"É você que deixa tudo assim gostoso."

"Ah, Laurence, estou tão feliz. Espero que isso nunca acabe."

"Não tem motivo nenhum para acabar", ele falou, beijando-a.

Ela viu um pássaro saltitando em uma rocha ali perto. "Veja só aquele tordo."

"É um papa-moscas da Caxemira, na verdade. Só não sei por que está aqui. Em geral eles aparecem no campo de golfe em Nuwara Eliya. É um lugar belíssimo, entre a cidade e os morros."

"Você entende muito de pássaros."

"De pássaros e de chá."

Ela riu. "Então é melhor me contar tudo, para eu poder ensinar ao nosso bebê."

"Aos nossos bebês, você quer dizer!"

Quando ele a abraçou, ela o encarou. Com os olhos faiscantes, ele parecia tão feliz e orgulhoso que ela sentiu que seu coração ia explodir.

Mas então, segurando o rosto dela com as duas mãos, de repente ele ficou sério. "Gwen, queria poder expressar o quanto você mudou minha vida."

Ela se inclinou para trás. "Para melhor, espero."

Ele respirou fundo, e ela adorou ver o sorriso se espalhando pelo rosto do marido.

"Mais do que você imagina", ele respondeu.

Uma lufada de vento agitou seus cabelos e o jogou sobre os olhos. Ele prendeu uma mecha atrás da orelha. "Depois de Caroline, senti que minha vida estava acabada, mas você me trouxe esperança."

Quando o vento ficou mais forte, ela tirou o chapéu e se aconchegou no calor do peito de Laurence, virando-se para o lago outra vez. Ele nem sempre conseguia expressar o que sentia, mas, quando acariciou seus cabelos, Gwen compreendeu o quanto era amada. Ele baixou a cabeça e a virou. Ela fechou os olhos por causa do sol que se refletia na água, e sentiu os lábios dele em seu pescoço, atrás da orelha. Um estremecimento percorreu seu corpo. Ela queria ser capaz de fixar aquele instante na mente para sempre.

Eles caminharam um pouco mais e, quando se viraram para voltar, a tranquilidade do local foi perturbada por um frenesi de latidos. Gwen olhou ao redor e viu Spew arranhando a porta da cabana dos barcos.

"Aposto que Bobbins entrou lá para ter os filhotes", disse Laurence. Ele olhou para trás quando o som de um remo agitando a água chamou sua atenção. "Não acredito. O que ele está fazendo aqui?"

"Parece que Verity está com ele. E Christina."

Ele murmurou alguma coisa consigo mesmo, mas se dirigiu até lá para ajudar as duas a desembarcarem da canoa. Enquanto Verity se aprumava, Christina sorriu.

"Olá, querido", ela falou, segurando o rosto de Laurence entre as mãos e o beijando nas bochechas. Em seguida deu um passo para trás, passando a mão pelo braço descoberto de Laurence, roçando-o de leve com os dedos.

Laurence ficou vermelho, e aquele gesto de intimidade exagerada deixou Gwen irritadíssima, mas ela se conteve e abriu um sorriso forçado. "Que bom ver você."

"Ora, como você está bonita. Preciso me lembrar de engravidar um dia desses." Ela deu uma piscadinha para Laurence.

Que mulher mais abusada, pensou Gwen. Como tem a audácia de flertar com meu marido na minha frente? Ela se aproximou de Laurence e afastou os cabelos da testa dele, para marcar seu território.

"Eu cruzei com eles em minha caminhada", contou Verity. "Ele estava desenhando uma das ilhas para usar como cenário. A canoa estava amarrada ali perto, então me ofereceram uma carona. Eu não sou capaz de recusar uma carona com um homem bonito em uma canoa."

Savi Ravasinghe permaneceu impassível ao desembarcar, mas Laurence parecia tenso.

"Peço desculpas pela intrusão", disse Savi.

"De forma alguma." Gwen estendeu a mão. "Mas infelizmente já estamos de saída."

Ele sorriu ao segurar sua mão. "Se me permite dizer, está belíssima, sra. Hooper."

"Obrigada. Estou me sentindo muito bem. Que bom encontrá-lo de novo. Como foi sua viagem a Londres? Às vezes eu acho que..."

"Está na hora de entrarmos", interrompeu Laurence, fazendo um breve aceno de cabeça para Savi antes de lhe dar as costas e estender a mão para Christina. "*Você* quer nos acompanhar até a casa?"

Gwen franziu a testa.

"Obrigada, Laurence. Obviamente, é um convite tentador", ela falou, mandando um beijo para ele, "mas acho que vou voltar com Savi."

Laurence não respondeu.

"Aliás, tenho uma coisa aqui para a sra. Hooper", anunciou Savi. Ele pegou uma bolsa de couro marrom e tirou de dentro dela um papel de gravura protegido por uma folha de seda. "Estou carregando isso comigo já faz um tempo. É só uma aquarela."

Gwen estendeu a mão para pegá-la e removeu o papel de seda. "Oh, é linda."

"Eu pintei a partir do esboço que fiz da senhora na casa de Christina."

Laurence fechou a cara. Ele não disse nada, simplesmente segurou o braço de Gwen e começou a subir a barranca na direção do local onde Pru os aguardava. Quando os dois passaram direto por ela, Gwen olhou para trás, horrorizada. Um pouco mais adiante, ela explodiu.

"Isso foi totalmente desnecessário. Foi só um presente. Por que tanta grosseria? Você poderia pelo menos ser educado com o homem!"

Laurence cruzou os braços. "Eu me recuso a recebê-lo aqui."

"Qual é o seu problema? Eu gosto de Savi, e tudo que ele fez foi um esboço rápido do meu rosto."

Laurence se manteve imóvel, mas ela era capaz de sentir que ele estava trêmulo.

"Não quero que você o veja de novo."

Ela estreitou os olhos. "E quanto a você e Christina?", ela questionou, elevando perigosamente o tom de voz.

"O que tem ela?"

"Você ainda a acha atraente. Não vi você afastando a mão dela. Não pense que não vejo a maneira como você fica encantado com ela."

Ele soltou uma risadinha. "Estamos falando sobre o sr. Ravasinghe, não de Christina."

"É por causa da cor dele, não é?"

"Não. Você está sendo ridícula. E já chega desse assunto. Vamos."

"Eu sou capaz de decidir sozinha quando encerrar um assunto, muito obrigada, e também de escolher minhas amizades."

Ele descruzou os braços e estendeu a mão. "Não grite, Gwen. Você quer que Pru ouça tudo?"

"Eu não ligo a mínima se ela ouvir. E, se você se desse o trabalho de olhar para trás, veria que ela já está toda sem jeito." Seu lábio começou a tremer, e ela ergueu o queixo. "E veria também que sua idolatrada irmã voltou para o barco com o sr. Ravasinghe, assim como Christina, e que ele está vendo se alguma sanguessuga grudou no tornozelo dela. Obviamente, *ele* sabe como tratar uma mulher!"

Incapaz de controlar sua raiva, Gwen saiu pisando duro, caminhando na maior velocidade que seu tamanho permitia.

Ela ficou chateada durante dias, mas eles não tocaram mais no assunto, pelo menos por ora. Gwen porque não queria se exaltar — seu coração ficara anormalmente disparado depois da discussão —, e Laurence porque era cabeça-dura. Os silêncios entre o casal foram crescendo, e os olhos de Gwen se encheram de lágrimas não derramadas. Nenhum dos dois se desculpou, e Laurence continuou emburrado. Ela não tinha intenção de magoá-lo com o que disse, mas aconteceu da mesma forma, e a relação entre eles ficou abalada, o que era exatamente o oposto do que Gwen pretendia. Como se o fato de Verity estar de volta não fosse ruim o suficiente, ela agora estava se sentindo distante de Laurence. Queria tocar a covinha no queixo dele e fazê-lo sorrir, mas ele era teimoso demais.

Em uma tarde melancólica, junto com as pitas de penas azuis e amarelas que haviam migrado do Himalaia, as monções de outono chegaram e dominaram o ambiente. A umidade tomou conta de tudo. As gavetas não abriam, e quando abriam era impossível fechá-las. O chão ficou enlameado, os insetos se multiplicaram, e, nas poucas vezes em que Gwen se aventurou no jardim, uma névoa branca pairava no ar.

As chuvas se arrastaram até dezembro, e, quando cessaram, Gwen estava pesada demais para se afastar muito da casa. O dr. Partridge fez outra visita, e ainda achava que eram gêmeos, mas não tinha certeza.

Depois de dez semanas no vestíbulo, os filhotes, cinco deles, puderam entrar na casa. Gwen, que não conseguia nem enxergar os próprios pés por causa da barriga, passou o tempo todo com medo de pisar nos cachorrinhos. Ou então de tropeçar em uma daquelas bolinhas de pelo. Porém, quando Laurence sugeriu que eles fossem criados em um abrigo fora da casa, ela se negou a permitir. Quatro deles já haviam sido adotados e iriam embora em breve, mas seu favorito, a raspa do tacho, continuava sem dono.

Certa manhã, ela atendeu a um telefonema de Christina.

"Você poderia dizer a Laurence que ele deixou uns papéis aqui na última vez que veio?", pediu em um tom casual.

"Onde?"

"Na minha casa, claro."

"Muito bem. Mais alguma coisa?"

"Peça para ele me ligar, ou então passar aqui para vir buscar."

Mais tarde, quando Gwen mencionou o telefonema de Christina, Laurence pareceu surpreso.

"O que ela queria?"

"Falar sobre papéis. Disse que você esqueceu uns papéis na casa dela."

"Eu não fui à casa dela."

"Da última vez que foi até lá, foi o que ela disse."

"Mas isso foi quando assinei os contratos dos investimentos, meses atrás. E já trouxe tudo de que preciso."

Gwen franziu a testa. Ou ele estava mentindo, ou Christina ainda estava querendo envolvê-la em seus joguinhos.

Quando janeiro chegou e Gwen entrou no nono mês da gestação, ela se dirigiu até os degraus da frente da casa ao amanhecer e olhou para os arbustos onde um sabiá piava. Ela estremeceu, sentindo-se muito sozinha. Seria um dia frio, e as folhas das árvores brilhavam por causa do sereno acumulado.

"Não se esqueça de se agasalhar bem à noite. A temperatura pode cair bastante, você sabe." Laurence lhe deu um beijo no rosto e se afastou.

"Você precisa mesmo ir a Colombo?", ela perguntou, segurando-o pelo braço, querendo mais tempo com ele.

A expressão dele se atenuou quando se virou de novo para ela. "Sei que a época não é a ideal, mas ainda faltam mais duas semanas para o parto. Meu corretor quer tratar de questões financeiras."

"Mas, Laurence, você não pode mandar McGregor no seu lugar?"

"Lamento, Gwen. Não tem outro jeito."

Ela largou o braço dele e olhou para o chão, esforçando-se para conter as lágrimas.

Ele ergueu seu queixo com os dedos para que ela o encarasse. "Ei, eu só vou ficar fora dois ou três dias. E você não vai estar sozinha. Verity está aqui para cuidar de você."

Os ombros de Gwen despencaram quando ele entrou no carro, subiu o vidro e deu a partida. O veículo morreu algumas vezes, e um camareiro foi dar o tranco no motor. Ela ficou torcendo para que não pegasse mais. No entanto, o rugido do acelerador logo se fez ouvir, e Laurence acenou quando passou por ela e se afastou morro acima.

Enquanto observava o carro sumir de vista, ela limpou as lágrimas, que continuaram a cair. As coisas não voltaram mais ao normal depois das palavras duras que trocaram no dia em que o sr. Ravasinghe

133

apareceu com a aquarela, e ainda parecia haver uma sombra pairando entre eles. Esse dia foi uma espécie de divisor de águas. Os dois mantinham uma postura respeitosa, mas permaneciam afastados, e, apesar de dormirem na mesma cama, ele não se mostrava disposto a fazer amor. Disse que era pelo bem dos bebês, mas a intimidade fazia falta, e ela se sentia cada vez mais sozinha.

A única ocasião em que fizeram amor fora duas semanas antes de ele partir. Ela sabia que só havia um jeito de atraí-lo, então, uma noite, quando ele estava sentado na cama, Gwen o beijou na base do pescoço enquanto acariciava os ombros dele. Em seguida, passou os dedos por toda a extensão da coluna do marido, de cima para baixo. Assim, conseguiu fazer com que se deitasse. Ele se aconchegou de lado por trás dela, e era possível sentir que a desejava.

"Tem certeza de que é seguro?", ele perguntou.

"Tem um jeitinho."

Ele a ajudou a ficar de joelhos na cama, apoiando as mãos e o restante do peso do corpo no travesseiro.

"Me avise se doer", ele falou, se ajoelhando atrás dela.

Gwen ainda se impressionava com o que acontecia quando ficavam juntos, e dessa vez ele foi tão carinhoso que as sensações foram ainda mais intensas. Talvez fosse a gravidez que a tivesse elevado a novos níveis de feminilidade. Fosse o que fosse, quando terminou, ela adormeceu rapidamente e teve a melhor noite de sono em muito tempo. Depois disso, o clima entre eles se amenizou, mas não completamente. Quando ela perguntava qual era o problema, ele dizia que não era nada. Gwen só esperava que, fosse o que fosse, não tivesse nada a ver com Christina.

Depois que ele partiu, ela ficou morrendo de saudades, e desejou ter se esforçado mais. Caminhando em torno da casa, ficou olhando para o lago. Estava quase totalmente imóvel, com um tom arroxeado perto das bordas e uma mancha clara no meio. O lago sempre elevava seu estado de espírito. Ela escutou as batidas intervaladas de um pica-pau por um minuto ou dois, e olhou para cima quando uma águia passou voando sobre a casa.

"Estão ouvindo isso, meus pequeninos?", ela perguntou, pondo a mão na barriga. Logo depois, entrou para se aquecer junto à lareira. Sua intenção era continuar o bordado de ponto de cruz que estava fazendo, mas, sentindo-se zonza, caiu em um estupor semiadormecido que podia até ser agradável, mas acabou deixando-a ainda mais cansada do que já estava. Ela notou a presença de Naveena, entrando e saindo na ponta dos pés, e também do mordomo, que trouxe chá e biscoitos, mas não se levantou para pegá-los. Foi apenas quando Verity entrou e tossiu que ela despertou.

"Ah, querida, você está acordada."

Gwen piscou algumas vezes.

"Escute, eu lamento muitíssimo, mas uma velha amiga vai dar uma festa em Nuwara Eliya hoje. É só por uma noite. Volto amanhã mesmo, ou depois de amanhã no mais tardar, prometo. Você vai ficar bem? Eu já perdi tanta coisa este ano."

Gwen bocejou. "Claro. Naveena está aqui, e tenho o telefone da casa do dr. Partridge em Hatton. Pode ir se divertir."

Gwen agradeceu e ficou observando a saída da cunhada. Era verdade que, ao ficar em casa para fazer companhia a ela, Verity perdera diversas festas. Fora ao Baile de Ano-Novo do Grand Hotel em Nuwara, mas só. Em geral, ela comparecia a todas as ocasiões, segundo Laurence, mas a gestação de Gwen estava em um estágio bem avançado. Era justo que Verity tivesse a chance de se distrair um pouco antes que os bebês chegassem. Afinal, como encontraria um marido se nunca saísse de casa?

Gwen se sentia pesada e desajeitada. Era difícil até se levantar da poltrona, mas ela fez um esforço e foi até a janela. A viagem de Laurence e o tempo frio a deixaram com saudades de casa. Não apenas de seus pais, mas de Fran também, apesar de as cartas frequentes da prima a deixarem sempre bem informada. Fran quase nunca mencionava Savi em suas cartas, mas deu pistas sobre um novo envolvimento romântico, e Gwen desejou sinceramente que a prima tivesse encontrado alguém para amá-la.

Ela olhou para o jardim. Estava tudo absolutamente imóvel, e, embora se sentisse muito sozinha, Gwen ficou com a impressão de que o mundo estava à sua espera. Ela viu um sambar com grandes galhadas entre as árvores. Devia ter descido das florestas enevoadas do alto da planície de Horton, em geral envolvida em brumas lilases que pareciam agarradas às copas arredondadas das árvores. Para Gwen, parecia um lugar mágico, e a fazia se lembrar do mural pintado por Caroline no quarto de bebê. Nesse momento, ela decidiu ir ver se já estava tudo pronto por lá.

# PARTE II — O SEGREDO

# 10

O mural havia sido limpo com perfeição, e Gwen ficou contente por ter decidido mantê-lo, e não pintar a parede por cima da imagem. As cores podiam não mais ser tão vivas como antes, mas as terras altas com nuvens roxas eram bem visíveis, assim como os lagos azulados que pareciam reluzir como se fossem de verdade. Por sorte, não seria necessário que o sr. Ravasinghe retocasse a pintura.

Ela olhou ao redor, com Ginger, o filhote restante, no colo. O quarto de paredes amarelas estava pronto. Havia dois berços brancos novinhos lado a lado, e uma poltrona de amamentação de cetim com almofadas bege bordadas fora trazida de Colombo. Um tapete bonito de fabricação local dava o toque final. Gwen abriu a janela para arejar o cômodo, e em seguida se acomodou na poltrona e imaginou como seria estar com seus bebês no colo, em vez do cachorrinho. Ela acariciou a barriga e sentiu vontade de chorar. Por ser bem jovem, não sofrera tanto na gravidez, então não fora isso que deixara seus olhos cheios de lágrimas: era a solidão da voz que ressoava em sua mente.

No fim da tarde, sua cabeça começou a latejar, e ela achou que um pouco de ar fresco talvez ajudasse. Ao sentir uma pontada, ficou imóvel, mas em seguida vestiu um casaco e saiu. O lago à noite quase nunca ficava preto; assumia um tom escuro de roxo, e reluzia sob a luz da lua e das estrelas. Mas aquela noite estava escura. Enquanto caminhava, ela sentiu uma dor que pareceu rasgar seu ventre até a base da coluna. Quando aliviou um pouco, só houve tempo de abrir a porta antes de se dobrar sobre si mesma, quase gritando de alívio quando Naveena chegou.

A preocupação estava estampada no rosto da mulher. "Eu procurando senhora."

Com Naveena ajudando a carregar seu peso, elas foram até seu quarto, onde Gwen tirou as roupas e vestiu uma camisola engomada por cima da cabeça. Quando estava sentada na beirada da cama, sentiu um líquido morno escorrer pelo interior das coxas. Ela ficou de pé, horrorizada.

"Senhora, ser só água."

"Ligue para o dr. Partridge", disse Gwen. "Imediatamente."

Naveena assentiu com a cabeça e saiu para o corredor. Quando voltou, a expressão em seu rosto era de decepção.

"Não atender."

O coração de Gwen disparou.

"Não se preocupe, senhora, eu já fez partos."

"Mas de gêmeos?"

A mulher fez que não com cabeça. "Chamar médico mais tarde. Eu pega bebida quente."

Ela desapareceu por alguns instantes e voltou com um copo cheio de um líquido com cheiro forte.

"Tem certeza?", perguntou Gwen, enrugando o nariz ao sentir o cheiro de gengibre e cravo.

Naveena assentiu.

Gwen bebeu, mas alguns minutos depois sentiu um calor e um enjoo terríveis.

Nada era fácil por causa do tamanho que ela estava, mas Naveena a ajudou a tirar a camisola e a enrolou em um cobertor de lã macio. Assustada com a escalada da dor, tudo que Gwen conseguia ouvir era o som da própria respiração. Ela fechou os olhos e tentou pensar em Laurence enquanto Naveena pegava lençóis limpos e arrumava a cama. A empregada, acostumada à passividade, era uma presença reconfortante, mas Gwen sentia falta do marido, e seus olhos ficaram molhados. Ela limpou as lágrimas, mas, acometida por mais um acesso de dor, inclinou-se para a frente e grunhiu.

Naveena se virou para sair do quarto. "Eu chama médico de novo."

Gwen a agarrou pela manga. "Não me deixe sozinha. Mande o mordomo fazer isso."

Naveena balançou a cabeça e foi até a porta passar as instruções para o mordomo. Enquanto ele telefonava, Gwen rezou, mas com a porta entreaberta foi possível notar que o médico ainda não voltara. Seu coração disparou de novo.

Ninguém dizia uma palavra.

Naveena olhava para o chão, e Gwen, sentindo o pânico tomar conta, esforçava-se para controlar os nervos. O que fariam se algo desse errado? Ela fechou os olhos e tentou acalmar as batidas de seu coração. Quando conseguiu, voltou-se para Naveena.

"Você estava com Caroline quando ela deu à luz?"

"Sim, senhora."

"E Laurence?"

"Em casa também."

"Ela teve um parto complicado?"

"Normal. Como senhora."

"Isso não pode ser normal!" Ao sentir outra contração, Gwen engoliu um soluço. "Por que ninguém nunca me disse que ia doer tanto?"

Naveena fez alguns sons com a boca para tranquilizá-la, ajudou-a a se levantar e trouxe um banquinho para lhe servir como apoio. Embora ela ainda estivesse suando frio, a dor aliviou, e Naveena a ajudou a se deitar na cama. Gwen se remexeu um pouco e, quando se aquietou sob um lençol com cheiro de melão, o trabalho de parto pareceu ficar mais lento. As contrações aliviaram e se tornaram mais espaçadas, e as horas seguintes foram relativamente tranquilas. Gwen inclusive passou a ter esperança de que conseguiria suportar tudo quando chegasse a hora.

Naveena se transformara em mais que uma empregada: não era exatamente uma amiga, nem uma figura materna. Era um relacionamento estranho, mas Gwen era grata à mulher. Ela relaxou, sentindo um agradável torpor, pensando em sua mãe, e em como devia ter sido seu nascimento.

Mas então veio uma dor que pareceu rasgar suas costas pela metade. Ela se virou de lado e agarrou os joelhos. A dor se tornou mais intensa, como se uma parte de seu corpo estivesse sendo arrancada.

"Eu quero me virar de novo. Me ajude!"

Naveena a ajudou a ficar de quatro na cama. "Não empurrar... respirar quando vir dor. Logo passar, senhora."

Gwen abriu a boca e soltou a respiração em suspiros rasos, mas em seguida as contrações se aceleraram. Ela se contorceu quando a dor pareceu esgarçar sua barriga e, quando ouviu os próprios gritos como se viessem de outra pessoa, teve a impressão de que havia mais do que dois simples bebezinhos querendo nascer. Parecia algo muito maior. Por que as mulheres infligiam a si mesmas esse tipo de tortura? Ela tentou resistir, esforçando-se para se lembrar de histórias que ouvia na infância, contraindo o rosto: era preciso recorrer a qualquer coisa que desviasse sua mente do horror que a acometia. A cada contração, ela mordia o lábio e sentia gosto de sangue. Tudo se resume ao sangue, ela pensou, ao sangue espesso e vermelho. Então, quando mais matéria líquida se espalhou pelo já encharcado lençol, os breves intervalos se tornaram ainda mais breves.

Mais dores excruciantes. Ela estava desesperada. Com os punhos cerrados, esmurrou o colchão, virou-se de lado e gritou pela mãe, com a certeza absoluta de que estava prestes a morrer.

"Deus do céu", sussurrou por entre os dentes cerrados. "Me ajude!"

Naveena permanecia ao seu lado, segurando sua mão, incentivando-a o tempo todo.

Depois de um tempo, sentindo-se exausta demais para falar, ela suspirou lentamente e se deitou de barriga para cima outra vez, estendendo as pernas brancas por um momento e em seguida puxando os pés de novo para perto das nádegas. Quando ergueu a cabeça para olhar, algo se desprendeu, e ela escancarou as pernas, abrindo mão de seu último resquício de dignidade.

"Respirar fundo quando eu começa a contar, senhora, e prender respiração e empurrar. Em dez, respirar de novo, segurar e empurrar outra vez."

"Onde está o médico? Preciso de um médico!"

Naveena sacudiu a cabeça.

Gwen respirou fundo e seguiu as instruções. Em seguida, fechou os olhos e, com os cabelos balançando, sentiu uma espécie de queimação. A princípio notou também o cheiro de fezes, mas, como já estava mais do que exposta, ela não se preocupou e inclusive pensou que fosse só isso. No entanto, depois de um empurrão doloroso, ela sentiu uma queimação fortíssima entre as pernas abertas. Estava prestes a empurrar de novo quando Naveena pôs a mão sobre seu pulso.

"Não, senhora, não empurrar. Bebê precisar sair sem forçar."

Por alguns momentos, nada aconteceu, mas em seguida ela sentiu algo escorregadio entre suas coxas. Naveena se inclinou para cortar o cordão umbilical e pegou o bebê. Ela o limpou e sorriu, com os olhos cheios de lágrimas. "Ah, senhora. Menino lindo, a senhora ganhou."

"Um menino."

"Sim, senhora."

Gwen estendeu os braços e olhou para o rostinho vermelho e amassado do recém-nascido. Uma sensação de paz a invadiu, tão poderosa que quase apagou tudo por que passara até então. A mão do bebê se abria e fechava, como se com os dedinhos ele tentasse identificar o local a que havia chegado. Era perfeito, e Gwen, sentindo-se como se fosse a primeira mulher no mundo a dar à luz, ficou tão orgulhosa que até chorou.

"Olá, menininho", ela falou entre um soluço e outro.

O som dos berros agudos do bebê ressoou pelo quarto.

Gwen olhou para Naveena. "Nossa, ele parece estar furioso."

"Bom sinal. Peito forte. Menino bom e forte."

Gwen sorriu. "Estou tão cansada."

"Descansar um pouco agora, segundo vir logo." Ela pegou o menino, embrulhou-o no cobertor, pôs um gorrinho na cabeça dele e o embalou nos braços antes de deitá-lo no berço, onde ele continuou com um chorinho intermitente.

Logo depois de Naveena limpá-la, Gwen entrou em trabalho de parto de novo. Uma hora e meia se passou, e já amanhecia quando ela deu à luz a segunda criança. Suas forças estavam exauridas, e tudo que ela conseguiu fazer foi dar graças a Deus por tudo ter terminado. Ela se sentou para conhecer o segundo bebê, mas desabou sobre os travesseiros e, deitada, viu Naveena enrolando a criança em um cobertor.

"O que é? Menino ou menina?"

Alguns segundos se passaram. O mundo inteiro ficou imóvel, em um equilíbrio precário.

"E então?"

"Menina, senhora."

"Que amor. Um casal."

Mais uma vez, Gwen se esforçou para erguer a cabeça, mas, quando conseguiu, só pôde ver o bebê de relance antes de Naveena sair do quarto sem dizer nada. Gwen prendeu a respiração e ficou escutando. Do quarto de bebê, vinha um chorinho bem baixinho. Bem fraco. Fraco demais. O ar começou a lhe faltar. Ela não havia visto a filha, e, apesar de não ter certeza, a bebezinha lhe pareceu estar com uma coloração estranha.

Com medo de que o cordão umbilical pudesse ter estrangulado a menina, ela tentou gritar por Naveena, mas sua voz saiu como uma espécie de guincho estridente. Gwen tentou de novo, e quando mexeu as pernas para se levantar caiu outra vez sobre o colchão, sentindo-se terrivelmente quente. Ela olhou para o filho. Hugh, era como haviam decidido chamá-lo. Seu pequeno milagre. Ele parara de chorar assim que a irmãzinha nasceu, e estava dormindo. Usando o banquinho como apoio, Gwen desceu da cama, sentindo todos os músculos do corpo doloridos. Ela fechou os olhos.

Quando voltou a abri-los, deu de cara com Naveena, sentada na cadeira ao lado da cama.

"Aqui ter chá para senhora."

Gwen se ajeitou e limpou o suor da testa. "Onde está a irmãzinha?"

Naveena baixou os olhos.

Gwen estendeu a mão e segurou a mulher pela manga. "Onde está minha filha?"

Naveena abriu a boca para falar, mas nenhum som saiu de sua garganta. Ela tinha o rosto tranquilo, mas os dedos inquietos sobre o colo denunciavam seu nervosismo.

"O que você fez com ela? Alguma coisa errada?"

Não houve resposta.

"Naveena, traga a criança aqui agora. Ouviu bem?" A voz de Gwen estava estridente de medo.

A mulher fez que não com a cabeça.

Gwen engoliu em seco. "Ela morreu?"

"Não."

"Não estou entendendo. Preciso vê-la agora. Vá buscá-la para mim! É uma ordem, ou então quero você fora desta casa imediatamente."

Naveena ficou de pé, com movimentos lentos. "Muito bem, senhora."

Com um mundo inteiro de horrores imaginários rondando sua cabeça e tomando proporções gigantescas, Gwen sentia como se um cabo de aço estivesse espremendo seu peito. O que teria acontecido com a criança? Teria alguma deformação horrorosa? Estaria muito doente? Ela ansiava pela presença de Laurence. Por que ele não estava lá?

Alguns minutos depois, Naveena voltou para o quarto com a bebê aninhada nos braços. Gwen ouviu um chorinho fraco e estendeu os braços. A aia lhe entregou a criança, deu um passo para trás e olhou para o chão. Gwen respirou fundo e desembrulhou o cobertor. Tudo que a menina usava além disso era uma fraldinha branca de tecido.

A bebê abriu os olhos. Gwen prendeu a respiração ao examinar as crianças. Os dedinhos miúdos, a barriguinha redonda, os olhos escuros e a pele reluzente como se tivesse sido polida. Atordoada de susto, Gwen olhou para Naveena. "Esta criança é perfeita."

Naveena concordou com um gesto de cabeça.

"Perfeita."

A aia baixou a cabeça.

"Mas não é branca."

"Não, senhora."

Gwen olhou feio para a mulher. "Que tipo de palhaçada é essa? Onde está minha filha?"

"Ela sua filha."

"Acha que eu não ia perceber se você trocasse a *minha* filha por essa?"

"Essa ser sua filha", repetiu Naveena.

Em estado de choque, Gwen fechou os olhos, espremendo-os para se desfazer da imagem da bebê, que entregou para a mulher. Era impossível que uma criaturinha tão escura tivesse saído de dentro dela. Impossível! Naveena estava de pé ao lado da cama, embalando a criança. Gwen passou os braços em torno do corpo, sacudindo a cabeça de um lado para o outro, soltando um grunhido. Completamente perplexa, não conseguia nem olhar para a aia.

"Senhora..."

Gwen baixou a cabeça. Ninguém disse nada. Não fazia sentido. Nada daquilo fazia sentido. Ela olhou para as linhas de suas palmas, virou as mãos e passou o dedo pela aliança de casamento. Vários minutos transcorreram, e seu coração disparado batia erraticamente no peito. No fim, ela ergueu os olhos para Naveena e, ao notar que não estava sendo julgada de forma nenhuma pela mulher, criou coragem para falar.

"Como ela pode ser minha? Como pode?", questionou, limpando as lágrimas com o dorso da mão. "Não entendo, Naveena, me explique o que aconteceu. Estou ficando louca?"

Naveena chacoalhou a cabeça. "Coisas acontecer por vontades dos deuses."

"Que coisas? Que coisas são essas?"

A velha mulher encolheu os ombros. Gwen tentava segurar as lágrimas, fazendo força para enrijecer a mandíbula, mas não houve jeito. Seu rosto se contorceu, e mais lágrimas caíram. Por que aquilo acontecera? Como poderia ter acontecido?

Até então, o impacto ainda não fora absorvido totalmente. Mas então ela se deu conta. O que diria a Laurence? Gwen buscou uma resposta, mas, exausta e apavorada, sentia-se apartada de si mesma. Qual era a coisa certa a fazer? Ela assoou o nariz e limpou os olhos mais uma vez. Em sua mente, viu a garotinha a encarando com os olhinhos escuros. Talvez houvesse algo de errado com o sangue da bebê, ou talvez Laurence tivesse ancestrais espanhóis. Os pensamentos se acumulavam em sua cabeça. Ar fresco. Era disso que precisava. Uma brisa noturna. Para conseguir pensar melhor.

"Você pode abrir a janela, Naveena?"

Com a bebê em um dos braços, a aia foi até a janela e soltou o trinco, permitindo que uma brisa fria entrasse no quarto, junto com o cheiro de mato.

O que ela podia fazer? Talvez pudesse dizer que tivera apenas um bebê, ou fingir que a menina morrera — mas não, para isso precisaria de um cadáver. Gwen olhou para Naveena, sentada perto da janela com a bebê nos braços, e desejou estar distante daquele país horroroso onde uma mulher branca podia dar à luz uma criança parda sem nenhuma explicação para isso. Nenhum motivo. O ar ficou imóvel, e, por um terrível e fraturado momento, o rosto de Savi Ravasinghe lhe veio à mente. Não! Ah, meu Deus. Não! Isso não. Não podia ser. Sentindo falta de ar, ela se inclinou para a frente.

Absolutamente exaurida pelo parto, Gwen não devia estar pensando com clareza. Ela saberia se o homem tivesse tirado vantagem da situação, não? Foi quando outro pensamento quase a levou a um colapso nervoso. E quanto a Hugh? Santo Deus. Aquilo não podia estar acontecendo. Se a menina podia ser filha de Savi — uma ideia terrível, tenebrosa —, e quanto a Hugh? Seria possível que cada um fosse de um pai? Ela nunca ouvira falar de nada do tipo. Isso podia acontecer? Como era possível?

Gwen olhou para Naveena outra vez e, com o coração apertado, viu a lua entre as nuvens no céu do amanhecer. Era quase manhã. O que ela faria? O tempo estava passando. Era preciso tomar uma decisão antes que os empregados começassem a circular pela casa. Ninguém podia saber. O vento ficou mais forte, e o som dos pneus de um carro amassando o cascalho fez seu coração disparar.

Gwen e Naveena ficaram paralisadas.

Naveena foi a primeira a se levantar. "Irmã de patrão", ela falou, cobrindo a cabecinha da bebê com o cobertor.

"Ai, Deus! Verity", disse Gwen. "Me ajude, Naveena."

"Eu esconde *baba*."

"Depressa, faça isso depressa."

"Em quarto de bebê?"

"Não sei. Sim. No quarto de bebê." Gwen balançou a cabeça e olhou para a porta, absolutamente em pânico. Enquanto Naveena saía apressada, Gwen ouviu Verity entrando e atravessando o corredor. Em questão de minutos houve uma batida na porta. Gwen estava com a respiração acelerada, e os pensamentos tão agitados que não sabia o que dizer. Quando Verity apareceu, vermelha e esbaforida, ela teve certeza de que acabaria se denunciando.

"Querida, eu lamento muito. Você está bem? Posso vê-los?"

Gwen apontou com o queixo para o berço de Hugh.

"Onde está o outro?"

Gwen contorceu os lábios e sentiu seu queixo tremer, mas respirou fundo e se enrijeceu antes de falar: "O dr. Partridge estava enganado. Era só um bebê. Um menino."

Verity atravessou o quarto e parou ao lado do berço. "Ai, ele não é lindo? Posso pegar?"

Gwen fez que sim com a cabeça, mas seu coração batia tão forte que ela puxou a coberta até o queixo para esconder o peito. "Se quiser. Mas, por favor, não o acorde. Ele acabou de dormir."

Sua cunhada pegou Hugh no colo. "Nossa, ele é tão miudinho."

Gwen sentiu a garganta se fechar. Conseguiu improvisar uma resposta, apesar da voz embargada: "Eu devia estar retendo muito líquido".

"Verdade. O médico já veio vê-la?", Verity perguntou quando pôs Hugh de volta no berço. "Você está tão pálida."

"Ele vai vir assim que possível. Pelo jeito recebeu outro chamado urgente essa madrugada." Gwen sentiu os olhos arderem, porém não disse mais nada. Quanto menos falasse, tanto melhor.

"Ah, querida, foi muito difícil?"

"Muito."

Verity puxou a cadeira e a colocou perto de Gwen. "Você foi muito corajosa passando por tudo isso sozinha."

"Naveena estava aqui comigo."

Gwen fechou os olhos por um momento, esperando que Verity aproveitasse a deixa. Ela notou que, na pressa de sair, Naveena não fechara a porta do banheiro, e, embora devesse ter fechado a do quarto de bebê, sua cunhada precisava sair antes que a bebê acordasse.

"Quer que eu lhe conte sobre a festa para animá-la um pouco?", sugeriu Verity.

"Bom, na verdade eu...", começou Gwen.

"Foi maravilhosa", continuou Verity, ignorando-a. "Dancei tanto que até fiquei com bolhas, e, acredite ou não, Savi Ravasinghe também estava lá, e passou a maior parte da noite dançando com aquela Christina. Ele perguntou de você."

Incomodada com o rumo que a conversa tomara, Gwen ergueu a mão para interromper a cunhada. "Verity, se você não se importa, eu preciso descansar antes da chegada do médico."

"Ah, claro, querida. Eu aqui tagarelando sem parar enquanto você está absolutamente exausta."

Verity ficou de pé e caminhou até o berço. "Ainda está dormindo. Mal posso esperar que ele acorde."

Gwen se remexeu na cama. "Não deve demorar. Agora, se não se importa."

"Você precisa descansar, eu entendo. Pretendia fazer uma visita a Pru em Hatton hoje, se você não se incomodar. Mas se quiser que eu fique para ajudar..."

Por falar em ajudar, pensou Gwen, mas não disse nada, apesar de ter ficado satisfeitíssima com a ideia de Verity de sair outra vez.

"Pode ir", ela falou. "Estou bem."

Verity tomou o caminho da porta. Um chorinho de bebê ressoou pelo quarto, e ela deteve o passo. Quando sua cunhada se virou com um sorriso, Gwen ficou paralisada.

"Ah, que ótimo, ele acordou", disse Verity antes de voltar até o berço, mas franziu a testa quando olhou para Hugh. "Que estranho, ele ainda está dormindo."

Houve um instante de silêncio que, apesar de breve, para Gwen pareceu durar uma eternidade. Quando fechou os olhos, rezando para que a bebê fizesse silêncio, Gwen sentiu a pele em chamas. Por favor, Deus, não permita que ela faça nenhum barulho enquanto Verity olha para Hugh.

"Às vezes eles choramingam enquanto dormem", ela conseguiu dizer por fim. "Pode ir para Hatton. Naveena está aqui para me ajudar."

"Tudo bem, se você acha que não tem problema."

Quando sua cunhada fechou a porta ao sair, Gwen se inclinou

para a frente e abraçou os joelhos. A sensação de ter o chão arrancado de seus pés a dominava, e ela se sentia tão frágil que uma lufada de vento parecia capaz de derrubá-la da cama e carregá-la para longe. Tocou a sineta para chamar Naveena.

A aia voltou ao quarto, sentou-se ao lado de Gwen e segurou sua mão.

"Naveena, o que eu faço?", murmurou Gwen. "Me diga o que fazer."

A velha mulher olhou para o chão, mas não disse nada.

"Me ajude. Por favor, me ajude. Já falei para Verity que só tive um bebê."

"Senhora, eu não tem como saber."

Gwen começou a chorar de novo.

"Precisa haver um jeito. Precisa haver."

Naveena pareceu relutante por um momento, e respirou fundo. "Eu encontra mulher em aldeia do vale para cuidar de *baba*."

Gwen a encarou, e Naveena retribuiu o olhar. Ela estava sugerindo entregar a bebê a uma estranha? Sua própria filha?

"Único jeito."

"Ai, Naveena, como eu vou conseguir abrir mão dela assim?"

Naveena estendeu a mão. "Senhora precisar confiar em mim."

Gwen sacudiu a cabeça. "Eu não posso fazer isso."

"Senhora precisar."

Gwen baixou a cabeça, desesperada. Em seguida ergueu os olhos e falou com a voz trêmula: "Não. Tem que haver outra solução".

"Só ter uma outra, senhora."

"Sim?"

Naveena pegou um travesseiro.

Gwen soltou um suspiro de susto. "Sufocar a criança?"

Naveena fez que sim com a cabeça.

"Não. Isso não. De jeito nenhum."

"Outras pessoas fazer isso, senhora, mas não ser bom."

"Não, não é nada bom, é terrível", Gwen respondeu e, horrorizada por terem sequer cogitado a questão, escondeu o rosto entre as mãos.

"Eu pensa em tudo, senhora. Eu vai para vale com *baba*. Senhora dar dinheiro?"

Por um momento, Gwen ficou em silêncio, mas em seguida ergueu a cabeça e olhou para a frente, com a visão borrada. Ela estremeceu. A verdade era que não podia ficar com a bebê. Se fizesse isso, seria expulsa de casa com uma criança que obviamente não era filha de seu marido. E provavelmente nunca veria seu garotinho de novo. Para onde poderia ir? Até mesmo seus pais seriam obrigados a lhe virar as costas. Sem dinheiro, sem casa, isso seria muito pior para a garotinha do que viver na aldeia. Pelo menos não estaria muito distante, e talvez um dia... Ela se interrompeu. Não. A verdade era que esse dia *nunca* chegaria. Se ela abrisse mão da criança, seria para sempre.

Gwen olhou para Naveena e murmurou: "O que eu digo para Laurence?".

"Nada, senhora. Por favor. Como para irmã, senhora dizer que só teve um bebê."

Gwen assentiu com a cabeça. Naveena estava certa, mas ela estremeceu com a ideia de contar uma mentira de tamanhas proporções. Com Verity era uma coisa. Com Laurence seria muito mais difícil.

Os olhos de Naveena se encheram de lágrimas. "Melhor assim. Patrão cair em ridículo se senhora ficar com *baba*."

"Mas, Naveena, como isso pode ter acontecido?"

A mulher sacudiu a cabeça, com os olhos cheios de sofrimento.

A comoção da aia fez com que Gwen se sentisse ainda pior. Ela fechou os olhos, mas tudo que viu foi sua calcinha francesa de seda caída no chão do quarto do hotel. Esforçando-se para se lembrar dos detalhes, ela se transportou de volta para a noite do baile, até o ponto em que Savi começou a acariciar sua testa, e então... mais nada. Refém de um momento do qual não conseguia se recordar, Gwen se sentiu violada. O que ele lhe havia feito? O que ela permitiu que ele fizesse? Ela só se lembrava de acordar seminua quando Fran chegou. Mais uma vez, ela se perguntou se seria possível que houvesse dois pais. Essa possibilidade intensificou ainda mais sua sensação de ter sido violada, e seu coração disparou descontroladamente. Hugh devia ser filho de Laurence. Precisava ser.

"Senhora não se preocupar." Naveena segurou a mão de Gwen e a acariciou. "Senhora querer dar nome a *baba*?"

151

"Não sei que nome seria bom para uma criança como..."

"Liyoni ser nome bom."

"Muito bem." Ela fez uma pausa. "Mas eu quero vê-la mais uma vez."

"Não ser bom, senhora. Melhor ir agora. Senhora não ficar triste. Ser destino."

Os olhos de Gwen arderam. "Eu não posso me desfazer dela sem vê-la de novo. Por favor. E se trancarmos a porta para o corredor? Eu preciso vê-la."

"Senhora..."

"Traga a menina até aqui para eu poder amamentá-la pelo menos uma vez. Depois uma ama de leite da aldeia pode se encarregar disso, não?"

Com um suspiro que pareceu ser um sinal de fadiga, Naveena deu um passo para trás. "Primeiro esperar irmã sair."

As duas ficaram em silêncio, mas, assim que o carro onde estava Verity partiu, Naveena fechou as venezianas e trouxe a bebê de volta.

Não havia inchaço nem vermelhidão no rosto dela, ao contrário de Hugh. Era uma bebê perfeita com cor de café com leite.

"Ela é tão pequena", murmurou Gwen, tocando a pele sedosa da bochecha da criança.

A criaturinha começou a sugar no instante em que Naveena revelou o seio de Gwen. A sensação era um tanto estranha, e, ainda mais chocada com a pele escura da criança contra seu peito branco, Gwen estremeceu. Quando tirou a criança do seio, notou que seus olhos eram enormes; a bebê gritou, parecendo indignada, e começou a sugar o ar. Gwen se virou para a parede.

"Pode levá-la. Eu não consigo." E, embora sua voz soasse áspera, a dor que sentia por rejeitar o sangue de seu sangue era ainda maior que a do parto.

Naveena pegou a bebê. "Por dois dias eu fica fora."

"Me avise assim que voltar. Tem certeza de que vai conseguir encontrar alguém?"

Naveena encolheu os ombros. "Eu espera que sim."

Gwen olhou para Hugh, desesperada para pegá-lo no colo, apavorada com a ideia de poder ficar sem ele também. "Ela vai ser bem cuidada?"

"Ela crescer bem. Senhora querer que eu acende vela? Assim dormir melhor. Aqui ter água. Eu trazer chá e ir embora. Para aplacar coração de senhora."

A cabeça de Gwen girava a mil quando ela estendeu a mão para pegar a água, tremendo incontrolavelmente. Ela tentou pensar em alguém que pudesse ajudá-la, mas inventar alguma outra explicação para a cor de pele da bebê exigiria mais tempo do que dispunha. Depois de dar à luz uma criança que não era de seu marido, se relatasse o que acontecera na noite do baile, ninguém jamais acreditaria que ela não se deitara com Savi Ravasinghe por livre e espontânea vontade. Afinal, ela havia permitido que ele entrasse em seu quarto, não? Laurence a rejeitaria, e Verity ficaria com ele só para si. Era simples assim. E, se ela quisesse provar sua inocência, teria que admitir o nascimento de Liyoni. Não podia fazer isso. Nunca.

Apesar de o choque inicial ter sido causado pela cor da pele da bebê, eram as implicações disso que faziam seu coração gelar. Gwen se sentiu perdida. Abandonada à própria sorte. Sua mão tremia tanto que a água caiu do copo, ensopando sua camisola e escorrendo por seu queixo. Ela sentia que a decisão terrível que acabara de tomar tiraria seu sono e sua paz de espírito para sempre. E a culpa certamente impediria a volta das sensações paradisíacas que desfrutara com Laurence. Os olhos escuros da menina se voltaram para Gwen — era só uma recém-nascida inocente que precisava de uma mãe, e por um momento o desejo de Gwen de ter os dois filhos nos braços foi mais forte que o de manter seu casamento. Ela pegou Hugh e o embalou, chorando sem parar. Mas então pensou no sorriso de Laurence, na confiança que demonstrava ter na esposa quando a envolvia nos braços, e soube que não seria capaz de ficar com a menina. Com o coração tomado pela tristeza, Gwen se deu conta de que jamais teria lembranças felizes com a filha. Mas pior — muito pior — era o destino daquela pobre garotinha que, por algo que de forma alguma era culpa sua, seria obrigada a viver sem um pai e uma mãe.

# 11

Elas esperaram até quase anoitecer. Verity ainda não voltara de Hatton, então Gwen ficou de vigia enquanto Naveena enrolava a bebê e a colocava em um velho cesto de colhedora de chá. Ela subiu em uma charrete puxada por um boi e acomodou o bebê na traseira do veículo, mas, quando estava prestes a sair, McGregor surgiu em meio às sombras. Gwen se escondeu na semipenumbra do terraço na frente da casa, prendendo o fôlego e escutando enquanto Naveena argumentava que estava vindo visitar uma amiga doente em uma aldeia cingalesa.

"A charrete não é destinada ao seu uso particular", rebateu McGregor.

Gwen cerrou os dentes.

"Só uma vez, senhor."

Por favor, deixe-a ir.

"Você tem a permissão do patrão?"

"Patroa deixar."

"O que tem nesse cesto?"

O pânico tomou conta de Gwen, e ela ficou sem fôlego.

"Só cobertor velho de patroa."

McGregor se deslocou para o outro lado da charrete, e Gwen não conseguia mais escutar a conversa. Se ele olhasse dentro do cesto, seria seu fim. Mais algumas frases foram trocadas, e enquanto isso Gwen rezou, por ela e por todos que amava, para que McGregor se afastasse. Não dava para ouvir se os dois ainda estavam conversando, e, na escuridão, ela não tinha como saber se McGregor investigara o conteúdo do cesto.

Ao se lembrar das tolices que cometera na noite do baile, ela sentiu vontade de sair do terraço e se acusar. Caso não tivesse sentido ciúme de Christina, jamais aceitaria a ajuda de Savi Ravasinghe, portanto a culpa era toda sua. Se ela se pronunciasse naquele momento, tudo acabaria... Mas então, ao ouvir o som de passos e notar que a charrete começava a se mover, Gwen voltou para dentro de casa, em meio a uma sensação de alívio atordoante.

A pobre Naveena não queria sair à noite, mas manter a bebê na casa sem que seu choro fosse ouvido seria difícil demais.

Quando se viu sozinha, Gwen sentiu vontade de dormir, mas a cada poucos minutos se levantava para ver Hugh. Depois de mais ou menos uma hora, ouviu o carro de Laurence. Passou os dedos pelos cabelos embaraçados e fugiu para o banheiro, trancando a porta atrás de si. Cerrando os punhos junto às laterais do corpo, desejou ser tragada pelo chão. Mas, como não era possível, lavou o rosto, prendeu os cabelos, sentou-se na lateral da banheira e esperou que suas mãos parassem de tremer. Quando ouviu Laurence entrar no quarto, abriu um sorriso amarelo, criou coragem e saiu do banheiro.

Laurence estava imóvel, com um olhar de encantamento no rosto ao ver o filho pela primeira vez. Ela o observou enquanto ele se manteve alheio a sua presença. Gwen notou seus ombros largos e seus cabelos ondulados. Emocionada com a felicidade dele, soube que seria incapaz de magoá-lo outra vez. A questão não era só proteger Laurence — havia um componente de egoísmo em sua decisão também —, mas era pelos dois que estava passando por tudo aquilo.

Gwen deu um passo à frente, e ele se virou. Ela percebeu que, além do encantamento, havia no rosto dele algo que só era possível interpretar como alívio. Um alívio imensurável. Quando os dois se olharam, os olhos dele brilhavam, mas em seguida ele contorceu o rosto como se estivesse contendo as lágrimas.

"Ele parece com você, não acha?", disse Gwen.

"Ele é perfeito." Laurence a encarou, admirado. "Você foi muito corajosa. Onde está o outro bebê?"

Ela ficou paralisada, incapaz de pensar e sentir, como se tudo o que havia entre os dois nunca tivesse existido. Ele era como um desconhecido. Gwen se segurou para não sair correndo, e, em vez disso, com grande esforço, caminhou até o marido, conseguindo de alguma forma esconder o quanto estava abalada.

"Era um bebê só no fim das contas. Desculpe."

"Minha querida, você não tem por que pedir desculpas. Meu amor por você não poderia ser maior, mas isso... isso é importante demais para mim."

Ela abriu um sorriso forçado.

Ele estendeu os braços. "Venha cá. Deixe-me abraçá-la." Ela obedeceu, e encostou a cabeça no peito de Laurence, sentindo o coração dele bater.

"Gwen. Me desculpe por andar tão distante. Me perdoe."

Ela estendeu os braços e o beijou, sentindo-se dividida. Sua vontade era compartilhar aquela confusão terrível, expor a verdade e se desvencilhar da teia de mentiras antes que se estabelecesse de vez, mas o sorriso estampado no rosto dele a impediu. Depois de vários dias, Laurence estava de volta, não só em termos de presença física, mas emocionalmente também. Gwen foi capaz de se conter e aceitar o abraço, mas sabia que nada voltaria a ser como antes. Em meio ao que havia acontecido, algo desaparecera de sua vida: sua sensação de segurança, de proteção. Ela não sabia o que era, mas sentia-se abalada e desesperadamente sozinha. Gwen ouviu o gralhar dos pássaros que sobrevoavam o lago, e sentiu mais uma vez a batida do coração dele contra o ouvido. Estava exaurida, e nem mesmo o sorriso afetuoso de Laurence conseguia aplacar a dor esmagadora que a acometia.


Depois de ser examinada pelo médico, Gwen inventou uma série de pretextos para manter Laurence à distância, mas a verdade era que sua dor se tornava menos insuportável quando ele não estava presente. Um pensamento recorrente a atormentava: era possível ter gêmeos de pais diferentes? Ela pensou em perguntar fingindo se tratar da dúvida de uma amiga, mas, por causa da gravidez, não tivera tempo de fazer amizades entre as mulheres locais, e Laurence não acreditaria nessa história. Na maior parte do tempo, viviam em isolamento, e compareciam juntos às ocasiões sociais, como o Baile do Governador ou o Baile do Clube de Golfe. Em quem ela poderia confiar para conversar sobre isso? Seus pais estavam fora de cogitação. Ficariam horrorizados. Fran? Talvez pudesse falar com a prima, mas as duas só se veriam dali a muito tempo. O fato de ela não se lembrar de ter tido relações sexuais com o sr. Ravasinghe também não ajudava. Ele acariciara sua testa. Ficara no quarto porque ela estava passando mal. Mas o que mais? Ela estava enlouquecendo por não saber.

Na terceira noite com Laurence em casa, Naveena ainda não voltara da aldeia, e Gwen não ousava sequer pensar no que aconteceria se a mulher não conseguisse arranjar uma mãe adotiva para a bebê. Conforme sua ansiedade crescia, os olhos escuros da menina voltavam à sua mente para assombrá-la. Gwen estava em estado de alerta, toda tensa — assustava-se com ruídos repentinos, e o medo de que Laurence descobrisse a verdade a fazia passar mal.

Quando ela terminou de amamentar Hugh, ele entrou no quarto na ponta dos pés.

"Por que está sempre me rondando assim?", ela esbravejou. "Você me assustou."

"Querida, você parece cansada", comentou Laurence, ignorando a demonstração de mau humor.

Agora que o leite descera, Hugh mostrava um apetite voraz, e acabou adormecendo em seu seio. Laurence ajeitou os travesseiros, sentou-se na beira da cama e se virou para ela. Gwen se remexeu e moveu um pouco o pescoço para aliviar a tensão depois de ter deixado o bebê mamar por tanto tempo.

Ele segurou sua mão. "Está conseguindo dormir, Gwen? Você está tão pálida."

"Na verdade, não. Demoro muito para pegar no sono, e, quando consigo, ele já está acordado de novo."

"Estou preocupado, você anda muito diferente."

"Pelo amor de Deus, Laurence, eu acabei de dar à luz. O que você esperava?"

"Que você estivesse um pouco mais feliz. Pensei que estaria tão cansada depois de amamentar Hugh que pegaria no sono imediatamente."

"Bom, eu não consigo." Ela falou em um tom abrupto, ralhando com ele, sentindo-se envergonhada pelo olhar de tristeza no rosto do marido. "E pelo jeito o bebê também não dorme muito."

Ele franziu a testa. "Vou mandar chamar John Partridge outra vez."

"Não tem nada de errado. Só estou cansada."

"Você vai se sentir melhor depois de uma boa noite de sono. Que tal estabelecer horários para a amamentação?"

"O que você achar melhor", ela respondeu, mas não teve coragem de dizer que os momentos em que Hugh mamava eram os únicos em que conseguia alguma paz interior. Havia algo primitivo na sensação de ter o bebê sugando seu seio que a acalmava. Ao observar as bochechas redondas e as pálpebras fechadas de Hugh, Gwen se sentia melhor consigo mesma. Porém, quando ele abria os olhos azuis para encará-la, só conseguia ver os olhos escuros da outra filha.

Quando não estava mamando, ele chorava. Era um choro tão insistente que tudo que ela conseguia fazer era esconder a cabeça sob o travesseiro e soluçar.

Laurence se inclinou para a frente para beijá-la, mas ela virou o rosto e fingiu que estava vigiando Hugh.

"É melhor colocá-lo no berço antes que ele acorde."

Laurence se levantou e apertou de leve seu ombro. "Durma. É disso que você precisa. Espero que Naveena esteja sendo útil."

Gwen cravou a unha na palma da mão e manteve os olhos baixos. "Ela está visitando uma amiga que ficou doente."

"A prioridade dela deveria ser *você*."

"Eu estou bem."

"Bom, você é que sabe. Boa noite, meu amor. Espero que esteja melhor amanhã."

Gwen balançou a cabeça. Não podia contar a ele que talvez nunca mais dormisse de novo.

Tão logo ele saiu, ela piscou várias vezes para conter as lágrimas de raiva. Depois de pôr o bebê no berço, foi se olhar no espelho do banheiro. Seria preciso trocar de camisola, e seus cabelos estavam grudados na nuca pelo suor. A pele na região dos seios e dos decotes estava quase transparente, revelando as minúsculas veias azuladas, mas o que mais a chocou foram seus olhos. Normalmente de um tom vivo e puxado para o violeta, estavam escurecidos e praticamente roxos.

De volta ao quarto, esvaída de qualquer esperança, Gwen desabou sobre a cadeira. Queria chorar, mas precisava se segurar de alguma forma. Naveena ficara fora um dia mais que o planejado, mas enfim ela ouviu o som de uma charrete puxada por bois se aproximando, e também o som de vozes. Sua mente ficou vazia enquanto esperava.

Alguns minutos depois, Naveena entrou no quarto e Gwen se ajeitou na cadeira, prendendo a respiração.

"Feito", anunciou Naveena.

Gwen soltou o ar com força. "Obrigada", disse, quase chorando de alívio. "Você não pode falar sobre isso com ninguém. Entendeu bem?"

A aia fez que sim com a cabeça, e afirmou ter dito à mulher da aldeia cingalesa que Liyoni era a filha órfã de uma prima distante que Naveena não teria como criar. Um sistema de comunicação com a aldeia fora elaborado. Uma vez por mês, no dia seguinte ou anterior à lua cheia, a mãe adotiva, que não sabia ler nem escrever, entregaria um desenho feito a carvão para o cule que conduzia o carro de boi que entregava leite na fazenda. O cule seria pago com algumas rupias e diria que os desenhos eram para Naveena. Enquanto os desenhos chegassem regularmente, Gwen saberia que a menina estava bem.

Depois que Naveena saiu, mais um pensamento de gelar a espinha surgiu na mente de Gwen. E se Naveena não mantivesse a promessa? E se ela falasse a respeito? As vozes acusadoras em sua cabeça não se calavam, obrigando-a a tapar os ouvidos e gritar.

*Uma mulher inglesa temente a Deus jamais poderia ter concebido uma criança de cor.*

Quando Gwen abriu a boca, nenhum som saiu de sua garganta, mas, sentindo a perda da bebezinha estraçalhar seu coração, um gemido começou a se formar em suas entranhas. Quando chegou aos lábios abertos, tornou-se um terrível grunhido animal, que ela foi incapaz de controlar. Ela havia aberto mão de sua pequena recém-nascida.

O dr. Partridge só pôde fazer sua segunda visita no dia seguinte, e, quando apareceu, a tarde estava quase no fim. Gwen olhou para as sombras que se alongavam no jardim e apertou as mãos. Esquadrinhando o quarto com os olhos, passou a mão aberta pelos cabelos secos com a toalha. Naveena deixara a janela entreaberta e posicionara um vaso de peônias silvestres em uma mesinha ali perto, então pelo menos havia um frescor no ar dentro do cômodo.

Gwen se sentou na cama à espera do médico, remexendo as mãos sem parar, examinando as unhas sem de fato prestar atenção, contorcendo os dedos. Vestida com uma camisola recém-lavada, tentou acalmar as mãos e, beliscando as bochechas para deixá-las coradas, murmurou as palavras que deveria dizer. Por dentro, sentia seus nervos à beira de um colapso, mas se conseguisse se lembrar das palavras certas... Ela ouviu o guincho dos pneus de um carro, e ficou toda tensa.

Em seguida, pela janela aberta, veio a voz de Laurence. Ela precisou se esforçar para escutar, mas ele não era um homem de fala mansa, e ela pensou ter ouvido algo sobre Caroline. Depois veio a resposta do médico, em um tom mais silencioso.

"Que coisa, homem", Laurence retrucou, ainda mais alto. "Gwen está muito diferente. Você precisa ser sincero comigo. Sei que tem alguma coisa errada. Deve haver algo que você possa fazer."

Mais uma vez, o médico respondeu em voz baixa.

"Deus do céu", exclamou Laurence, e então baixou um pouco o tom de voz. "E se a mesma história se repetir? E se eu não conseguir ajudá-la?"

"Algumas mulheres são profundamente transformadas pelo parto. Algumas se recuperam. Outras, não."

Gwen não entendeu muito bem, mas ouviu Laurence mencionar o nome de Caroline outra vez. Estava se sentindo como uma garotinha, ouvindo escondida a conversa dos pais.

"Há quanto tempo ela está assim?", perguntou o médico quando eles chegaram mais perto. Laurence conduzira o dr. Partridge até os fundos da casa, para que a conversa não fosse ouvida pelos empregados. Ele já sabia! Ela sentiu a garganta secar, e tentou afastar aquele pensamento, apesar de cada músculo de seu corpo doer pela tensão da espera. Gwen olhou ao redor do quarto, querendo se esconder, mas se limitou a cobrir um pouco mais o corpo com os lençóis. Ela ouviu a porta ser batida, e em seguida os passos no corredor. O médico chegaria a qualquer momento.

A porta se abriu. Laurence entrou primeiro, seguido pelo médico, que estendeu a mão para cumprimentá-la. Quando sentiu o calor da mão dele, seus olhos se encheram de lágrimas. O dr. Partridge era muito gentil, e ela teve vontade de contar tudo para ele e acabar de vez com aquela história.

"Então, como você está?", ele perguntou.

Ela cerrou os dentes, encarou-o com firmeza, suprimindo o medo de que fosse possível sentir o cheiro da culpa em seu corpo, engoliu em seco e respondeu: "Estou bem".

"Posso examinar de novo o bebê?"

"Claro."

Laurence foi até o berço e pegou o filho adormecido. Ela sentiu um aperto no coração com o gesto atencioso.

"Ele é um garotão. Mama sem parar."

Gwen interpretou o comentário de Laurence como uma crítica. "Ele tem fome, Laurence, e isso o acalma. Você prefere ouvi-lo chorar?"

O médico se sentou ao lado de Gwen e, com o bebê nos braços, começou a examiná-lo. "É um tanto miudinho, mas parece estar crescendo a cada dia."

"Ele nasceu antes da hora", comentou Laurence.

"Sim, é verdade. Mas fiquei surpreso por não terem sido gêmeos. Você deve ter tido muita retenção de líquido, no fim das contas."

Gwen respirou fundo.

"Me desculpe por não estar aqui, mas tenho certeza de que você foi muito corajosa."

"Eu quase não me lembro de nada, para ser bem sincera."

O médico assentiu. "É o que muitas mães me dizem. A memória seletiva é uma coisa maravilhosa."

"É mesmo."

Laurence, que estava de pé junto à cama, entrou na conversa. "Na verdade, John, é com Gwen que estou preocupado. Ela quase não dorme, e dá para notar o quanto está pálida."

"Sim. Ela está pálida."

"E então? O que você vai fazer?"

"Laurence, não se preocupe."

"Não me preocupar?" Ele cerrou um dos punhos e socou a palma da outra mão. "Como você pode me dizer uma coisa dessas?"

"Eu vou receitar um bom tônico fortificante, mas infelizmente a privação de sono pode ser prejudicial ao bebê. Ao que parece, pode afetar a produção do leite materno. Vamos esperar uma quinzena para ver como as coisas ficam, e, se ela não melhorar, podemos pensar em alternativas. Talvez uma ama de leite."

Laurence bufou com força. "Se isso é tudo que você tem a sugerir, acho que podemos deixar tudo assim por enquanto. Mas, puxa vida, eu quero que você acompanhe de perto o caso da minha mulher."

"Claro, Laurence. E não poderia ser de outra maneira. Fique tranquilo, Gwen está em boas mãos."

"Vou deixá-los a sós um pouco", anunciou Laurence.

Laurence e o médico teriam bolado um plano para fazê-la falar?

"O que está perturbando você, Gwen?", perguntou o médico quando Laurence saiu. Ele deitou Hugh no berço e lançou para ela um olhar intrigado.

Enquanto encarava os olhos acinzentados e amigáveis do médico, um nó se formou em sua garganta. Mas como ela poderia contar sobre Liyoni? E como dizer que, tendo que controlar as lágrimas para que caíssem só quando estava sozinha, ou com Hugh, vivia com medo de que o filho crescesse com sua culpa correndo nas veias?

"É só a falta de sono? Pode me contar o que for, sabe. Meu trabalho é ajudá-la." Ele deu um tapinha em sua mão. "Tem mais alguma coisa, não é?"

Ela engoliu em seco, ainda com o nó na garganta. "Eu..."

Ele passou os dedos pelos cabelos finos em sua testa. "Está preocupada com a questão de retomar as relações com Laurence? Posso explicar tudo."

Ela baixou a cabeça, profundamente envergonhada. "Não é nada disso."

"Você parece tremendamente infeliz."

"Ah, é?"

"Acho que você sabe que sim. É normal a mulher se sentir exaurida depois de um trabalho de parto prolongado, e com um bebê com tamanho apetite isso não chega a surpreender, mas para mim parece que existe algo mais."

Gwen mordeu o lábio para tentar controlar suas emoções, evitando o olhar do médico. *Uma mulher inglesa temente a Deus jamais poderia ter concebido uma criança de cor — nem abrir mão da própria filha*, ela pensou. Apesar de tentar convencer a si mesma de que dar a criança para adoção era melhor do que matá-la, Gwen se sentia tão desprezível que não havia palavras capazes de atenuar sua situação.

"Você quer me contar?"

"Ah, doutor, se..."

A porta se abriu, e Laurence entrou. "Terminaram?"

O médico olhou para Gwen, que assentiu com a cabeça.

"Sim, por enquanto. Acho que poderia ajudar se sua esposa tentasse estabelecer horários para a amamentação e fizesse exercícios leves. E lembre-se: pode me chamar quando quiser, sra. Hooper."

Enquanto acompanhava o médico até a porta, Laurence olhou para Gwen por cima do ombro. "Você prefere ter companhia? Tenho certeza de que Verity ficaria feliz. Ela quer ajudar também."

"Não, obrigada, Laurence", respondeu Gwen, secamente. "Eu estou bem sozinha."

Quando se virou de novo, ele parecia amargurado. Antes de fechar a porta, ainda a olhou de novo. "Nós estamos bem, certo? Eu e você?"

"Claro."

Ele balançou a cabeça e saiu. Ela quase contara ao médico, quisera muito fazer isso, e seu marido estava infeliz por sua causa. Seu lábio tremeu, e ela gemeu ao sentir uma pontada na têmpora. Mais uma dor de cabeça. Quando sua cabeça ficou tão pesada que ela não conseguiu se manter acordada, enfim conseguiu dormir. Acordou quando a luz pálida e cinzenta da manhã entrou no quarto: estava com sede, solitária e desejosa da presença de Laurence.

Ela se imaginou com a bebê no colo, pensou nela deitada no berço com Hugh, e ficou entregue a seus pensamentos por tanto tempo que a linha entre o real e o imaginário se borrou. Gwen visualizou a bebê mamando, com as pálpebras se movendo rapidamente no rostinho escuro. A imagem parecia tão real que ela teve o impulso de correr até o quarto anexo, esperando encontrar Liyoni por lá, e torcendo, em parte aterrorizada e em parte por vontade genuína, que a menina dormisse depressa depois de voltar ao berço com Hugh. Quando chegou lá, porém, viu logo de cara que só havia uma criança no quarto. Imóvel, ela ficou ouvindo Hugh — uma única respiraçãozinha pesada quando deveriam ser duas — e se sentiu como se tivesse sido partida ao meio.

Cerrando os punhos, ela se virou e correu, ciente de que nada seria capaz de preencher aquele doloroso vazio. Isso a levou ao espelho de novo, à procura de seu verdadeiro rosto. Quando se viu, estreitou os olhos ao tentar se lembrar do que ouvira Laurence dizer ao médico. Até então, aquelas palavras pareciam estranhas. Ela não sabia ao certo se entendera direito, mas parecera algo importante. De repente, as palavras voltaram à sua mente, e seu significado dessa vez era bem claro.

"Se Deus quiser, ela não vai seguir o mesmo caminho que Caroline."

Sim, era isso. E Caroline estava morta.

Depois disso, Gwen tentou não pensar em mais nada. Nem em Caroline, nem em sua filha. Mas mesmo assim chorou, e ficou sentada por horas no banheiro às escuras, onde podia esconder suas lágrimas. Naveena trouxe chá e torradas, mas a visão da comida lhe deu enjoo; ela deixou a bandeja esfriando sobre o criado-mudo.

Gwen sabia que não podia ficar trancada no quarto para sempre, nem permitir que o que acontecera arruinasse sua vida, ou a de Laurence. Era preciso encontrar alguma determinação dentro de si, uma força da qual não precisara até então. Com gestos mecânicos, ela se lavou.

Sentada diante da penteadeira, olhou-se no espelho. Seu rosto tinha mudado. Podia não ser tão óbvio para os outros, mas Gwen notou o estrago. Quanto tempo demoraria para seu rosto revelar toda sua culpa? Cinco anos? Dez? Ela olhou os frascos enfileirados e escolheu seu favorito, Après L'Ondée, que passou atrás das orelhas. Quando o cheiro delicioso se espalhou pelo ar, pegou sua escova com cabo de prata e, enquanto penteava os cabelos, tomou uma decisão. Largou a escova e, do meio de suas echarpes de seda, tirou a pequena aquarela que o sr. Ravasinghe fizera.

Gwen apanhou a caixa de fósforos que Naveena usava para acender a lareira e olhou pela janela. No lago, era como se houvesse manchas de ouro líquido boiando na superfície, e, em meio aos sons da casa que começava a despertar, o céu da manhã pareceu mais reluzente, as nuvens mais macias, e seu coração um pouco mais leve. Ela jogou o papel no cesto de lixo, acendeu um palito e ficou observando enquanto a imagem queimava e se desfazia.

# 12

O médico sugerira exercícios, então, apesar da vontade de se enfiar na cama e não sair mais, alguns dias depois ela se obrigou a levantar. Depois de se vestir, tentando não pensar em nada, pediu a Naveena para cuidar de Hugh e só levá-lo até ela nos horários programados para a amamentação. Não seria fácil, já que o bebê chorava bastante, mas, para o bem de todos, era preciso encontrar uma maneira de fazer aquilo funcionar. Quando saiu do quarto, uma energia nervosa emanava de seu corpo, e, como se despertasse de um longo sono, a vontade de entrar em movimento foi mais forte que os impulsos recriminatórios.

Havia um depósito nos fundos da casa — um local fresco com paredes grossas em um canto sombreado do jardim, perto da cozinha, e portanto com acesso a água —, um bom lugar para fabricar queijo. Com a cabeça erguida, ela atravessou a casa e saiu pela porta lateral para o pátio. Um papa-açúcar arroxeado e pequenino saiu voando à sua frente, seguido por mais outro, em direção ao céu azul. Era um dia bonito e ensolarado, e, quando ergueu os olhos para acompanhar o voo dos pássaros, Gwen ouviu uma janela se abrir. Verity se debruçou e acenou.

"Olá. Você está de pé, pelo que estou vendo."

"Sim, sim, estou." Estreitando os olhos, ela olhou para a cunhada.

"Está indo caminhar? Vou com você. Não demoro nadinha."

"Não, na verdade estou indo limpar o depósito."

Verity sacudiu a cabeça. "Mande um camareiro fazer isso. Você acabou de ter um bebê."

"Por que todo mundo fica me tratando como se eu estivesse doente?"

"Sendo assim, eu ajudo você. Não tenho nada para fazer hoje."

Incomodada, Gwen tentou abrir um sorriso. "Não precisa."

"Eu faço questão. Já estou descendo. Só Deus sabe o que vamos encontrar lá dentro. Gostaria muito de ajudar."

"Muito bem."

Enquanto atravessava o pátio na direção do depósito, ela olhou para as árvores altas. Era um dia iluminado e radiante, não o túnel escuro em que se enfiara por causa do medo, e, com o sol batendo na pele, ela sentiu sua esperança renascer. Gwen já pedira a chave para McGregor, que, apesar de se mostrar surpreso ao saber que ela pretendia seguir com seus planos de fabricar queijo, não fez objeções. Inclusive abriu um sorriso simpático e lhe desejou sorte.

"Aqui estou", anunciou Verity ao alcançá-la.

O cadeado da porta do depósito cedeu com um puxão. Juntas, elas abriram as portas, e uma lufada abrupta de ar ergueu nuvens de poeira em um cômodo que tinha o cheiro de coisas velhas e esquecidas.

"Primeiro, precisamos tirar tudo", anunciou Gwen quando a poeira aos poucos baixou.

"Ainda acho que vamos precisar dos camareiros para carregar as coisas mais pesadas."

Gwen deu uma olhada ao redor. "Tem razão. Não vamos conseguir erguer aqueles móveis ali no fundo."

Alguns ajudantes de cozinha saíram para ver o que estava acontecendo. Verity falou com eles em tâmil, e um dos meninos foi chamar o *appu*, que fez um aceno de cabeça para Gwen ao sair, mas sorriu ao ver Verity. Os dois conversaram um pouco enquanto ele fumava um cigarro recostado na parede.

"Você parece se dar bem com ele", Gwen comentou quando o *appu* entrou outra vez. "Sempre o achei um pouco arredio."

"Ele é gentil comigo. E precisa ser mesmo, já que fui eu que arrumei esse emprego para ele."

"Ah, é?"

"Enfim, ele disse que ia chamar um ou dois camareiros. Mas eles não vão gostar de sujar as roupas brancas. Hoje não é dia de faxina."

Gwen sorriu. "Eu sei. Fui eu que fiz o cronograma de trabalho deles, lembra?"

"É verdade."

Gwen se encolheu para passar ao lado de uma cômoda que parecia já ter vivido dias melhores. "Esse móvel foi infestado por alguma espécie de larva."

"Devem ser cupins. Precisa ir para a fogueira. Ah, vamos fazer uma. Eu adoro uma fogueira."

"O jardineiro está por aqui? Acabei perdendo o controle das coisas, com o bebê e tudo mais."

"Eu vou ver."

Enquanto Verity estava fora, Gwen, motivada por uma energia inquieta, começou a carregar os objetos menores: cadeiras de cozinha quebradas, vasos rachados, um guarda-chuva torto com varetas faltando, engradados empoeirados, algumas caixas de metal. Aquelas coisas pareciam ter sido enfiadas ali anos antes, ela pensou, enquanto empilhava as coisas para queimar. Quando os camareiros chegaram, apontou para a cômoda e os móveis no fundo do cômodo, e eles começaram a remover tudo, peça por peça. As nuvens de poeira se erguiam sem parar, e as roupas brancas dos empregados logo ficaram encardidas.

Eles já estavam quase terminando, e Verity não havia voltado. Havia apenas um baú otomano grande bem no fundo do depósito. Quando os rapazes o carregaram para fora, ela viu que as laterais eram revestidas de tecido, agora manchado e com rasgos, e ao erguer a tampa de couro constatou que era um baú com interior de metal usado para guardar enxovais. Mas não havia enxoval nenhum ali dentro, e sim, para sua surpresa, toalhinhas de mão e dezenas de roupinhas de bebê cuidadosamente dobradas e separadas por folhas de papel de embrulho. Casaquinhos, sapatinhos, gorros de lã, tudo tricotado e bordado à mão. Por baixo de tudo havia uma peça de renda amarelada, que ela apanhou e sacudiu com cuidado. Era longa e bem preservada, apesar das manchas, e os olhos de Gwen se encheram de lágrimas quando ela se deu conta de que devia ser o véu de casamento de Caroline. Ela limpou as mãos na saia e secou as lágrimas, desejando nunca ter visto aquilo. Em seguida, pediu para os rapazes levarem o conteúdo do baú lá para dentro, com a certeza de que Laurence saberia o que fazer com os objetos.

Gwen ficou aliviada ao ver Naveena se aproximando com Hugh no colo. Sentindo o peito cheio e a sensação de que o leite estava começando a vazar, ela foi até a aia e estendeu os braços para pegar o menino.

Depois de entrar, parou para analisar sua manhã. Durante todo o tempo, ela não se pegara pensando na menina e, a não ser quando vira o conteúdo do baú, não ficara se sentindo deprimida. Motivada por esse avanço, ela concluiu que, se conseguisse se manter sempre ocupada, seu sofrimento poderia diminuir.

Na hora do almoço, Laurence estava de bom humor. Gwen ficou surpresa com o fato de conseguir esconder seu desconforto tão bem que ele nem percebeu seu verdadeiro estado de espírito. Seu marido fez brincadeiras com ela e com Verity, e ficou maravilhado ao ouvir que Hugh tinha sorrido.

"Bom, pode não ter sido um sorriso de verdade", comentou Verity. "Mas ele é uma gracinha, e não chorou muito hoje, não é mesmo, Gwen?"

"Acho que o médico estava certo sobre programar os horários de amamentação", disse Laurence.

Verity sorriu. "Mal posso esperar que ele cresça um pouco mais."

Laurence se virou para Gwen. "Que maravilha ver a sua melhora, Gwen. Você não imagina o quanto me deixa feliz."

"Eu ajudei Gwen a esvaziar o velho depósito para ela fabricar queijo aqui", contou Verity.

"É mesmo, Verity?"

"Sim."

"Bom, fico muito contente em ouvir isso."

"O que você quis dizer com isso?"

Laurence sorriu. "Exatamente o que eu falei."

"Mas pareceu que você quis dizer alguma coisa a mais."

"Verity, eu não quis dizer nada mais. Pare com isso. Estamos tendo um almoço agradável aqui. E, por falar nisso, recebi boas notícias hoje."

"Conte para nós", pediu Gwen.

"Bom, como vocês sabem, investi em ações de minas de cobre através do banco de Christina, ou melhor, do banco do qual ela é a acionista principal. O investimento está sendo lucrativo, e, se continuar assim, em um ou dois anos vou poder comprar a fazenda vizinha. Minha terceira. Vamos ser os maiores plantadores de chá do Ceilão!"

Gwen abriu um sorriso forçado. "Que maravilha, Laurence. Parabéns."

"Tudo isso é graças a Christina. Ela me convenceu a investir ainda mais durante o baile em Nuwara Eliya. É nos Estados Unidos que está o dinheiro hoje em dia. A Inglaterra está ficando para trás."

Gwen fez uma careta.

Ele franziu um pouco a testa. "Queria que você tentasse gostar de Christina. Ela me ajudou bastante depois da morte de Caroline."

"Foi nessa época que você lhe deu aquela máscara de demônio?"

"Não sabia que você tinha visto aquilo."

"Fui almoçar lá no dia em que o sr. Ravasinghe entregou o retrato dela. Achei aquela máscara um horror."

Ele fechou um pouco a cara. "É um objeto muito difícil de encontrar. Os nativos usam, ou costumavam usar, para suas danças com o demônio. Alguns ainda fazem isso, eu acho. Caroline viu uma dança dessas uma vez."

"Onde?"

"Não me lembro exatamente das circunstâncias. Eles colocam a máscara e uma fantasia grotesca, e então se entregam a uma dança selvagem e primitiva."

"Parece ser um horror", comentou Verity.

"Na verdade, parece que Caroline achou fascinante."

Quando terminaram a sobremesa, Verity saiu da mesa às pressas, alegando uma dor de cabeça.

Laurence estendeu a mão para Gwen depois que a irmã se foi. Ela tocou a covinha no queixo dele e se esforçou para esconder sua hesitação. Caso quisesse manter seu marido, ela precisava superar tudo aquilo.

"Senti tanto sua falta, Gwen", ele falou, baixando a cabeça para beijar a pele macia na parte inferior de seu pescoço.

Gwen estremeceu. Em seguida, enquanto ele a abraçava, relaxou um pouco, e, apesar da tristeza, foi obrigada a admitir que abrir mão da bebê salvara seu casamento. Ela enterrou o rosto no peito dele, desejando-o por aquilo que era e ainda seria, mas sentindo o coração apertado por saber que não poderia compartilhar tudo com o marido. Inclinando-se para trás, ela o encarou: os olhos dele estavam tão cheios de amor e desejo que a deixaram sem fôlego. Ele não tinha a menor culpa pelo que acontecera, e jamais poderia saber.

"Vamos lá, então", ela disse com um sorriso. "O que você está esperando?"

Ele riu. "Só você."

Nos dias e semanas que se seguiram, ela se manteve ocupada com as roupas de bebês que encontrara, separando as que estavam danificadas das que permaneciam intactas, além de trabalhar duro na preparação do antigo depósito. O nascimento de Liyoni, porém, deixara uma cicatriz profunda dentro dela, e Gwen sabia que não demoraria muito para a ferida se abrir de novo.

Ainda era difícil acreditar no que acontecera, e ela se sentia distante dos assuntos da casa, presa à confusão de sua mente. Savi Ravasinghe teria mesmo se comportado de forma tão abominável? Gwen tentou se concentrar no amor que Laurence sentia por ela, no amor maternal que sentia por Hugh e na vida em família, mas, sempre que pensava em Liyoni, era como se uma parte de si tivesse morrido. Liyoni só podia ser o resultado daquela noite no Grand Hotel, e, como ela e Laurence fizeram amor no dia seguinte, só restava rezar de todo coração para que Hugh fosse filho de seu marido. Não havia como descobrir se isso era possível — ela não podia perguntar ao médico —, e não lhe restava escolha além de conviver com a incerteza. Ela se convencera de que, desde que Naveena se mantivesse em silêncio, ninguém jamais desconfiaria.

Embora Gwen achasse que conseguiria convencer Laurence de que estava tudo bem, ele parecia perceber que não era esse o caso, e no dia 14 de abril comentou que uma viagem para acompanhar as comemorações de Ano-Novo seria uma boa ideia para animá-la. Quando sugeriu isso, eles estavam na beira do lago, vendo os pássaros mergulharem para capturar suas presas e depois saírem voando de dentro d'água. Era uma tarde quente, de céu azul e com um delicioso cheiro de flores no ar. Gwen olhou para cima quando viu uma águia passando e desaparecendo atrás das árvores.

"Acho que pode fazer bem para você", ele comentou. "Você ainda não parece muito contente."

Ela sentiu um nó na garganta. "Como eu já disse, estou contente, sim. É só cansaço."

"O médico sugeriu uma ama de leite se o cansaço não passasse."

"Não", ela respondeu secamente, mas em seguida se sentiu culpada por ter sido grosseira.

"Bom, vamos celebrar este momento entre o velho e o novo, em que tudo se renova e a esperança sempre cresce."

"Não sei. Hugh ainda é muito pequeno."

"Não é um ritual religioso formal. É mais como um jantar em que as pessoas usam roupas novas. Um evento familiar, na verdade."

Ela fez um esforço para sorrir. "Isso parece melhor. Que mais?"

"Lamparinas e dançarinos, se tivermos sorte."

"Se nós formos, precisamos levar Hugh, e acho que Naveena deveria ir também."

"Claro. Você vai ouvir os tambores. *Rabanas*, é como eles os chamam. Fazem um barulho terrível, mas é divertido. Que tal?"

Ela assentiu. "O que eu devo usar?"

"Uma roupa nova, claro."

"Nesse caso, é melhor começar a procurar."

Gwen se virou para voltar à casa, mas ele a segurou pelo pulso e a puxou. Ela olhou para os pés e depois para o lago. Ele levou sua mão aos lábios e a beijou.

"Querida", disse. "Por favor, jogue fora aquelas roupas velhas de bebê. Eu não deveria ter guardado. Na época eu não soube o que fazer."

"E o véu de Caroline?"

A expressão no rosto dele mudou. "Isso estava lá também?"

Ela confirmou com a cabeça. "Naveena lavou e pendurou ao sol. Ainda está um pouco amarelado."

"Foi o véu da minha mãe, antes de Caroline."

"Então é uma herança de família. Precisamos guardar."

"Não. Esse véu representa uma tristeza muito grande agora. Livre-se dele."

"O que aconteceu com Caroline, Laurence?"

Ele fez uma pausa antes de responder, respirando fundo. "Ela sofria de problemas mentais."

Gwen ficou encarando o marido por um instante antes de vocalizar seus pensamentos.

"Laurence, e como isso causou a morte dela?"

"Desculpe... Acho que não consigo falar sobre isso."

Pensar em Caroline e Thomas encheu seus olhos de lágrimas. Ela andava chorando com muita facilidade ultimamente. Qualquer coisa a abalava, e manter o segredo sobre o nascimento de Liyoni se tornou mais difícil. Com Laurence por perto, era impossível impedir que a tristeza viesse à tona, mas, se permitisse que as lágrimas caíssem, e se ele a tratasse com gentileza, a verdade poderia vir junto com o pranto.

Ele a abraçou e, horrorizada, Gwen notou que sua boca se abriu contra sua vontade. Quando uma palavra lhe escapou, ela largou a mão dele, inventou um pretexto qualquer e correu para dentro de casa para tentar se recompor.

Ela se sentou na beirada da banheira. Seu banheiro era simples e lindo. Azulejos verdes na parede, piso de porcelana azul e um espelho com moldura de prata. Um bom lugar para chorar sozinha. Ela se levantou e contemplou o reflexo de seus olhos inchados. Despiu-se lentamente, observando a camada de gordura adicional que acumulara nos seios, na barriga e nas coxas, e mais uma vez sentiu-se outra pessoa.

Gwen ficara felicíssima ao descobrir que seria a esposa de Laurence e a mãe de seus filhos. Naveena havia dito que ser tirada da mãe era o destino da menina; nesse caso, teria sido obra do destino que ela tivesse dado à luz uma criança concebida em uma noite da qual não conseguia se lembrar? Quanto mais se esforçava para não pensar no que fizera, mais os olhos escuros de Savi a assombravam. Ela cerrou os dentes e os punhos. Odiava com todas as forças o sr. Ravasinghe e o que ele lhe fizera. Erguendo o punho, ela esmurrou o espelho. Em meio a dezenas de reflexos fraturados de si mesma, sentiu um estranho alívio ao ver a imagem do sangue escorrendo dos cortes em sua mão.


As festividades eram bem tranquilas. As tochas ao redor das casas lançavam uma fumaça com toque de incenso contra o céu noturno, e Gwen reconheceu o mesmo ressoar de tambores que ouvira em sua chegada a Colombo. As pessoas circulavam em grupos animados, vestidos com cores alegres. Quando cruzaram com uma trupe de dançarinos na pequena praça, eles pararam para olhar.

Gwen se apoiou em Laurence com Hugh no colo e tentou relaxar. Naveena fizera um curativo em seus cortes, e Gwen se sentia melhor do que pouco antes. Tinha sido uma boa ideia, aquele passeio. Verity parecia contente, e Naveena passou a maior parte do tempo sorrindo e acenando.

"São dançarinos de Kandy", disse Laurence.

Ela observou os dançarinos com saias brancas, sinetas nos pulsos e pedrarias nos cintos, seguidos de homens vestidos de vermelho e dourado com tambores amarrados na cintura. A batida era hipnotizante.

As mulheres vinham em seguida, usando vestidos tradicionais delicados e batendo palmas enquanto se afastavam. Em seguida veio um cordão de garotinhas. Gwen sentiu um calor percorrer seu corpo ao vê-las sacudir os corpinhos morenos. Notou o olhar de transe em seus rostos, a maneira simples porém digna como se moviam, as peças singelas em seus pulsos, os cabelos pretos e ondulados, soltos livremente. Todas elas tinham o mesmo rosto redondo e o mesmo tipo físico que sua filha um dia teria. A vontade de estar junto de Liyoni tomou conta de seu corpo, sua garganta se fechou, e o ar parou de entrar em seus pulmões. *Respire*, ela pensou consigo mesma. *Respire*. Gwen deu um passo à frente e sentiu seus joelhos fraquejarem. Quando começou a cair, Laurence a segurou. Naveena pegou Hugh, e Laurence guiou todos para longe da multidão, até um banco na extremidade do mercado local.

"Ponha a cabeça entre os joelhos, Gwen."

Ela obedeceu, acima de tudo para esconder o rosto do olhar do marido. Ao sentir a mão dele em suas costas, acariciando-a de leve, as lágrimas lhe vieram aos olhos.

Com algum esforço, ela conseguiu recuperar o fôlego, e sua cabeça parou de girar. Em seguida se sentou, ainda se sentindo trêmula por dentro.

Laurence levou a mão à sua testa. "Você está muito quente, querida."

"Não sei o que aconteceu. Senti um calor repentino, como se fosse desmaiar. Minha cabeça está doendo."

Verity, que não percebera quando eles se afastaram da multidão, apareceu correndo. "Vocês perderam a melhor parte. Tinha um engolidor de fogo. Uma daquelas crianças, dá para acreditar?"

Gwen a encarou.

"Você está pálida. O que aconteceu? Alguma coisa com Hugh?"

"Nós vamos para casa", anunciou Laurence.

Verity fez uma careta. "Precisamos mesmo? Eu estava me divertindo tanto."

"Sim, está decidido. Gwen está com dor de cabeça."

"Ah, pelo amor de Deus, Laurence. Gwen e suas dores de cabeça. E quanto a mim? Ninguém se preocupa com o que eu quero!"

Laurence segurou a irmã pelo cotovelo e se afastou alguns passos com ela, mas a voz furiosa de Verity chegou até Gwen mesmo assim.

# 13

Às três da manhã, Gwen se sentou repentinamente na cama, encharcada de suor e toda trêmula. Era o horário em que ela costumava despertar quando criança, com medo dos fantasmas de Owl Tree. Ela chamou Naveena, que entrou pelo quarto de bebê, onde estava dormindo. Gwen, no entanto, só conseguiu gaguejar algumas palavras. Em seu sonho, havia algo errado com seus dois gêmeos, e, apesar de tentar ao máximo, ela se lembrava apenas de que não era capaz de salvá-los.

Quando amanheceu, Gwen pensou ter ouvido o choro da menina. Só não sabia se fora durante o sono ou logo depois de despertar. Fosse como fosse, o choque era o mesmo.

Depois de quatro noites acordando trêmula e sem fôlego a todo momento, ela tomou uma decisão e chamou Naveena. Em meio a rompantes de raiva e de uma culpa paralisante, Gwen admitiu que a ausência de Liyoni estava tendo mais impacto sobre ela que a presença de Hugh. Ela precisava se tranquilizar e concluiu que, se tivesse certeza de que a menina estava sendo bem cuidada, poderia respirar aliviada. Naveena não parecia muito convencida da ideia, e Gwen precisou se esforçar para fazer a mulher concordar com o que sugeria. Depois disso, bastava esperar pelo momento em que Laurence e Verity estivessem ausentes. Até lá, os pesadelos continuariam, assim como o som dos choros da menina.

*

Ela esperou pacientemente, e, no dia marcado, em que Laurence e Verity passariam a noite em Nuwara Eliya — Laurence em um jogo de pôquer no Hill Club e Verity em uma visita às amigas —, Gwen se preparou para a viagem. Ela pensou em Laurence no clube exclusivamente masculino. Havia dado uma espiada lá dentro uma vez e visto o interior escuro com cabeças de javalis, fotografias de caçadas e peixes empalhados nas paredes. O contraste entre aquilo e o que estava prestes a testemunhar não podia ser maior.

"Mas, senhora", Naveena argumentou enquanto embrulhava Hugh em um cobertor, "ser perigoso. E se acontecer problema?"

"Você precisa cumprir o que combinamos."

A mulher baixou a cabeça.

Apesar de usar um velho manto de Naveena sobre suas roupas, Gwen tremia sob o ar frio do início da manhã. Na esperança de esconder os olhos, puxou o capuz sobre a testa e enrolou um xale escuro em torno dos ombros e da parte inferior do rosto.

"Eu prepara charrete na lateral de casa." Com um olhar envergonhado, Naveena ficou vermelha. "Estar com dinheiro, senhora?"

Gwen fez que sim com a cabeça. "É melhor irmos agora. Daqui a pouco vai amanhecer de vez. Deixei minha porta trancada, com um bilhete para o mordomo avisando que não quero ser perturbada hoje."

Ela soava mais confiante do que se sentia, e, quando saíram por uma porta lateral, a charrete já estava encostada na semipenumbra. Gwen cerrou os dentes e se acomodou sob um teto de folhas de palma apoiadas sobre canas. Seu coração estava disparado dentro do peito, ela sentiu um calor súbito, e suas mãos começaram a tremer; o assento de tábua crua da charrete não era muito acolhedor. Naveena lhe passou o cesto em que estava Hugh, sentou-se no assento da frente e sacudiu as rédeas. O boi bufou e começou a se mover lentamente.

Ninguém as viu.

A charrete cheirava a suor, fumaça e chá, e Gwen olhou para trás enquanto subiam o morro. Pegou Hugh no colo e segurou o bebê adormecido junto a si, desejando não se preocupar tanto com a outra.

As luzes na casa estavam se acendendo, quase invisíveis em meio à neblina da manhã. Depressa, ela pensou, depressa. O carro de boi, porém, não era um meio de transporte veloz, e, enquanto não chegaram ao alto do morro, sua inquietação permaneceu. Hugh choramingou um pouco, e ela murmurou algo, como fazem todas as mães.

Quando chegaram ao cume, o casarão parecia um pontinho pequeno e indistinto, e, depois de avançarem mais um pouco pela estrada, desapareceu totalmente. A luz do dia tomou o lugar da noite, o céu ficou amarelo e a névoa se dissipou, revelando uma manhã de tempo aberto. À medida que prosseguiam, parecia que os morros arredondados, com suas fileiras intermináveis de arbustos de chá esverdeados, estendiam-se rumo ao infinito.

Gwen remexeu os ombros para aliviar a tensão, e quando se afastaram da fazenda sua respiração se tornou um pouco mais leve. Em meio ao canto dos passarinhos, ela começou a desfrutar do cheiro gostoso de jasmim, orquídeas selvagens e menta. Ela fechou os olhos.

No dia anterior, levara Hugh para um passeio. Depois da umidade habitual de todas as manhãs, o sol se abriu e o dia ficou quente. O pobrezinho precisava de um pouco de calor no rosto, e, exaurida pelas noites interrompidas e os dias de apreensão, Gwen também. Mas, nos locais do jardim onde luz e sombra se juntavam, ela sentia a presença da menina com muita força, e Hugh começava a chorar. Ele estendia os bracinhos, abrindo e fechando as mãos sem parar, à procura de algo que não estava ali.

Gwen suspirou e se recostou na charrete, que, apesar das rodas toscas de madeira, percorria a estrada sem grandes solavancos. Depois de um tempo, o cheiro forte de limão chamou sua atenção. Respirando fundo, seu desconforto começou a se aliviar, assim como o aperto no peito. Era como se estivesse relaxando pela primeira vez desde o dia em que os gêmeos nasceram.

"Sair da estrada agora, senhora", Naveena avisou, olhando por cima do ombro.

Gwen assentiu, mas quase caiu do assento quando a charrete sacolejou e entrou em uma trilha de terra. Ela se inclinou para a frente a fim de olhar as pedras e os buracos espalhados pelo caminho, e notou que a trilha era cercada de árvores altas, mas com pouquíssima vegetação rasteira.

"Não olhar para árvores, senhora."

"Por que não? Por causa dos *Veddha*?" Laurence lhe contara sobre os antigos habitantes da floresta, conhecidos entre os cingaleses pela palavra *Veddha*, que, pelo que Gwen entendera, significava apenas que se tratava de gente incivilizada. Ao se lembrar da máscara grotesca, ela ficou com medo.

Naveena fez que não com a cabeça. "Espíritos inquietos viver aí."

"Ah, pelo amor de Deus, Naveena! Você não acredita nisso, não é?"

Gwen observou as costas de Naveena quando a mulher estremeceu.

Nenhuma delas, ao que parecia, estava inclinada a prolongar o assunto. Na beira da trilha, Gwen viu um sambar erguer a cabeça em sinal de alerta, e em seguida ficar absolutamente imóvel. Estava totalmente virado para o caminho, uma criatura enorme cor de caramelo, com olhos amistosos e uma grande galhada na cabeça. Com ar de tranquilidade, não desviou o olhar enquanto elas passavam.

A mata era mais silenciosa do que ela esperava, e apenas o ranger das rodas da charrete as acompanhava. Perdida em seus pensamentos, Gwen mal notou quando Naveena virou o veículo em outra direção. Uma nova espécie de árvore apareceu na paisagem, com folhas mais esparsas, e enquanto elas passavam um macaco saltou para a lateral da charrete, agarrando-se à lona e estendendo os dedinhos enquanto a encarava. As unhas do animal eram pretas, mas o olhar feroz parecia tão humano que a deixou chocada.

"Ser macaco de cara roxa. Não fazer mal", garantiu Naveena, olhando para trás.

Mais adiante, as árvores rarearam, e ela sentiu o cheiro de carvão. Ouvindo vozes à distância, perguntou a Naveena se já estava chegando.

"Ainda não, senhora. Logo."

Naquele ponto havia vegetação rasteira, e menos pedras e buracos na trilha. O ritmo da viagem se acelerou um pouco, e o caminho fazia uma curva para seguir a margem do rio. Gwen olhou para a água clara, onde sombras verdes dançantes imitavam o movimento das árvores da margem oposta. O ar tinha um cheiro diferente ali, não só de terra e de mato, mas de especiarias também. O chão plano ao redor da trilha era enfeitado de flores que pareciam margaridas, e mais adiante as árvores estavam carregadas de figos silvestres ainda verdes. Mais além, no local onde o rio se alargava, dois elefantes pareciam dormir com a água até as orelhas.

Naveena parou a charrete e amarrou as rédeas em uma árvore. "Senhora esperar aqui."

Gwen observou enquanto Naveena se afastava, ciente de que podia confiar na mulher. Naveena aceitava as coisas com naturalidade, não julgava ninguém, e Gwen se perguntou se isso teria algo a ver com a fé budista e com a crença da aia no destino. Ela olhou para Hugh, ainda adormecido depois de ser colocado no cesto. No rio, dois homens pardos, com cabelos compridos amarrados às costas, conduziam mais dois elefantes à água. Os elefantes se sentaram com movimentos lentos e pesados, e os homens começaram a lavar a cabeça dos animais. Quando um dos elefantes barriu, soltou um jato d'água fortíssimo, que quase acertou Gwen, fazendo-a soltar um grito de susto. Um dos homens se virou em sua direção, saiu da água e foi investigar. Ela se inclinou para trás e cobriu o rosto, deixando de fora somente os olhos. O sujeito usava apenas uma tanga, mas estava de cinto, com uma espécie de faca pendurada. Seu coração disparou, e ela envolveu protetoramente com o braço o cesto onde estava Hugh, tentando se convencer de que a faca era usada apenas para abrir cocos.

O homem sacou a faca e avançou em sua direção. Ela estreitou os olhos de medo. Naveena estava com todo o dinheiro, não havia nada a oferecer a ele. O homem começou a falar e gesticular, brandindo a faca no ar.

Gwen não entendia uma palavra de cingalês, e apenas sacudiu a cabeça. Ele a encarou por um instante, sem se mover. Foi então que Naveena voltou, carregando um embrulho nos braços. Ela falou com o homem e o mandou embora antes de subir na charrete. Quando Naveena lhe passou o embrulho, Gwen teve vontade de voltar para casa. Ela não olhou para a criança imediatamente, apenas a segurou como estava, enroladinha no xale, sentindo o calor da bebê contra o peito.

"O que aquele homem queria?", ela perguntou.

"Saber se senhora ter trabalho para fazer. Ele mostrar faca para a senhora saber que tem ferramentas para cortar jardim."

"Ele sabe quem eu sou?"

Naveena encolheu os ombros. "Chamar apenas de senhora branca."

"Isso significa que ele sabe?"

Naveena fez que não com a cabeça. "Muitas senhoras brancas aqui. Eu entra em vilarejo. Charrete não poder desviar aqui. Muito estreito. Senhora cobrir rosto. Colocar bebê em cesto com Hugh."

Gwen obedeceu, e ficou olhando pela traseira da charrete enquanto passavam por uma aldeia de cabanas de barro com tetos de folhas. As crianças riam e brincavam na terra, as mulheres carregavam pacotes sobre a cabeça, e das profundezas da mata vinha um som distante de cantoria. Elas passaram por um homem que fazia potes de argila acrescentando círculos e mais círculos de lama à estrutura. Na frente de outra cabana, uma mulher tecia um cobertor com um tear primitivo; outra remexia uma panela pendurada sobre o fogo. A aldeia parecia ser um lugar pacífico.

Depois de atravessar o povoado, elas pararam em um local distante de olhares curiosos. Ao desembrulhar a bebê, o coração de Gwen quase parou. Ela acariciou o rostinho macio da criança e ficou maravilhada com o que viu. Liyoni era de uma beleza estonteante, tão perfeita que seus olhos se encheram de lágrimas. Hugh não chorou nenhuma vez quando a irmã foi posta no cesto com ele, mas agora estava começando a resmungar. Uma menina de uns doze anos de idade seguira a charrete, e Gwen notou sua presença a alguns metros de distância.

"Segure Hugh enquanto eu examino a bebê", disse Gwen. "E diga àquela garota para sair daqui."

Liyoni estava acordada, mas se manteve em silêncio, olhando para a mãe. O impacto do momento a deixou atordoada, mas Gwen conseguiu se concentrar. Só estava lá para conferir se a criança estava sendo bem cuidada. Mais nada. Com uma mistura de afeto e medo percorrendo o corpo, ela examinou a bebê com todo o cuidado, separando os dedinhos dos pés e das mãos, verificando as perninhas, os bracinhos e a pele do corpo todo. Ela a beijou na testa e no nariz, mas resistiu à tentação de enterrar o rosto nos cabelinhos escuros. Gwen respirou fundo, seus olhos ficaram marejados e uma lágrima caiu no rosto da criança. A bebê não tinha cheiro de talco e leite como Hugh, e a umidade em sua pele carregava um traço de canela. Seu estômago se revirou, e, engolindo rapidamente, ela inclinou-se para trás. Sua vontade era de continuar com a bebê no colo e nunca mais largá-la, mas ela sabia que não podia deixar Liyoni roubar seu coração.

Pelo menos a menina estava bem, Gwen disse a si mesma. Havia engordado um pouco e estava limpa, o que ajudava a atenuar sua sensação de culpa.

"Muito bem", ela falou. "A criança está bem."

"Sim, senhora. Eu diz isso para senhora tempo todo."

"Avise à mulher que estamos contentes e vamos continuar com os pagamentos."

Naveena assentiu.

"Muito bem, leve-a de volta e passe Hugh para mim."

As duas trocaram de embrulhos e, quando Liyoni se afastou, Gwen sentiu um nó na garganta. Ela ouviu o som do vento agitando as árvores, mas dessa vez não olhou para fora enquanto esperava. À medida que os minutos se passavam, Gwen foi se dando conta de que não adiantava ficar pensando obsessivamente em como Liyoni fora concebida: o que importava era garantir que o fato nunca viesse à tona. Ela estava determinada a não dizer uma palavra ao sr. Ravasinghe, ou a quem quer que fosse, enquanto vivesse.

"Do que eles sobrevivem?", perguntou Gwen quando Naveena voltou.

"Eles ter *chenas*. E plantar grãos e verduras aqui. E em floresta, frutas. A senhora ver figo."

"E o que mais?"

"Eles criar cabras e porco. Sobreviver assim."

"Mas o dinheiro que você deu vai ajudar?"

"Sim."

No caminho de volta pela aldeia, Gwen deu uma espiada para fora, tentando ver qual das mulheres era aquela que criaria sua filha. Na lateral da trilha, um lagarto-monitor com garras afiadas subiu apressado em uma árvore. Gwen notou que uma mulher parecia observar a charrete com olhos intensos e escuros. Era miudinha, mas tinha seios arredondados, quadris largos e um rosto moreno de queixo amplo. Os cabelos pretos estavam amarrados na nuca, e uma trança com contas descia pelas costas. A mulher sorriu quando passaram, e Gwen se perguntou se era um sorriso malicioso ou só um sorriso distraído de uma pessoa de bem com a vida. Por um momento, entrou em pânico por causa do que fizera, e quis segurar a bebê de novo, mas então uma borboleta-pavão cor de laranja pousou na charrete, e sua respiração se acalmou. Liyoni estava sendo bem cuidada, era isso que importava, e era melhor nem saber por quem.

# 14

A fragrância floral de Florence Shoebotham tomou conta do ambiente. Ela estava sentada no sofá, recostada à pele de leopardo. Gwen sorriu por dentro ao notar a combinação improvável da pele de um animal selvagem com o típico pudor britânico de Florence, vestida com tons discretos de azul incapazes de competir com a energia emanada pelas cores vibrantes do felino. Florence ergueu a xícara de porcelana aos lábios e, quando deu um gole, seu queixo balançou. Pobre Florence, com seus cabelos grisalhos e seu queixo duplo.

"Que bom ver você assim tão bem", comentou Florence.

O rosto de Gwen assumiu uma expressão bem ensaiada. Desde que vira Liyoni, ela começara a mentir repetidamente para si mesma diante do espelho, até aprender a fazer a cara certa, e para onde olhar, e como posicionar as mãos.

Ela sorriu, e manteve o sorriso até sua mandíbula doer. "Como vai, Florence?"

"Não tenho do que reclamar. Verity me contou tudo sobre o queijo."

Gwen lançou um olhar para Verity. Sua cunhada estava cutucando as unhas, sem demonstrar o menor interesse pela conversa, então parecia improvável que tivesse sido ela a mencionar o queijo. Na verdade, a não ser pelo primeiro dia, quando ajudara a limpar o depósito, Verity não demonstrara a menor vontade de se inteirar de seus planos.

"Eu ainda não fiz muito progresso. Nós esvaziamos o depósito um mês atrás. Já está tudo limpo e lavado, e já temos alguns móveis e utensílios básicos. Algumas coisas nós tínhamos, mas precisei encomendar os termômetros e moldes na Inglaterra."

"Mas é uma boa ideia. Você é uma moça inteligente."

"Minha mãe vai me mandar uma prensa de Owl Tree, a nossa fazenda."

"É difícil conseguir um bom queijo aqui."

"A fabricação não é muito complicada, mas é preciso saber trabalhar bem com o leite."

"E você pretende vender esse queijo?"

Gwen sacudiu a cabeça. "Não. Não sei nem se vamos conseguir fabricar, com esse clima. Pensei em fazer para consumir em casa mesmo, e dar para algum amigo que goste."

"Ora, por favor, me inclua nessa lista, querida."

"Claro. Como eu disse, fabricar queijo não é complicado, são as contas da casa que me dão mais dor de cabeça. Acho que os números não são o meu forte. Não consigo fazer as contas fecharem. Provavelmente por algum erro meu."

"Ora", comentou Verity, interrompendo a conversa. "Que bom que você se interessa pelo lado prático das coisas. Caroline nunca deu muita atenção a isso."

Florence baixou um pouco o tom de voz. "Que bom que você ficou por aqui."

"Como assim, fiquei?"

"Se adaptou bem ao lugar, foi o que eu quis dizer. Fiquei preocupada no início. Você passava muito tempo com aquele pintor."

O coração de Gwen disparou. "Está falando do sr. Ravasinghe?"

"Esse mesmo."

"Mas só nos encontramos duas ou três vezes."

"Sim, mas ele não é britânico, sabe. O pessoal daqui tem um jeito mais atirado do que nós consideramos apropriado."

Gwen fingiu uma risadinha. "Florence, sou capaz de garantir que o comportamento dele comigo foi perfeitamente apropriado."

"Claro, eu não quis dizer nada com isso." Ela se virou para Verity. "E você, vai ajudar a mulher de seu irmão a fabricar o queijo?"

Verity ergueu os olhos. "Quê?"

"Pare de roer as unhas, querida." Florence fez uma pausa. "Eu estava falando sobre o queijo. Você vai ajudar Gwen?"

Florence gostava de participar de todos os assuntos, e tinha uma tendência a oferecer conselhos não solicitados. Gwen ficou com pena da cunhada e resolveu interferir.

"Ah, com certeza Verity tem outras coisas com que se ocupar", ela falou.

Verity suspirou.

"Que ideia maravilhosa", continuou Florence. "Você tem uma cunhada muito inteligente, não é, Verity querida? Não me entenda mal, mas talvez seja uma boa ideia você também pensar em uma ocupação útil. Algo que aumente seu poder de atração junto aos cavalheiros."

"E o que você sugere?"

"Os homens querem ter esposas prendadas, sabe, como Gwen. Ela administra a casa, faz o papel de esposa e de mãe, e agora, mesmo sendo tão ocupada, vai fabricar queijo."

Verity se levantou, olhou feio para Florence e saiu da sala, derrubando uma mesinha lateral no caminho. O bule de chá, a jarrinha de leite e o açucareiro foram ao chão.

Gwen ficou irritada. Sua compaixão pela cunhada logo se desfez, e ela tocou a sineta para chamar os camareiros. "Me desculpe. Não sei o que deu nela."

"Ela sempre foi uma menina difícil."

"Como Caroline lidava com ela?"

"Ignorava sua presença, na maior parte do tempo. Acho que as duas não se davam muito bem. Verity era bem mais nova, claro, ainda estava na escola. Caroline era bem distante. Mas eu lembro que Verity uma vez insinuou que Laurence achava que a esposa estava tendo um caso."

"Não é possível!"

"Verity disse ter ouvido os dois discutindo sobre isso quando estava aqui de férias, e que Caroline negou categoricamente. Acho que Verity inventou tudo. Você sabe como são as meninas."

Gwen inclinou a cabeça.

"E, depois de sair da escola, Verity passou um tempo em casa na Inglaterra, e quando voltou parecia mais apegada do que nunca a Laurence. Isso não é saudável. Disso eu tenho certeza. Não sei o que aconteceu na Inglaterra, mas alguma coisa foi."

"A morte de Caroline deve ter deixado Verity abalada também, não?"

"Bastante."


Alguns dias depois, Gwen juntou seu equipamento sobre uma bancada comprida no depósito. A prensa recém-chegada da Inglaterra estava em uma mesa do outro lado do recinto. Em uma mesa menor, havia escorredores de vários tamanhos, jarros de leite, colheres de pau, uma espátula e uma concha grande. Os moldes de queijos foram lavados, secados e cuidadosamente empilhados, e os panos usados na fabricação estavam no varal sob o sol.

A entrega de leite de búfala, maior que a habitual, chegara ao amanhecer, e Gwen se levantou às seis e meia para recebê-la. Seus cabelos estavam presos dentro de uma redinha, e ela usava um avental branco bem lavado. Estava parada no meio do depósito, observando seus domínios, quando Laurence entrou.

"Pensei que você já tivesse ido", ela falou.

"Eu não podia ir sem dar uma olhada na nossa nova rainha dos laticínios." Ele se aproximou e a encarou. "E ela é muito bonita também. Eu adoraria pegá-la no colo e passar um tempinho a sós com ela no celeiro de feno."

Contente com a alegria dele, ela sorriu. "Nós não temos um celeiro de feno."

"Que pena."

Ele a puxou para junto de si, abraçando-a, e a soltou logo em seguida. "Boa sorte no seu primeiro dia, querida."

Ela sorriu. "Obrigada. Agora suma daqui. Estou ocupada."

"Sim, senhora."

Ela observou a saída dele. Sempre que o via de forma inesperada, seu coração disparava, assim como da primeira vez. Depois de desembrulhar o fermento especialmente encomendado em Kandy, ela despejou o leite em uma panela grande, que seria levada à cozinha para ser aquecida. Segurando o recipiente com as duas mãos, ela foi até a porta, mas então se deu conta de que não tinha como abri-la. Gwen equilibrou o leite em uma das mãos para abrir a porta com a outra, mas a panela escorregou e caiu sobre o chão de cimento, deixando-a ensopada.

Agora teria que perder tempo trocando de roupa.

Quando voltou ao depósito, pronta para começar de novo, Naveena entrou trazendo Hugh, que estava acordado e chorando muito.

O *appu* estava na porta da cozinha, vendo tudo com um sorriso no rosto. O homem não podia expressar em voz alta qualquer objeção a seus planos, mas, quando ela lhe contara sobre eles, a desaprovação havia ficado clara no rosto do cozinheiro. O acordo que fizeram foi que ela atrapalharia o mínimo possível o funcionamento da cozinha, e apenas nos horários combinados. Até então, as coisas não estavam indo muito bem.

Quando Hugh se acalmou, Naveena o levou para dentro, e Gwen recomeçou o trabalho.

Um ajudante de cozinha levou o segundo lote de leite lá para dentro, com Gwen abrindo e fechando a porta. Enquanto o *appu* supervisionava a fervura do leite, Gwen desceu os três patamares do jardim até o lago, para esperar o líquido esfriar. Sentou-se em um banco, olhou para as nuvens brancas e ficou ouvindo o barulho da água e o canto dos pássaros. Quando ouviu uma porta rangendo à sua esquerda, virou-se para lá e viu Laurence saindo da cabana dos barcos.

"O que você está fazendo?", ela gritou. "Pensei que estivesse na fábrica, agora que o tempo melhorou."

"É uma surpresa."

"Para mim?"

"Não, para a mulher do brigadeiro."

Ela franziu a testa.

"Claro que é para você. Venha ver." Ele abriu a porta da cabana.

Ela foi até lá e olhou para dentro.

A cabana tinha sido limpa. Seu interior fora pintado, e aquele lugar sombrio se transformara de um depósito praticamente abandonado em um belo cômodo externo à casa. As janelas que davam para o lago brilhavam, as cortinas novas revoavam, e cravos cor de laranja tinham sido arranjados em uma mesinha de centro de madeira diante de um sofá espaçoso, ainda que rústico. Ele a beijou no rosto, sentou-se no sofá, apoiou os pés em um banquinho com revestimento novo em folha e olhou para a água.

"E o barco?", ela perguntou.

"Lá embaixo, consertado, pintado e pronto para navegarmos ao pôr do sol. É a minha forma de dizer que fui um tolo por não levar em conta o quanto pode ser cansativo ter um bebê recém-nascido. Gostou?"

"Ficou lindo. Mas como você fez tudo isso sem que eu percebesse?"

Ele deu uma piscadinha e bateu com o dedo no nariz.

"Ora, eu adorei."

Ela foi sentar-se ao lado do marido no sofá, e ele a abraçou. A água sob o sol transmitia uma sensação de tranquilidade, junto com o canto dos pássaros, que entrava pelas janelas.

"Eu queria falar com você, Gwen."

Ela assentiu com a cabeça, mas, sem saber o que viria pela frente, sentiu uma pontada de ansiedade.

"Sobre Caroline."

"Ah."

"Eu contei sobre seus problemas mentais, mas acho que você não sabe que ela morreu afogada, não é?"

Gwen respirou fundo, cobriu a boca com a mão e fez que não com a cabeça.

Ele enfiou a mão no bolso, sacou uma folha de papel, desdobrou e alisou.

"Pedi para os empregados não comentarem sobre a morte dela, mas acho que você precisa ver isto."

Ele entregou o papel a Gwen.

*Meu querido Laurence,*

*Sei que você não vai entender, e que nunca vai me perdoar, mas é impossível para mim suportar a dor que venho sentindo desde que Thomas nasceu. Desde que dei à luz, venho convivendo com um demônio dentro de mim. Um demônio que obscurece meus pensamentos e rouba meu equilíbrio. É um inferno que jamais acreditei ser possível. Não consigo pensar em nenhuma saída além desta. Lamento muitíssimo, meu amor, mas não posso deixar o pequeno Thomas sem a mãe para protegê-lo. Então, embora isso me entristeça terrivelmente, decidi levá-lo comigo, e juntos teremos paz. Que Deus me perdoe. Quando eu me for, encontre uma nova esposa, Laurence, uma melhor que eu. Não vou me importar. Na verdade, vou rezar por isso.*

*Tente não culpar a si mesmo.*

*Sua Caroline*


Quando terminou de ler, Gwen engoliu em seco, sentindo um nó na garganta. Aquela tragédia não era sua, ela pensou. Era preciso controlar seus sentimentos e ajudar Laurence.

"Não foi nada fácil", ele falou, e em seguida fez uma pausa. "Primeiro meus pais, depois Caroline."

"E o bebê", acrescentou ela.

Ele balançou a cabeça com movimentos lentos, mas não a encarou. "E então vieram as trincheiras, apesar de que, em certo sentido, a guerra foi quase um alívio. É algo que obriga a pessoa a seguir em frente. Não dá para ficar se lamentando."

Ela se esforçou para conter as lágrimas. "Caroline devia estar muito perturbada para querer se matar."

Ele limpou a garganta, balançou a cabeça e por um momento se mostrou relutante em falar.

"Foi no lago?"

Ela ficou à espera de uma resposta.

"Não. Isso teria tornado tudo ainda mais difícil."

Ela entendeu o que ele quis dizer, embora fosse uma experiência terrível em qualquer lugar. No entanto, o lago jamais lhe pareceria tão bonito de novo caso houvesse acontecido lá.

"Por que ela fez isso, Laurence?"

"Foi... complicado. Nem o médico sabia o que fazer. Ele disse que algumas mulheres nunca se recuperam do parto... Mentalmente, é o que quero dizer. Ela mudou muito. Não conseguia nem cuidar da criança. Tentei conversar, oferecer consolo, mas nada funcionava. Ela ficava só olhando para as mãos, toda trêmula."

"Ah, Laurence."

"Fiquei me sentindo impotente. Era uma situação sem saída. A não ser pela amamentação, Naveena se encarregou de todo o resto. No fim, o médico sugeriu um hospital para doentes mentais, mas fiquei com medo de que ela acabasse em um manicômio horroroso. Depois de tudo, não consegui me perdoar por não tê-la internado."

Ela se curvou para o marido. "Você não tinha como saber."

"Eu poderia ter salvado a vida dela."

Gwen acariciou o rosto dele de leve, e em seguida se inclinou para trás e o segurou pelas mãos enquanto o observava atentamente. "Eu lamento muito, Laurence."

"Um bebê deveria ser motivo de alegria, mas para nós..." Ele se interrompeu.

"Nem precisa me dizer."

"Tem tanta coisa que eu queria poder falar."

"Tem uma coisa que eu não entendo. O que ela quis dizer quando falou que o pequeno Thomas ficaria desprotegido? Com certeza ela sabia que você o protegeria, não?"

Ele balançou a cabeça.

Houve um longo silêncio.

"Às vezes é melhor só chorar, Laurence", ela disse por fim, vendo a dor no rosto dele.

Laurence piscou algumas vezes, e seu queixo tremeu. As lágrimas então vieram, lentas e silenciosas. Ela beijou os lábios úmidos do marido, limpando o rosto dele com as mãos. Era um homem orgulhoso, que não chorava facilmente, mas já era a segunda vez que o via aos prantos.

"Como alguém consegue se recuperar de uma coisa como essa?", ela questionou.

"O tempo ajuda, e se manter ocupado também, e agora tenho você e Hugh."

"Mas uma parte da dor permanece, não?"

"É, acho que sim."

O olhar dele se fixou em um ponto acima de seu ombro. Ele se virou para Gwen outra vez. "Verity ficou terrivelmente abalada. E com medo de me deixar sozinho, longe de sua vista."

"Com medo de que você morresse também?"

"Não. Eu... na verdade não sei."

Laurence estreitou os olhos, pensativo, e parecia disposto a falar mais, porém não sabia o quê. O momento mais intenso havia passado.

Ela o abraçou e jurou para si mesma que jamais faria qualquer coisa que pudesse magoá-lo ainda mais. Enquanto pensava nisso, ele soltou as alças de seu avental e o tirou por cima da cabeça. Gwen se deitou no sofá, e Laurence abriu com cuidado os botõezinhos de pérola de seu vestido. Ela arrancou o vestido e a roupa de baixo enquanto ele se despia.

Desde o nascimento de Hugh, exceto uma única vez, eles mal se tocavam. Quando seus corpos fizeram contato, a fragilidade do amor, e todo seu significado, veio à tona. Gwen prendeu a respiração, desejando que o momento se prolongasse, e, deitada com ele no sofá, sentiu-se distante de um dia normal na fazenda.

"E se alguém aparecer?", ela murmurou.

"Ninguém vai aparecer."

Ele acariciou suas coxas e beijou seus dedos dos pés, e ela sentiu a excitação percorrer seu corpo até não aguentar mais e envolvê-lo com as pernas.

Depois de fazerem amor, ela ficou deitada nos braços dele, com um braço pálido envolvendo o peito do marido. Gwen ergueu a mão para passar o dedo pelo rosto de Laurence, sentindo a mão dele repousada em sua coxa.

"Eu amo você, Laurence Hooper. Sinto muito pelo que aconteceu com Caroline."

Ele balançou a cabeça e segurou sua mão.

Ela o encarou e viu que os olhos dele pareciam menos sofridos do que um pouco antes.

"Será que eu estraguei seu queijo?", ele perguntou.

"Não. O leite precisa esfriar, mas o menino da cozinha já deve ter levado de volta a essa altura, então é melhor eu voltar." Ela alisou os cabelos úmidos e despenteados. "Eu devo estar horrível."

"Você nunca fica horrível. Mas só uma coisinha", ele falou.

"Sim?"

"Este lugar é só para mim e para você. É para onde podemos vir quando quisermos um tempo a sós. Entendido?"

"Completamente."

"E aqui podemos ter um recomeço, quando for preciso."

Ela pôs a mão sobre o coração e assentiu com a cabeça.


De volta ao depósito, Gwen adicionou fermento ao leite e deixou a mistura descansar por mais ou menos uma hora, enquanto amamentava Hugh. Ele protestou quando ela tentou levá-lo de novo para dentro de casa, então Naveena o colocou no carrinho, protegido por um guarda-sol. Gwen balançou o carrinho, sentindo o sol na pele e pensando em Laurence enquanto ouvia o zumbido dos insetos. Hugh logo pegou no sono, e Gwen disse a Naveena que podia tirar um merecido descanso. De onde estava, no depósito, ela poderia ouvir perfeitamente se Hugh acordasse.

Dentro do pequeno cômodo, Gwen acrescentou a renina, mexeu e então deixou tudo sob uma pequena janela no fundo do recinto, para ficar sob o sol.

Apesar da tristeza da descoberta do que acontecera com Caroline, fora um bom dia de trabalho. E, no fundo de sua mente, ela visualizou a imagem de uma bebê moreninha dormindo tranquilamente em uma rede.

PARTE III — O SOFRIMENTO

# 15

TRÊS ANOS DEPOIS, 1929

Gwen e Hugh estavam sentados em lados opostos da mesa, à espera da chegada dos demais. Hugh parecia um anjinho, vestido com uma roupinha de marinheiro, com seus cabelos loiros rebeldes bem penteados pela primeira vez em um bom tempo. Gwen estava com o vestido que Fran lhe dera de presente em sua visita a Londres, uma peça leve de chiffon azul, com a nova saia da moda, ligeiramente mais comprida. Ela adorava usá-lo, pois a fazia se sentir jovem e feminina.

Depois de quase quatro anos no Ceilão sem uma única visita à sua terra natal, a viagem à Inglaterra era mais que necessária. Primeiro ela passou duas semanas em Owl Tree com os pais, que só faltaram explodir de felicidade ao ver Hugh. Com promessas de piqueniques e de um passeio à Garganta de Cheddar, eles mal podiam esperar para ter o neto só para si por uma semana. Em seguida Gwen foi de trem até Londres para ficar com Fran. O apartamento ficava no último andar de um grande edifício projetado por um arquiteto, com uma vista maravilhosa do rio Tâmisa, mas para Gwen não havia comparação entre aquela grande extensão cinzenta de água e o lago da fazenda.

As duas tinham trocado cartas, planejando passeios interessantes para quase todos os dias, mas, assim que chegou, Gwen notou que Fran estava diferente. Um tanto reservada e meio pálida. Depois de uma boa xícara de chá do Ceilão, Fran perguntou se Gwen queria que a empregada desfizesse sua mala e deu o braço para a prima.

"Prefiro fazer isso eu mesma, se você não se importar."

"Claro."

No andar de cima, em um cômodo arejado e bem decorado, Fran foi fechar a janela para isolá-las do barulho e da poluição de Londres. Gwen abriu a mala e começou a tirar seus vestidos, enquanto Fran continuava olhando pela janela.

"Algum problema, Fran?"

Fran balançou a cabeça.

Gwen pegou um conjuntinho francês azul-marinho, bastante apropriado para uma tarde de compras na loja do sr. Selfridge, e foi pendurá-lo no guarda-roupa grande de mogno. No interior escuro do móvel, a princípio ela não viu muita coisa, mas, quando puxou um cabide, sua mão roçou em algo. Quando apalpou com a ponta dos dedos, notou que era um traje de seda bordado, e, a julgar pelo tamanho, não era uma roupa de mulher.

Ela pegou o cabide e expôs a peça à luz. Era um colete bordado vermelho e dourado, e Gwen tinha certeza de que era o que Savi Ravasinghe usara no baile. Fran se virou nesse momento e ficou olhando para a peça.

"Ah", ela falou. "Não pensei que ele fosse esquecer isso aqui."

"O sr. Ravasinghe esteve aqui?"

"Ficou hospedado aqui enquanto fazia uma encomenda. Uma pintura bem importante, na verdade. Ele é muito solicitado."

"Você não disse nada."

Fran deu de ombro. "Não sabia que precisava dizer."

"A coisa é séria?"

"Digamos que tem seus altos e baixos."

Depois disso, Gwen tentou fazer Fran falar mais, porém, sempre que tocava no assunto, a prima se fechava. Pela primeira vez, um abismo se abriu entre as duas, e Gwen não sabia como superá-lo.

No penúltimo dia, a possibilidade de que Fran tivesse um envolvimento sério com Ravasinghe deixou um gosto amargo na boca de Gwen, além de um nó em seu estômago. Ela nunca vira a prima sofrer por amor, e, sentada na cama, pensativa, sentiu uma vontade tremenda de contar a Fran sobre Liyoni e alertá-la sobre Savi Ravasinghe. Em seguida, porém, ficou sem coragem. Se falasse, Fran ficaria indignada, e certamente confrontaria Savi. Quem saberia como isso podia terminar? Ele poderia inclusive querer conhecer a filha, uma ideia que Gwen não conseguia nem sequer cogitar.

O que ela fez, portanto, foi se manter em silêncio, sentindo que estava traindo sua melhor amiga. As duas passaram o último dia juntas em meio a muitas coisas por dizer, e, depois de uma última semana de sentimentos agridoces na casa dos pais, Gwen ficou contente em poder voltar ao Ceilão.


Gwen sorriu para o outro lado da mesa, onde estava o aniversariante, seu filho. Sentia-se orgulhosa, mas também sabia que estava sentindo algo mais que amor, alguma coisa inefável que reverberava nas entranhas de seu ser. Hugh sorriu, e não conseguia parar quieto, o que a trouxe de volta à realidade. As crianças eram assim. Em um momento, inspiravam um amor que deixava a pessoa nas nuvens, sem fôlego, e no momento seguinte só queriam saber de geleia e biscoitos, ou então precisavam ir ao banheiro.

Ela ficou surpresa com a velocidade com que aqueles três anos se passaram, e com o fato de ter ficado tão acostumada a conviver com o que acontecera que às vezes quase parecia ter sido um sonho; quase, mas não exatamente. Ela olhou pela janela, para o lago e para os morros arredondados, cobertos de chá e pontuados por árvores altas e estreitas. Era um dia bonito de céu azul, sem nuvens. Nos quase três anos depois da primeira visita à cabana de barcos, ela e Laurence passavam com frequência por lá. A vida tinha entrado nos eixos. Eles estavam felizes, as alegrias superavam as tristezas, e, no fim, como se algo tivesse se endurecido dentro de si, Gwen conseguiu suprimir uma parte da tristeza que sentia por Liyoni.

Laurence não entendia por que ela não concebera outro filho, apesar de tantos esforços, principalmente da parte dele. Só não sabia que Gwen vinha tomando medidas em segredo para impedir isso.

Lembrando-se da dor que sentira ao abrir mão de Liyoni, Gwen achava que não merecia mais um filho, e usava sua ducha vaginal todas as vezes. Caso ainda se sentisse em perigo, tomava uma boa dose de gim e um banho de banheira. Compreendendo sua relutância, Naveena preparava chás de ervas amargos que garantiam um ciclo menstrual sempre regular.

Um barulho na porta interrompeu seus pensamentos. Ela se virou e viu McGregor, Verity e Naveena entrarem juntos.

Verity bateu palmas. "Está tudo lindo, não, Hugh?"

Era o dia do terceiro aniversário de Hugh. A mesa estava posta com flores frescas, pilhas de sanduíches, um manjar cor-de-rosa e outro amarelo e um espaço no meio para o bolo. Quando Laurence apareceu com um cordão de balões e os braços carregados de presentes, o rostinho de Hugh ficou vermelho de animação.

"Posso abrir agora, papai?"

Laurence pôs tudo sobre a mesa. "Claro. Quer abrir o grandão primeiro?"

Hugh começou a pular e gritar.

"Bom, você vai ter que esperar um minutinho, está lá no corredor." Laurence saiu de novo e, alguns minutos depois, voltou com o triciclo, com um laço amarelo preso no guidão. "Este presente é da mamãe e do papai", anunciou.

Hugh olhou para o brinquedo novo em folha e saiu correndo para lá, precisando da ajuda de Naveena para se instalar no selim. A expressão de desolação ficou visível em seu rosto quando se deu conta de que não alcançava os pedais.

"Podemos ajustar um pouco o selim, mas com o tempo você vai crescer."

"Nós escolhemos o modelo errado?", perguntou Gwen.

"Dentro de um ou dois meses vai estar perfeito", garantiu Laurence.

Hugh já estava rasgando o papel do restante dos presentes: um quebra-cabeça gigante de Verity, um caminhãozinho de bombeiros de madeira dos pais de Gwen e um taco e uma bola de críquete de McGregor.

Gwen se sentou e observou sua família, sentindo-se abençoada. Hugh era um turbilhão de energia, vibrante como só uma criança de três anos podia ser, e Laurence abria um sorriso de orgulho sempre que olhava para o filho. Até mesmo Verity parecia feliz, apesar de ainda poder ser considerada uma pedra no sapato de Gwen.

Depois que eles comeram os sanduíches e os manjares, Hugh deu um berro quando Laurence apagou as luzes e foi fechar as cortinas com gestos solenes. Ele endireitou os ombros e, com uma expressão séria, anunciou que era chegada a hora.

Naveena trouxe o bolo e o colocou na frente de Hugh. A atenção absoluta do menino era uma cena bonita de ver, junto com a inocência de seu rostinho encarando os demais enquanto cantavam "Parabéns pra você". Tudo isso provocou uma tremenda sensação de alegria em Gwen. Ela seria capaz de arrancar a cabeça de um leopardo para proteger seu garotinho. Para encobrir suas emoções, ela começou a mexer no bolo e o aproximou do filho. Era um bolo grande e quadrado, com um cão de caça feito de açúcar no alto, esculpido por Verity, que revelou ter talento para a confeitaria.

"É o Spew", Hugh gritou a plenos pulmões. "Spew está no bolo!"

"Sopre as velinhas, querido", disse Gwen. "E faça um pedido."

Quando o menino inflou as bochechas e soprou, Gwen pensou na irmã gêmea de Hugh, e fez seu próprio pedido.

"O que você pediu?", Laurence quis saber.

"A mamãe falou que é segredo. Não é, mamãe?"

"Isso mesmo, querido."

Quando Hugh ergueu o rosto para olhar o pai, Gwen constatou pela milésima vez o quanto ficara parecido com Laurence. Os dois tinham a mesma cor de olhos, o mesmo queixo quadrado e o mesmo formato de cabeça, com redemoinhos no topo que deixavam seus cabelos difíceis de domar. Não havia dúvida alguma sobre quem era o pai do menino.

"Tem coisa que é segredo, papai."

Laurence sorriu. "Pois é, sempre tem."

Hugh se remexeu na cadeira, incapaz de conter a empolgação. "Eu tenho um."

"E o que é, querido?", perguntou Gwen.

"Meu amigo Wilfred."

Laurence fez uma careta. "Isso de novo não."

"Mas, querido", argumentou Gwen, "todo mundo sabe tudo sobre Wilfred, então não é segredo."

"É, sim. Vocês não conseguem ver o Wilfred."

"Isso é verdade", concordou Verity.

"Eu consigo. E ele quer um pedaço de bolo."

"Naveena, por favor, corte um pedaço de bolo para Wilfred."

"E não um pedaço imaginário, Neena." Neena era o nome que Hugh usava para chamar a aia desde que aprendera a falar, e não mudou desde então.

"Acho que nós não devemos incentivar isso", disse Laurence, enlaçando Gwen pela cintura.

"É tão importante assim?"

Laurence ergueu o queixo. "Um amigo invisível não vai tornar a vida dele nem um pouco mais fácil na escola."

Ela riu. "Ora, Laurence, ele só tem três anos. Não vamos falar sobre isso agora. É o aniversário dele."

"Posso ganhar outro pedaço também?", Hugh perguntou em um tom de voz persuasivo.

"Acho que dois já bastam", ela respondeu.

Hugh fez biquinho. "Papai."

"Oh, vamos deixá-lo comer, é o aniversário dele", disse Verity. "Todo mundo merece ser mimado no dia do aniversário."

"Já chega de bolo, amiguinho", anunciou Laurence. "A mamãe sempre tem razão."

"Ainda bem que isso está bem claro."

Ele riu, pegou Gwen no colo e a girou no ar. "Mas isso não me impede de fazer assim."

Hugh deu uma risadinha ao ver a mãe sendo rodada como se fosse leve como uma pena.

"Laurence Hooper, me ponha no chão agora mesmo!"

"Como eu disse, a mamãe sempre tem razão. Isso é uma coisa que eu precisei aprender. Então é melhor colocá-la no chão."

"Não. Não. Gira mais!", gritou Hugh.

"Laurence, se não me puser no chão, juro que vou passar mal."

Ele riu e a colocou de pé.

"Podemos ir até a cachoeira, papai? Nós nunca vamos."

"Agora não. Mas que tal jogarmos um pouquinho lá fora? Você não ganhou uma bola nova?"

Hugh sorriu, e aparentemente se esqueceu do bolo. "Sim, eu ganhei uma bola. Está comigo. É minha."

Foi só quando Laurence, Hugh e Verity saíram que Gwen notou o prato vazio de Wilf. Hugh, aquele danadinho, tinha conseguido comer um terceiro pedaço de bolo no fim das contas. Gwen sacudiu a cabeça, mas com um sorriso no rosto, e foi para seu quarto.

Lá dentro, pegou um desenho de criança feito a carvão de uma caixinha trancada a chave na escrivaninha. Era o mais recente, e chegara um mês antes. Durante alguns dias de inquietude por mês, Gwen ficava à espera do desenho seguinte. No início a mãe adotiva os fazia pessoalmente, mas depois começaram a aparecer os pequenos rabiscos de Liyoni. Gwen tocou as linhas feitas a carvão. Seria um cachorro ou um frango? Era difícil afirmar. Ela sempre queimava os desenhos da mulher, mas uma saudade que nunca a abandonara de fato a fazia guardar os de Liyoni.


Naquela noite, quando Hugh foi para a cama doente, Gwen pensou que fosse por causa dos três pedaços de bolo. Ela pediu a Naveena que levasse o menino para sua cama. Ele vomitou mais duas vezes depois de dormir, e ela precisou acordar várias vezes.

Pela manhã, Hugh estava tremendo e se queixando de frio. Quando ela sentiu a temperatura na nuca do filho, estava altíssima, e a testa também estava pelando. Gwen trocou o pijama de Hugh e, como estava certa de que o filho estava com febre, pediu a Naveena para trazer panos frios. Enquanto esperava, abriu a janela para deixar o ar entrar e ouviu os pássaros fazendo a algazarra habitual em torno da casa. A improvável combinação de cantos afinados e grasnados selvagens geralmente a fazia sorrir, mas naquele dia lhe pareceu algo escandaloso e intrusivo.

Quando Naveena voltou com os panos, Gwen pôs um na nuca e outro na testa de Hugh. Depois que a temperatura dele esfriou um pouco, elas o examinaram.

"Não foi o bolo. Os vômitos pararam, mas ele não está bem."

Naveena torceu o nariz, mas não disse nada enquanto observava as perninhas e os bracinhos do menino. Em seguida, levantou a camisa do pijama e passou a mão pelo tronco da criança em busca de inchaços. Não encontrou nenhum, e sacudiu a cabeça.

"Peça para Laurence chamar o médico", disse Gwen quando a mulher terminou. "Diga que Hugh está suando muito, mas reclamando de frio."

"Sim, senhora." Naveena se virou para ir.

"E diga que a pele do menino está um pouco azulada, e que ele está começando a tossir."

Enquanto Hugh dormia um sono agitado, Gwen fechou as venezianas e começou a andar de um lado para o outro no quarto. Quando Laurence entrou, a preocupação nos olhos dele a obrigou a se manter calma.

"Deve ser só alguma dessas doenças da infância", falou. "Não se preocupe. O dr. Partridge já vem. Por que você não vai até a cozinha pedir para o *appu* fazer um *chai*?"

Ele balançou a cabeça e saiu do quarto, voltando dez minutos depois com duas canecas em uma bandeja. Ela sorriu. A última coisa de que Laurence precisava era que ela se mostrasse preocupada. Gwen foi pegar a bandeja.

Enquanto esperavam pelo médico, Gwen entoou cantigas infantis, e Laurence a acompanhou, mas errando a letra e misturando as músicas para fazer Hugh rir.

Quando o dr. Partridge chegou, carregando sua tradicional bolsa de couro marrom, Hugh ainda estava acordado, mas bastante sonolento.

O médico se sentou na cama.

"Vamos examinar você, amiguinho", ele falou, abrindo bem a boca para mostrar a Hugh o que fazer. O quarto, porém, estava mal iluminado, e era difícil enxergar alguma coisa. "Laurence, você poderia abrir as janelas?"

Com as venezianas abertas, o dr. Partridge pegou Hugh no colo, carregou-o até a luz, sentou-se na cadeira de Gwen junto à janela e examinou a boca do menino. Em seguida apalpou o pescoço de Hugh, que parecia um pouco inchado, e sentiu seu pulso. Ele respirou fundo e sacudiu a cabeça.

"Vamos ver se você consegue engolir, certo? Você tem um copo d'água à mão, Gwen?"

Ela entregou seu próprio copo, e o médico sentou Hugh e levou a água aos lábios dele. O garotinho levou a mão ao pescoço inchado e deu um gole, mas engasgou, cuspiu tudo e ficou tossindo por vários minutos.

Quando parou, o médico escutou o peito do menino e olhou para Gwen. "O peito está cheio. Ele está tossindo muito?"

"A tosse vem e vai."

"Muito bem, você vai voltar para a cama."

Gwen levou Hugh para a cama e o cobriu.

"Ele precisa de repouso absoluto. Mesmo que se recupere um pouco, não pode fazer esforço. O coraçãozinho está acelerado, assim como a respiração. Colocar alguns travesseiros nas costas dele vai fazê--lo respirar melhor, e tente deixar o ar o mais úmido possível. Vamos ter que esperar para ver."

Gwen e Laurence trocaram olhares de preocupação.

"Então, qual é a doença?", perguntou Gwen, tentando manter um tom de voz tranquilo.

"É difteria."

Ela cobriu a boca, espantada, e notou que Laurence ficou tenso.

"Infelizmente o tom azulado da pele já era um indício. Várias crianças das aldeias locais contraíram a doença nos últimos dias."

"Mas ele foi vacinado", Laurence falou, virando-se para ela. "Gwen?"

Ela fechou os olhos com força e assentiu.

O médico encolheu os ombros. "Pode ter sido um lote defei-tuoso."

"E o prognóstico?", Gwen perguntou com a voz trêmula.

O médico inclinou a cabeça. "É difícil prever neste estágio. Eu lamento. Se aparecerem lesões na pele, tratem de mantê-las bem limpas. Tentem fazê-lo beber bastante água, se possível. E, na presença dele, vocês vão precisar cobrir a boca e o nariz com máscaras de algodão. Deve haver uma ou outra na casa, e vou mandar mais imediatamente."

"Mas e se..."

Houve um silêncio perturbador no quarto. A voz de Gwen estava estridente, e Laurence segurou sua mão com força, como se quisesse impedi-la de dizer palavras que jamais poderiam ser apagadas.

"Não vamos pensar nisso ainda", ele falou com a voz rouca.

Ela notou que ele estava tentando adiar o inevitável, e sentiu uma explosão de calor dentro da cabeça. "Ainda?"

"O que eu quis dizer foi que devemos aguardar. Isso é tudo que podemos fazer."

Apesar da vontade de expressar seu medo, ela conseguiu ficar calma.

Nos dias seguintes, Verity e Gwen se revezaram limpando as gotas de suor que brotavam na testa de Hugh, e se esforçaram para controlar a febre. Naveena trouxe uma toalha molhada e pendurou na janela para deixar o ar mais úmido. Ela também estendeu um lençol ensopado no chão. Depois apareceu com uma tigela de carvão em uma tigela rasa e jogou água quente por cima.

"Para que isso?", perguntou Gwen.

"Tudo para manter ar limpo, senhora."

Nos dois dias subsequentes, o estado dele não evoluiu, nem para melhor nem para pior. No terceiro dia, a tosse começou a piorar. Ele tinha dificuldade para respirar, e a pele assumiu um aspecto cinzento. Enquanto via as moscas se chocarem contra a janela e caírem no chão, Gwen se sentiu incapaz de respirar. Ela arrancou a máscara e, encarando seu medo, deitou-se ao lado de Hugh, encostou o rosto no dele e o abraçou com força. Laurence se trancara no escritório, e aparecia de tempos em tempos para tirar Gwen de sua vigília. Ela mantinha um sorriso fixo no rosto para o marido, mas quase nunca saía do quarto.

Laurence só a obrigava a sair de lá para comer um pouco, argumentando que não fazia sentido que ela ficasse doente também, pois precisaria estar forte. Enquanto Gwen tentava se alimentar, Verity cuidava de Hugh, e com um olhar angustiado se oferecia para ficar mais um pouco quando ela voltava.

Naveena trouxe ervas com cheiro adocicado para pôr junto com uma vela em uma tigela de barro.

"Isso ajudar, senhora", ela falou.

Mas a fragrância não ajudou. Quando estava sozinha com Hugh, Gwen se sentava ao lado dele na cama, fechava os olhos doloridos e, contorcendo as mãos no colo, rezava a Deus pela sobrevivência do filho.

"Faço qualquer coisa", ela falou. "Qualquer coisa. Vou ser uma esposa melhor, uma mãe melhor."

Gwen ia até a janela enquanto Hugh dormia e perdia a noção do tempo observando as cores no jardim mudarem ao longo do dia, de um verde claro de manhã para um roxo cheio de sombras à noite. Contemplando o lago com lágrimas nos olhos, a linha divisória entre a água e o horizonte se borrava. À medida que a condição de Hugh se deteriorava, o aperto em seu peito só aumentava, enquanto ouvia as pessoas cuidando de seus afazeres na casa como sempre faziam. Nada daquilo parecia real. Nem o ar cheio de vida das manhãs, nem o clima preguiçoso das tardes. Ela pediu a Naveena para buscar roupas que precisavam de reparos, especialmente de Hugh, mas poderia ser qualquer coisa que mantivesse suas mãos ocupadas.

Quando Hugh dormia era um alívio, e nesses momentos Gwen costurava, passando a agulha pelo tecido e dando pontos infindáveis com fios de seda. Verity e Laurence entravam e saíam na ponta dos pés, mas não diziam nada. Quanto mais Hugh dormisse, mais chance de recuperação teria.

As noites eram diferentes, sem a companhia de ninguém, e o silêncio se tornava insuportável. Quando a respiração de Hugh se tornou difícil, foi de cortar o coração para ela ver o corpinho do menino lutando para sobreviver, mas pelo menos ele ainda estava vivo. Quando ele parecia parar de respirar, ela ficava paralisada, e seu coração só voltava a bater quando ouvia a respiração trêmula do filho recomeçar.

À noite, sua cabeça era inundada de lembranças de Hugh nos tempos de bebê. Ele chorava demais. Ela se recusava a acreditar que o pior pudesse acontecer, ou que conseguiria continuar vivendo sem seu adorado menino.

Ela se lembrava dele como uma criancinha gorducha tentando dar os primeiros passos, e tempos depois de seus passinhos trovejantes que a acordavam de manhã. Pensou no primeiro corte de cabelo do menino, e do escândalo que fez ao ver a tesoura, tanto que Naveena precisou segurá-lo à força. Também se recordou de que ele detestava ovos mexidos no chá, mas gostava de comê-los cozidos com fatias de torrada no café da manhã. E também de suas primeiras palavras: Neena, mamã, papá. Verity queria que ele dissesse o nome dela também, e se sentava ao lado do menino falando "Verity" sem parar. Tudo que Hugh conseguia pronunciar era Witty.

As antigas aflições de Gwen vieram à tona. Ela se lembrou da pintura que Savi Ravasinghe havia feito de Christina, e do que a mulher dissera mais de três anos antes. Todas se apaixonavam por ele no fim. Era isso? Ela se lembrou do baile, de ser acompanhada por Savi até o quarto. Pensou em Fran com um homem como aquele, e lamentou pela prima. E, enquanto observava as pálpebras de Hugh se agitarem durante o sono, sua mente voltava à aldeia cingalesa onde Liyoni vivia. Se aquela doença podia atingir Hugh, uma criança que vivia no luxo, quão vulnerável não seria sua garotinha?

Em momentos em que não estava nem dormindo, nem acordada, ela rezava pela filha e também por Hugh, e entrava em uma espécie de mundo paralelo. Com os pensamentos girando a mil, Gwen se via dividida entre a aldeia e sua casa. Pensava nos homens lavando os elefantes no rio e na maneira simples como viviam, com as mulheres cozinhando em fogueiras e os homens trabalhando nos teares primitivos. Sua condição privilegiada se tornava mais evidente do que nunca, e sua vida parecia não ter nem uma fração da paz que aquelas pessoas encontravam na simplicidade.

No fim, um único pensamento dominou sua mente.

Ela havia aberto mão de uma criança. Se a doença de Hugh fosse um castigo por sacrificar a felicidade da filha em benefício da sua, a única maneira de salvar seu menino seria fazendo a coisa certa. A verdade em troca de uma vida. Seria uma promessa, um trato com Deus, e, mesmo que isso significasse perder tudo, era melhor confessar que ver seu filho morrer.

# 16

Por mais de uma semana, ficaram todos com o coração na boca. Hugh era um membro muito querido da família, e até mesmo os camareiros e os cules da cozinha perambulavam pela casa com expressões preocupadas e se comunicavam com sussurros. Quando ele melhorou e voltou a beber água e se sentar na cama, a atmosfera da casa voltou a ficar mais leve, e os ruídos normais do dia a dia recomeçaram.

Enquanto observava o filho, incapaz de ficar muito tempo longe dele, o alívio de Gwen era tão intenso quanto fora seu medo. Quando Laurence aparecia, era com um sorriso nos lábios e os olhos faiscando de felicidade. Ele ria alto quando se sentava com o filho para montar quebra-cabeças na cama e ler histórias enquanto Gwen providenciava os pratos favoritos do menino: pão de ló, bolinhos doces de chá, sorvete de manga com cardamomo — qualquer coisa que ela imaginasse que pudesse ser tentadora, que o ajudasse o quanto antes a se tornar a criança barulhenta e cheia de energia que sempre fora.

No entanto, quando ele se recuperou o suficiente para correr do lado de fora da casa, ela queria mantê-lo lá dentro.

"Não vamos sufocar o garoto", disse Laurence.

"Então é isso que você pensa que estou fazendo?"

"Vamos deixá-lo correr. Isso vai fazer bem a ele."

"Está um pouco frio hoje."

"Gwen. Ele é um menino."

Ela cedeu, e permitiu que ele corresse atrás dos cachorros por meia hora, mas, quando Laurence entrou, Gwen o atraiu para dentro com um bloco de papel novo em folha e giz de cera. Enquanto o observava, sua determinação em não se permitir um segundo de distração só aumentou. Se estivesse sempre de olho em Hugh, não se preocuparia com Liyoni. Dentro do quarto da mãe, Hugh rabiscava desenhos sem sentido com Bobbins, Spew e Ginger, que mesmo depois de crescido era menor que os outros. Na verdade, era a presença de Ginger debaixo da cama que proporcionava a maior alegria ao menino.

Ver Hugh desenhando, porém, deixou-a inquieta. A lua cheia havia passado, e o novo desenho da menina não chegara. Apesar do imenso alívio de saber que o filho sobreviveria, já que melhorava a cada dia, ela começou a ouvir a voz da filha atravessar a parede de ruídos que havia em sua cabeça. Os murmúrios da criança a levavam a espiar pelas portas entreabertas, a atravessar o corredor e subir a escada de madeira polida. Ela imaginou ter visto a silhueta da menina em uma das janelas do piso superior, mas, quando a luz oscilou, percebeu que era só uma sombra lançada pela luz do sol.

À noite, o que podia ser suprimido de dia se tornava uma presença gigantesca. A voz de Liyoni se tornava mais alta, exigindo sua atenção, assombrando seus sonhos e soando tão real que parecia que a criança estava dentro de seu quarto. Quando acordava, suada e estremecida, era com uma sensação de recriminação que constatava que não havia ninguém lá além de Hugh, ou então Naveena, trazendo seu chá na cama.

Ela insistia em ter flores frescas espalhadas pela casa: no corredor, na sala de jantar, na sala de estar e nos quartos. Quando uma flor morria, o buquê inteiro era descartado e substituído por um novo. Mas não havia flores suficientes no mundo para amenizar sua aflição. Gwen fizera um trato com Deus, mas não mantivera a promessa e agora vivia com medo das consequências.

Depois que Hugh voltou a dormir no cômodo anexo, Laurence a encontrou sentada à escrivaninha de seu quarto, jogando paciência com os ombros encolhidos. Ele se posicionou atrás da esposa e se curvou para beijar sua cabeça. Ela olhou para cima. Por um instante, os olhos dos dois se encontraram no espelho, mas, com medo de ser denunciada pelos sinais de preocupação em seu rosto, ela virou a cabeça, permitindo que os lábios dele apenas roçassem em seus cabelos.

"Vim perguntar se quer que eu fique com você esta noite." Ele olhou para as cartas. "Ou então podemos jogar juntos."

"Eu gostaria, mas não vejo motivo para passarmos nós dois a noite em claro."

"Pensei que você tivesse voltado a dormir, agora que Hugh melhorou."

"Eu vou ficar bem, Laurence. Por favor, não se preocupe. Eu vou ficar bem."

"Bom, se você tem certeza."

Ela juntou as mãos para fazê-las parar de tremer. "Tenho."

Ela não foi para a cama quando ele saiu, continuou jogando cartas. Depois de uma hora, recostou-se na cadeira, mas, assim que fechou os olhos e começou a relaxar, abriu-os às pressas de novo. Jogou as cartas no chão.

"Maldição. Me deixe em paz", disse em voz alta.

Mas a garotinha se recusava a ir embora.

Gwen andou pelo quarto, tirando as coisas do lugar e colocando de volta em seguida. E se a menina estivesse doente? E se estivesse precisando da mãe?

No fim acabou dormindo, cansada demais para continuar acordada. Foi quando começaram os pesadelos. Ela estava em Owl Tree, caindo da árvore da coruja, ou andando em um carro de boi que nunca chegava a seu destino. Gwen acordou e começou a perambular pelo quarto. Escreveu uma longa carta para Fran sobre Savi Ravasinghe. Colocou em um envelope, endereçou e procurou um selo. Em seguida, porém, rasgou tudo em pedacinhos e jogou no cestinho de lixo. Depois disso, ficou olhando para o lago escuro.

No dia seguinte, não conseguia se concentrar, e perdeu a noção das coisas. Seu mundo estaria prestes a entrar em colapso como um castigo de Deus? Talvez o desenho não tivesse chegado porque Liyoni não estava bem. Algum mal-estar comum na infância. Nada de grave. Ou teria sido levada? Isso às vezes acontecia com as crianças. Ou Savi teria descoberto tudo e só estaria à espera do momento de abrir a boca? A cada dia de espera, roendo as unhas e incapaz de comer, seu sentimento de pavor só crescia.

Ela andava impaciente com Laurence, Naveena não estava por perto quando mais precisava, e Hugh a evitava, preferindo a companhia de Verity.

Gwen tirou as roupas do armário e estendeu na cama para ver que parte do guarda-roupa precisava ser atualizada e determinar o que não usava mais. Ela experimentou as peças uma a uma, mas, toda vez que se olhava no espelho, nada a agradava. As roupas estavam largas, e ela decidiu tirar a aliança, com medo de que escorregasse de seu dedo e se perdesse. Enquanto punha seus chapéus, começou a chorar. Naveena entrou no quarto e a encontrou imóvel no chão, soluçando e cercada de chapéus: de feltro, com penas, com lantejoulas e de sol. A mulher estendeu a mão, Gwen a pegou e se levantou com dificuldade. Quando ficou de pé, apoiou-se em Naveena, que a segurou com firmeza.

"Eu perdi peso. Nada mais me serve", ela disse entre soluços.

Naveena continuou abraçada a ela. "Senhora sofrer um pouco, só isso."

"Estou me sentindo péssima", ela falou quando as lágrimas pararam de cair.

Naveena entregou um lenço para ela limpar o rosto. "Hugh melhor. Senhora não precisar se preocupar."

"Não é Hugh. Bom, é Hugh, mas ao mesmo tempo não é."

Incapaz de proferir as palavras que queria, ela foi até a escrivaninha, pegou uma caixinha, encontrou a chave e destrancou. Gwen apanhou os desenhos de Naveena.

"E se ela estiver doente?"

Naveena deu um tapinha em suas costas. "Eu entende. Senhora não precisar quebrar cabeça. Pensar em outra coisa. Outro desenho já vir. Senhora chamar médico."

Gwen fez que não com a cabeça.

Mais tarde, porém, quando ficou toda arrepiada, sentindo-se como se sua pele estivesse sendo arrancada, não conseguiu aguentar. Seu estado mental em deterioração, exacerbado pela privação de sono, fez seu corpo todo doer. Ela sofria sobressaltos a cada barulhinho, ouvia coisas que não estavam lá, sentia-se incapaz de realizar as tarefas mais simples e se viu presa em um círculo vicioso, começando algo, abandonando e por fim se esquecendo do que estava fazendo. Quando sentiu que estava perdendo a conexão com tudo o que mais amava, enfim capitulou, ciente de que precisava pedir ajuda.

# 17

Felizmente, o médico pôde atendê-la quando Gwen telefonou. Sabendo que o preparado que ele pretendia prescrever estava a caminho, ela procurou por algo para fazer enquanto esperava. Em seu estado perturbado, não estava exatamente em condições de se dedicar à fabricação de queijo, e, em todo caso, havia treinado um ajudante de cozinha para a função, então em vez disso se debruçou sobre a contabilidade doméstica.

Ao longo dos anos, conseguira sanar as discrepâncias entre as encomendas feitas e pagas e aquilo que era de fato entregue. Gwen fazia questão de verificar pessoalmente todas as entregas, conferindo item a item nas notas apresentadas para o pagamento. As irregularidades foram solucionadas, e, apesar de em determinado momento ela ter desconfiado de que o *appu* andara roubando, isso era algo difícil de provar. Ela não esperava encontrar nenhum problema com as contas àquela altura.

Enquanto Naveena cuidava de Hugh, ela se sentou à escrivaninha e tentou não se preocupar. Esfregando as têmporas para amenizar a dor de cabeça, Gwen notou o pagamento por uma quantia maior que a habitual de arroz, uísque e óleo de cozinha quando Hugh estava doente. Quando foi até a despensa, esperava encontrar um estoque bem maior desses produtos, mas havia inclusive menos que o normal. Além dela, apenas o *appu* tinha a chave.

Na cozinha, ela esperava confrontar o cozinheiro a respeito, mas só encontrou McGregor fumando seu cachimbo, com um bule de chá diante de si.

"Sra. Hooper", ele falou, erguendo o bule e se servindo. "Como vai? Quer chá?"

"Um pouco cansada, sr. McGregor. Não quero chá, obrigada. Queria falar com o *appu*."

"Ele foi para Hatton com Verity. Acho que ela levou o Daimler."

"É mesmo? Por que eles foram juntos?"

"Assunto de negócios, ela falou."

Gwen franziu a testa. "Que tipo de negócios?"

"Ela cuidou das encomendas enquanto a senhora esteve ocupada com Hugh. Acho que devem ter ido buscar os mantimentos."

"E ela cuidou dos pagamentos também?"

"Acredito que sim."

"E o senhor ainda costuma ir ao banco em Colombo?"

"Sim, eu trago o dinheiro para pagar os trabalhadores e cobrir as despesas da casa." Ele fez uma pausa. "Bom, é o que costumo fazer, mas tínhamos uma quantidade imensa de chá para processar este mês, e, com Laurence preocupado como estava, Verity foi no meu lugar."

"Com o Daimler, imagino."

Ele confirmou com a cabeça.


Gwen pôs Hugh para dormir e, ciente de que o remédio para a falta de sono logo viria, chamou Naveena até seu quarto.

Assim que a mulher se sentou, Gwen procurou os olhos tranquilos da aia. "Por que o desenho deste mês está atrasado? Preciso saber."

Naveena encolheu os ombros. O que aquilo significava?

"Ela está bem? Aconteceu alguma coisa?", continuou Gwen.

"Senhora esperar um pouco mais", disse Naveena. "Se menina doente, notícia já chegar agora."

Gwen estava exausta. Era difícil manter até mesmo as conversas mais elementares, mas precisava saber se Liyoni estava a salvo.

Enquanto conversavam, Verity entrou. "Olá. Trouxe uma coisa para você."

"Obrigada, Naveena", Gwen falou, dispensando a mulher.

"Estávamos em Hatton", Verity contou depois que a aia saiu.

"Fiquei sabendo."

"Encontrei o velho dr. Partridge por lá."

"Ora, Verity, ele não é nem um pouco velho. Só está ficando calvo." Ela abriu um sorrisinho. "É um homem excelente, você sabe disso. E não é de se jogar fora."

Verity ficou vermelha. "Não seja boba. Ele me deu a receita do remédio para pegar na farmácia. Estava indo fazer isso pessoalmente, mas resolvi poupá-lo desse trabalho. Quer que eu misture com seu leite?"

"Ah, por favor, você faria isso?"

"Acomode-se na cama que eu vou até a cozinha e trago adoçado com melaço, para tirar o gosto ruim. Que tal?"

"Obrigada. É muita gentileza sua."

"Se existe alguém no mundo que sabe o quanto a insônia é terrível, sou eu. Mas confesso que estou surpresa. Hugh já está muito melhor... Pensei que você fosse apagar depois disso."

"Tudo o que aconteceu me deixou em um estado de ansiedade generalizada."

"Pois é. Volto daqui a pouquinho."

Gwen tirou as roupas e apanhou a camisola branca que Naveena deixara na cama. Ela a ergueu até o nariz e inalou o perfume fresco e floral, em seguida vestiu por cima da cabeça e fechou os botões. A culpa a deixara presa em um estado constante de medo, mas, esfregando as mãos e desejando tempos mais felizes, ela tentou afastar os pensamentos mais nebulosos. Naveena podia estar certa, e talvez Liyoni estivesse bem, mas era possível que o desenho tivesse sido interceptado.

Caso perdesse tudo, na melhor das hipóteses voltaria para Owl Tree e nunca mais veria seu querido Hugh. Ela estremeceu ao pensar no filho sem a mãe, e imaginou Florence e as outras fazendo a mesma expressão de superioridade caso tudo viesse à tona. Com os olhos cheios de malícia, elas se parabenizariam por ter sido Gwen quem sucumbira aos avanços de um nativo charmoso, não uma delas.

Quando Verity voltou, Gwen estava trêmula de medo.

"Minha nossa. Você está muito mal. Aqui está. Não está muito quente, então beba tudo de uma vez. Vou ficar aqui até você pegar no sono."

Gwen bebeu o leite com o pó cor-de-rosa, que, apesar de amargo, não era tão ruim quanto esperava, e logo sentiu seus olhos se fecharem. Ainda ficou semiadormecida por um tempo, sentindo-se confortavelmente grogue, e, ao perceber que sua dor de cabeça passara, perguntou-se com o que vinha se preocupando tanto antes de cair no sono de vez.

Na manhã seguinte, Gwen mal conseguia tirar a cabeça do travesseiro, apesar de sentir a mesma dor *inclusive* deitada. Ela ouviu vozes no corredor, e lhe pareceu que Naveena e Verity estavam discutindo.

Alguns minutos depois, Naveena entrou. "Eu traz chá mais cedo, mas não conseguir acordar senhora. De nenhum jeito."

"Algum problema com Verity?", Gwen perguntou, olhando para a porta.

A velha aia parecia incomodada, mas não disse nada.

Gwen estava suando frio, como se estivesse prestes a ficar gripada. "Preciso levantar", disse, tentando apoiar os pés no chão, quando Verity entrou.

"Ah, nada disso. Você precisa descansar até estar se sentindo melhor. Pode ir, Naveena."

"Não estou doente, só cansada. Preciso cuidar de Hugh."

"Pode deixar Hugh comigo."

"Tem certeza?"

"Absoluta. Na verdade, pode deixar tudo comigo. Já defini os cardápios e paguei os empregados."

"Eu queria falar com você." Gwen não conseguia se concentrar, e quase cochilou por um momento. "Não me lembro bem. Era sobre as entregas? Ou alguma coisa..."

"Tem um preparado para você tomar de dia também. Vou misturar com chá e mel de abelha. Provavelmente não vai precisar de leite para esse."

Verity foi até a cozinha e voltou com um copo de líquido marrom esverdeado.

"O que é isso?"

Verity inclinou a cabeça. "Hã? Não sei direito. Mas segui ao pé da letra as instruções."

Logo depois de beber a poção, Gwen relaxou, desfrutando de uma sensação deliciosa de estar flutuando. Livre de todas as preocupações e sentindo-se totalmente leve, ela cochilou outra vez.

Gwen começou a gostar da "poção mágica", como agora se referia ao remédio. Quando a bebia, flutuava em meio a uma névoa, livre das dores de cabeças e das preocupações, mas junto com o estupor vinha a falta de apetite e uma incapacidade total de manter um diálogo. Quando Laurence foi vê-la certa noite, ela tentou ao máximo se comportar normalmente, mas o olhar preocupado no rosto dele revelou que estava longe de conseguir isso.

"Partridge vai passar aqui amanhã de manhã", ele avisou. "Só Deus sabe o que anda receitando para você."

Gwen encolheu os ombros quando ele pegou sua mão. "Eu estou bem."

"Você está suando."

"Acabei de dizer que estou bem."

"Gwen, você claramente não está nada bem. Talvez seja melhor não tomar o preparado hoje à noite. Não acho que esteja lhe fazendo bem, e Naveena também não."

"Ela disse isso?"

"Sim. Veio me procurar, toda preocupada."

Ela sentiu a garganta se fechar. "Laurence, eu preciso disso. Está me fazendo bem. Naveena está enganada. Minhas dores de cabeça passaram."

"Fique de pé."

"Quê?"

"Fique de pé."

Ela se arrastou até a beira da cama e pôs os pés no chão, estendendo a mão para ele. "Me ajude, Laurence."

"Quero ver você fazer isso sozinha."

Ela mordeu o lábio e fez um esforço para se levantar, mas o quarto estava se movendo, balançando de um lado para o outro, e a mobília oscilava. Gwen se sentou outra vez. "O que foi que você me pediu, Laurence? Não me lembro."

"Pedi para você ficar de pé."

"Ora, que tolice isso, não?" Ela riu, entrou debaixo das cobertas de novo e ficou olhando para ele.

# 18

Pela manhã, Gwen se sentou à penteadeira e abriu uma gaveta em que o cheiro de sua mãe ainda estava preservado em um lenço bordado. Ela o pegou e o cheirou. Fortalecida pela breve conexão com a família, pôs um vestido de seda, um par de chinelos, um xale fino em torno dos ombros e saiu da casa pela porta lateral.

Verity e McGregor estavam sentados na varanda. "Querida, como você está?", Verity perguntou com um sorriso largo.

"Pensei em tomar um pouco de ar fresco."

"Sente-se conosco. Aqui está sua bebida."

Gwen bebeu a mistura, mas não se sentou.

"Não vai tomar o café da manhã? Iria lhe fazer bem."

"Acho que vou dar uma volta."

"Espere." Verity abriu a bolsa e tirou de lá um papel dobrado. "Quase tinha me esquecido, mas Nick me lembrou", disse. "Estou com isso na bolsa desde que Hugh adoeceu."

"Ah, é?"

Verity estendeu a folha amassada. "Você pode entregar para Naveena?"

Enquanto ela entregava o papel, uma porta bateu em algum lugar da casa. Os joelhos de Gwen pareciam prestes a ceder, mas ela fingiu um olhar de surpresa, sentindo o coração acelerado e os pensamentos confusos.

"É algum tipo de desenho", explicou Verity. "Para Naveena, de uma sobrinha ou prima de uma aldeia do vale. Está meio borrado, porque um pouco do carvão se soltou do papel."

Emocionalmente abalada, Gwen ficou pálida. Ela dobrou de novo o papel e torceu para que o medo que sentia não transparecesse, e para que as vozes sussurrantes que escutava estivessem apenas em sua cabeça.

*Uma mulher inglesa temente a Deus jamais poderia ter concebido uma criança de cor.*

Nick McGregor, que se mantivera em silêncio até então, olhou para ela. "Eu encontrei isso com o cule que traz o leite."

"Ah."

"Cuidei para que o cule fosse trocado, e dei ordens expressas para que não trouxesse nenhum tipo de recado."

"Vou entregar para Naveena."

"Eu queria ter contado antes, mas com Hugh doente..." Ele abriu as mãos em um gesto amplo.

Gwen não ousou responder.

"E eu sei que a senhora também não anda muito bem." Ele fez uma pausa.

"Gwen, você está pálida. Está tudo bem?" Verity estendeu a mão, mas Gwen deu um passo para trás. Eles sabiam. Ambos sabiam, e estavam querendo provocá-la.

"Enfim", continuou McGregor, "eu não posso permitir que os cules fiquem passando recados, nem mesmo para a aia."

Gwen se esforçou para pensar em algo que dizer. "Eu vou pôr um fim nisso."

"Ótimo. Não queremos que os empregados pensem que podem mandar recados às nossas custas sempre que quiserem. Com os incidentes que vêm acontecendo, ainda que não seja nada grave, não podemos permitir nenhum tipo de comunicação clandestina."

"Vamos torcer para que seja mesmo assunto de família, e não coisa de algum ativista", comentou Verity. "Sempre pensei que Naveena não tivesse parentes."

Gwen tentou não se mostrar abalada, mas precisava mudar de assunto, e, se apegando ao primeiro pensamento que lhe ocorreu, começou a falar. Por sorte, porém, McGregor se levantou, interrompendo-a, e Gwen aproveitou a deixa para se afastar.

O jardim estava terrivelmente quente enquanto ela passeava pelos arbustos. Com uma das mãos, passava a ponta dos dedos nas flores vermelhas e cor de laranja, e com a outra segurava o desenho de Liyoni, cuidadosamente dobrado. Elas precisariam pensar em outro método de comunicação com a aldeia, mas pelo menos agora havia uma explicação para o atraso na chegada do desenho. Não fora porque Gwen se recusara a confessar. Liyoni estava bem, em segurança, e não havia motivo para preocupação a esse respeito.

Ela caminhou pela beira do lago e pensou em nadar um pouco, mas o remédio já estava começando a fazer efeito, e, quando as manchas douradas na água começaram a se borrar e as cores do céu e do lago se misturaram, seus passos começaram a oscilar. Ela sacudiu a cabeça para clarear os pensamentos: o lago voltou a ser o lago, e o céu era de novo o céu. Gwen foi até a cabana dos barcos. Era o lugar certo para ficar — seguro e cheio de boas lembranças.

Ela abriu a porta e olhou lá dentro.

A lareira estava apagada, obviamente, e o ar estava úmido, mas, sentindo o peso do cansaço, ela pegou uma colcha de crochê para se cobrir e deitou no sofá.

Algum tempo depois, ouviu a voz de Hugh. A princípio, pensou que estivesse sonhando, e sorriu ao pensar nele. Seu menino lindo e bonzinho. Vinha passando pouquíssimo tempo com ele ultimamente. Era sempre "Verity isso", "Verity aquilo". Mas, quando escutou a voz de Laurence também, e de novo a de Hugh, ficou com vontade de ver seus rapazes. Ela queria tocar os cabelos do filho, e sentir os braços do marido em torno do corpo. Gwen tentou ficar de pé, mas, sentindo a cabeça pesada, teve que se segurar no braço do sofá.

"Vamos ver se a mamãe está aqui?", ouviu Gwen.

"Boa ideia, garotão."

"Papai, o Wilfred também pode entrar?"

"Deixe-me dar uma olhada lá dentro e nós já entramos."

Gwen viu a silhueta de Laurence na porta. "Ah, Laurence, eu..."

Quando ele caminhou em sua direção, parecia tão grande que preenchia todo o espaço da cabana. Ela ainda ouviu o marido dizer algumas palavras antes de apagar.


Quando Gwen recobrou a consciência, ouviu a voz de Laurence. Estavam em seu quarto, e o dr. Partridge conversava com Laurence junto à janela. Ela não conseguia distinguir seus rostos, mas os dois estavam bem próximos, de perfil, com as mãos às costas.

Ela tossiu, e o médico se virou. "Eu gostaria de examinar você, Gwen, se não for muito incômodo."

Ela tentou ajeitar os cabelos. "Ora, sei que devo estar horrível, mas estou bem, John."

"Mesmo assim."

Ele examinou seus olhos, e então escutou seu coração. "Ela desmaiou, foi isso, Laurence?"

"Eu a encontrei no chão da cabana dos barcos."

"E ela parecia confusa?"

Gwen viu Laurence assentir com a cabeça.

"As pupilas estão bem pequenas, e o batimento está acelerado." Ele olhou ao redor. "Onde está o copo em que você bebeu o medicamento, Gwen?"

"Não sei. Lá fora, eu acho. Não me lembro bem."

Gwen fechou os olhos e cochilou enquanto Laurence ia atrás do copo. Quando voltou, entregou-o ao médico.

O dr. Partridge sentiu o cheiro, mergulhou o dedo no líquido que restava e levou à boca. "Parece forte demais."

"Onde está o remédio que John prescreveu?", perguntou Laurence.

Gwen apontou para o banheiro, e Laurence foi até lá buscar os papelotes dobrados.

O médico os observou com as sobrancelhas franzidas. "Mas essas doses são altas demais."

Laurence deu uma olhada nos papelotes, horrorizado.

O médico parecia perplexo. "Me desculpe. Não sei como isso pode ter acontecido."

"Você deve ter errado na receita."

O médico fez que não com a cabeça. "Devem ter lido errado na farmácia."

Laurence o encarou e respirou fundo.

"Em todo caso, Gwen, você precisa parar de tomar imediatamente. Não é uma dosagem apropriada ao seu tipo físico. Ela pode ter algumas reações, Laurence. Dores, sudorese, mal-estar. Falta de disposição. Se em cinco ou seis dias não passar, me chame. Eu procuro outra solução."

"Espero que sim. Isso é imperdoável."

O dr. Partridge baixou a cabeça e saiu, e Laurence foi se sentar junto a ela na cama.

"Você vai se sentir melhor em breve." Ele estendeu para ela um pedaço de papel. "Encontrei um desenho de Hugh no chão da cabana, perto de onde você desmaiou."

"Ah, o que será que isso estava fazendo lá?", ela perguntou, tentando parecer calma, mas sentindo o estômago se revirar. Laurence achava mesmo que o desenho era de Hugh?

"Acho que deixamos a cabana destrancada, mas é um desenho antigo. Os recentes são muito melhores. Pelo menos agora dá para distinguir o rosto do resto do corpo." Ele sorriu ao lhe entregar o papel.

Ela forçou um sorriso ao recebê-lo. Laurence não fazia a menor ideia.

# 19

Por três dias, Gwen se sentiu péssima. Furiosa com Laurence por chamar o médico e tirar seu remédio para a insônia, ela se recusou a conversar com o marido. O pouco que comia, era no quarto, e de fato se sentia bem desanimada. Nem a presença de Hugh a alegrava. Acima de tudo, queria estar em casa com a mãe e, desejando jamais ter conhecido Laurence, derramava lágrimas furiosas.

Enquanto tomara a medicação, ficara livre das preocupações e das dores de cabeça, mas agora parecia que algo havia se apoderado de seu corpo. Sua cabeça doía tanto que ela mal conseguia pensar, suas mãos estavam sempre molhadas, e, com o suor escorrendo por entre os seios, precisava trocar de camisola três vezes por dia. Gwen mal sabia onde estava, todas as articulações de seu corpo doíam, parecia haver agulhas cravadas em sua pele e seus músculos estavam tão doloridos que ela não suportava nem o mais leve toque.

No quarto dia, em um esforço para recuperar alguma aparência de sanidade, ela juntou todas as cartas da mãe e, aos prantos, releu notícia por notícia. As memórias da terra natal inundaram sua mente, e o sol da manhã bailava em um mosaico de luz sobre as folhas espalhadas na escrivaninha. Ela sentia falta da Inglaterra: as geadas no inverno, os primeiros flocos de neve e os dias agradáveis de verão na fazenda. Mais do que tudo, tinha saudade da garotinha que costumava ser, cheia de esperanças, crente de que sua vida seria uma maravilha. Quando parou de chorar, tomou um banho, lavou os cabelos e começou a se sentir um pouco melhor.

No quinto dia, ainda com as mãos trêmulas, decidiu se vestir e, com certa relutância, saiu para almoçar na sala de jantar. Fez um esforço para mostrar que estava de volta ao normal, e escolheu um vestido de musselina com uma echarpe comprida de chiffon. O vestido estava mais largo que antes, mas esvoaçava de um jeito bonito quando ela caminhava, proporcionando uma sensação gostosa de flutuar.

Já era bem mais de meio-dia, mas ela decidiu dar mais uma verificada rápida na despensa. Quando abriu as portas, ficou surpresa ao ver as prateleiras envergadas sob o peso do suprimento de arroz, óleo de cozinha e uísque. O *appu* a observou enquanto fazia isso e, quando ela franziu a testa, encolheu os ombros e murmurou algo que Gwen não entendeu. Ela coçou a cabeça. Não fazia sentido. Qual era o problema com ela? Estaria tão cansada que imaginara que as mercadorias não estavam lá quando verificou antes? Ela balançou a cabeça, detestando o fato de as coisas terem saído de seu controle daquela maneira.

As chuvas ainda não tinham chegado, e, como o tempo estava aberto, Gwen voltou para o quarto a fim de ventilar o ar viciado antes de ir para a sala de jantar. Ao abrir as janelas, ouviu o jardineiro assobiando enquanto trabalhava. Dentro da casa, o telefone tocou, e alguém começou a cantar. Parecia tudo normal. Ao sair do quarto, ela se sentia mais confiante, considerando seu trato com Deus uma coisa do passado, e inclusive começou a questionar se de fato tinha alguma fé, mas logo se deu conta de que sim, caso contrário com quem poderia contar para perdoá-la?

Na sala de jantar, o almoço estava servido para quatro pessoas. Laurence, McGregor e Verity já estavam lá, com dois camareiros a postos.

"Oh, aí está ela", Laurence comentou com um sorriso largo.

Assim que Gwen se sentou, eles foram rapidamente servidos.

"Pelo jeito o suflê deu errado", falou Verity. "Nunca fica muito bom, mesmo quando dá certo."

Durante a refeição, a conversa girou sobre o chá, os leilões futuros e o financiamento de Laurence para adquirir a fazenda vizinha. Verity parecia de bom humor, e Laurence também estava contente.

"Bem, fico feliz em anunciar que os problemas nas linhas de trabalho parecem resolvidos", disse McGregor.

"O sr. Ghandi pretende visitar o Ceilão de novo?", perguntou Verity.

"Duvido. Mas, se vier, isso não vai causar problemas para nós. Nenhum trabalhador vai ter permissão para ir vê-lo falar."

"Talvez eles devessem ir", argumentou Gwen, virando-se para Laurence. "O que você acha?"

Ele franziu a testa, e Gwen ficou com a impressão de que se tratava de um ponto de discórdia entre os dois homens.

"É uma questão meramente hipotética", rebateu McGregor.

"Qual foi o motivo dos problemas recentes?", Gwen quis saber.

"O de sempre", respondeu McGregor. "Direitos trabalhistas. Os agitadores do sindicato aparecem, causam um pandemônio entre os trabalhadores e sou eu que acabo tendo de recolher os cacos."

"Pensei que o novo Conselho Legislativo bastaria", comentou Laurence. "E a quantidade de tempo e dinheiro que o Departamento de Agricultura gastou ensinando as pessoas a aprimorar os métodos de cultivo."

"Sim, mas isso não ajuda os trabalhadores, não é mesmo?", rebateu Gwen. "E John Partridge me disse uma vez que acha que grandes mudanças ainda vêm pela frente."

Laurence bufou. "Tem razão. Para o Congresso Nacional, isso ainda não é suficiente."

"Quem é que sabe o que eles pensam?" McGregor fez uma careta e riu. "Isso *se* conseguirem pensar! Uma coisa é dar às mulheres maiores de vinte e um anos o direito de votar na Inglaterra, mas permitir o voto de um bando de nativos ignorantes?"

Gwen ficou morrendo de vergonha, porque o mordomo e os camareiros estavam escutando a conversa. Era vexatório ouvir McGregor falar daquela maneira tão insensível e deselegante. Ela ficou com vontade de retrucar, mas, em seu estado fragilizado, achou melhor não.

Durante o restante da refeição, ela tentou estabelecer um clima de normalidade, o que só conseguiu em parte. Participou da conversa, mas, quando mudavam de assunto, seu nível de concentração caía, e ela se perdia. Gwen manteve os olhos sempre atentos a Verity e McGregor, à procura de indícios de que voltariam a mencionar o desenho, mas seu cérebro não estava funcionando bem, e nada fazia muito sentido. Os homens discutiram sobre política por mais algum tempo, mas ela ficou aliviada quando um belíssimo pavê foi trazido, e a atmosfera na sala mudou.

"Que lindo", disse Verity, batendo palmas.

Todos ficaram em silêncio enquanto comiam a sobremesa.

"Que tal uma caminhada, Gwen?", Laurence perguntou com um sorriso.

Ela percebeu um afeto tão intenso nos olhos dele que até se sentiu mais forte. "Eu gostaria. Só preciso pegar meu xale. Não sei se está frio ou se faz calor."

"Fique à vontade. Eu espero no terraço."

Ela foi até o quarto, pegou o xale favorito e jogou sobre os ombros. Importado da Caxemira, tinha o lindo desenho de um pavão em meio à estampa floral, e havia sido de sua mãe. Inclusive, o tecido de lã azul e verde estava um pouco gasto. Gwen estava quase fechando a porta do quarto quando ouviu Laurence conversando com alguém no jardim. As paredes grossas isolavam a casa do calor e do ruído, mas as pessoas nunca pareciam se dar conta de que, com as janelas abertas, era possível ouvir tudo o que se conversava do lado de fora do quarto, e até na estufa em pontos mais distantes do jardim.

"Não leve para o lado pessoal", disse Laurence.

"Por que eu não posso ir também?"

"Um homem precisa de um tempo a sós com a esposa às vezes, e não esqueça que ela esteve doente."

"Ela está sempre doente."

"Que absurdo. E, sinceramente, depois de tudo o que fiz por você, fico muito chateado por ouvir isso."

"Tudo o que você faz é para ela."

"Ela é minha mulher."

"Pois é, e nunca me deixa esquecer isso."

"Você sabe que não é verdade." Ele fez uma pausa quando Verity resmungou alguma coisa.

"Eu lhe dou uma mesada generosa. Passei a casa de Yorkshire para o seu nome e permito que fique aqui pelo tempo que quiser."

"Eu sou educada com ela."

"Eu gostaria que você a amasse."

*Não pense em nada*, disse Gwen a si mesma, com lágrimas nos olhos. *Não se mexa.* Apesar de bastante magoada, ela permaneceu onde estava.

"Depois que Caroline morreu, eu tinha você só para mim."

"Sim, é verdade. Mas você precisa seguir em frente com sua vida. Não é saudável ficar tão apegada a mim. Agora, além de dizer que já passou da hora de você arrumar um marido, não quero mais falar sobre esse assunto."

"Imaginei que fosse dizer isso, mas você sabe muito bem que só existe um homem com quem eu me casaria."

Durante uma longa pausa, Laurence e Verity ficaram em silêncio. Gwen fechou os olhos. Em seguida ouviu a cunhada voltar a falar.

"Você acha que eu fiquei para titia?"

"Parece que foi isso que você escolheu para si." A voz dele parecia tranquila, mas a dela tinha um tom de petulância quando respondeu.

"Eu tenho uma boa razão. Você pensa que sabe tudo, mas não sabe."

"Do que você está falando?"

"Você sabe. De Caroline... e Thomas."

"Ora, Verity, não existe razão nenhuma para algo assim acontecer com você."

"Você pode até ser o irmão mais velho, mas não entende certas coisas sobre nossa família."

"Você está sendo melodramática. Enfim, acho que está passando tempo demais aqui. Está na hora de procurar alguma coisa para fazer."

"Diga o que quiser, Laurence, mas..."

Eles se afastaram, e suas vozes se tornaram distantes. Gwen não conseguia mais ouvi-los. Ela respirou fundo e soltou o ar devagar pela boca. Depois de todo o esforço que havia feito com Verity, estava muito magoada. Enquanto caminhava de um lado para o outro, pensando a respeito, Laurence apareceu na porta.

"Você está linda, Gwen."

Ela sorriu, contente pelo elogio. "Ouvi você conversando com Verity enquanto estavam no jardim."

Laurence não respondeu.

"Ela não gosta de mim. Pensei que pudesse gostar, depois de tanto tempo."

Ele suspirou. "Ela é uma garota complicada. Acho que está se esforçando de verdade."

"Quem era o homem por quem ela se apaixonou?"

"Como assim, o noivo dela?"

"Não, estou falando daquele que não retribuiu seu amor."

Ele franziu a testa. "Era Savi Ravasinghe."

Gwen olhou para o chão, esforçando-se para esconder o choque. No longo silêncio que se seguiu, o passado desfilou diante de seus olhos, inclusive a imagem de sua calcinha de seda caída no chão.

"Ele iludiu Verity de alguma forma?", ela perguntou por fim.

Laurence encolheu os ombros, mas seu corpo ficou tenso, como se houvesse algo que não era capaz de dizer. "Os dois se conheceram quando ele pintou o retrato de Caroline."

"Onde está esse retrato, Laurence? Eu nunca vi."

"No meu escritório."

Ela viu uma dor profunda nos olhos dele, porém com um toque de raiva. Por quê? Laurence estava com raiva dela?

"Eu gostaria de ver. Nós temos tempo para isso antes da caminhada?"

Ele fez que sim com a cabeça, mas ficou em silêncio enquanto atravessavam o corredor.

"A semelhança com ela é grande?", ela perguntou.

Mais uma vez, ele não respondeu, e abriu a porta do escritório com as mãos trêmulas.

Quando entraram, ela esquadrinhou o cômodo com os olhos. "Não sabia que estava pendurado. Da última vez que entrei aqui não estava."

"Já tirei algumas vezes, mas sempre acabo pendurando de novo. Você se incomoda?"

Gwen não sabia ao certo como se sentia a respeito, mas fez que não com a cabeça e examinou a pintura. Caroline fora retratada com um sári vermelho com fios prateados e dourados e um bordado com pássaros e folhas na parte que caía sobre os ombros. Ravasinghe retratara a beleza de Caroline de uma forma que não transparecia na fotografia que Gwen vira dela, mas havia algo frágil e triste no rosto da mulher que a deixou profundamente abalada.

"Esses fios são de prata de verdade", ele falou. "Vou mandar tirar. Deveria ter guardado em um depósito há muito tempo. Não sei por que ainda não fiz isso."

"Ela sempre usava sári?"

"Não."

"Por um momento, pareceu que você estava com raiva."

"Talvez."

"Tem alguma coisa que você não me contou?"

Ele virou as costas. Talvez estivesse com raiva de si mesmo, ela pensou, ou ainda se sentisse culpado por não ter providenciado a internação de Caroline? Gwen sabia muito bem que a culpa era capaz de consumir uma pessoa por dentro, e que era uma presença persistente, invisível a princípio, mas que ia crescendo até ganhar vida própria. Entristecida, teve a sensação de que Laurence talvez jamais se recuperasse totalmente da morte trágica da primeira esposa.

# 20

O tempo passou e, apesar de alguns momentos de ansiedade aguda em que foi obrigada a lutar contra o pânico, Gwen se sentia mais forte a cada dia. Hugh corria pela casa sem parar em seu triciclo, e Laurence estava animado. Gwen lia seus livros favoritos em um banco perto do lago, onde, ouvindo os passarinhos e o barulho suave da água, permitia que a natureza a curasse. Aos poucos, foi voltando a ser quem era, e as preocupações com o desenho e a culpa por ter quebrado seu trato com Deus foram se aplacando.

Ela soube que estava melhor de fato quando tomou café da manhã pela primeira vez em meses: linguiça, um pouco tostada, como gostava, um ovo frito, duas fatias de toucinho magro, uma torrada e duas xícaras de chá.

Como os meses se passaram tão depressa ela não sabia, mas já era outubro, e enfim começou a se sentir mais alegre. Olhou pela janela para o lago, onde um vento fresco agitava a superfície da água. Uma caminhada com Hugh seria perfeita para aquele momento. Ela chamou Spew e Bobbins, e em seguida encontrou Hugh se balançando em seu cavalinho de pau, gritando "eia".

"Querido, quer dar uma volta com a mamãe?"

"Wilf pode ir também?"

"Claro que pode. Só não se esqueça de pôr as galochas. Vai estar tudo molhado."

"Não está chovendo mais."

Gwen fez uma careta e olhou para o céu. Durante os últimos meses, mal havia notado as mudanças no tempo. "Acho que a bobinha da mamãe se distraiu e nem percebeu que a chuva tinha parado."

Ele riu. "A bobinha da mamãe. Verity sempre fala assim. Vou pegar minha pipa."

Gwen pensou na cunhada. Não houvera problemas entre as duas nos últimos tempos. Verity aceitara o conselho de Laurence sobre passar mais tempo fora da fazenda, e, apesar de já estar de volta, pelo menos ficara um tempo viajando.

Nem Verity nem McGregor voltaram a mencionar o desenho, e, desde que McGregor abolira o uso do carro de boi para transmitir mensagens, Naveena tinha que subornar o *dhobi* para trazer os desenhos sempre que possível. No entanto, não se tratava mais de um sistema frequente de avisos, os papéis chegavam sem periodicidade definida, não mais na época de lua cheia, e não havia garantia nenhuma de que o *dhobi* manteria a boca fechada. Mas o homem gostava de dinheiro, e ela torcia para que isso fosse suficiente para tê-lo como aliado.

Quando Gwen e Hugh chegaram ao lago, o caminho ainda estava enlameado. Ela não amarrara os cabelos, e gostou de senti-los balançando ao vento, observando os cachorros correndo à sua frente. Na outra margem do lago, sombras arroxeadas escureciam a água. Hugh ainda estava em uma idade em que qualquer coisa despertava um interesse infinito. Com um olhar determinado de quem não aceitava nenhum argumento contrário, ele examinava cada pedrinha ou folha que chamasse sua atenção, enchendo os bolsos de ambos com tesouros que minutos depois seriam esquecidos.

Sentindo-se grata por voltar a viver depois de tanto tempo fechada em si mesma, ela observou o filho com o coração transbordando de amor com o sorriso, as perninhas grossas, os cabelos rebeldes e as risadinhas contagiantes do menino. O som agradável dos pássaros preenchia o ar, e, quando ergueu o rosto para receber o sol na pele, ela se sentiu em paz; mesmo assim, alguma coisa ainda a incomodava.

Eles caminharam um pouco mais, porém Hugh começou a chorar quando sua pipa se enroscou toda na linha e se recusou a subir.

"O que aconteceu, mamãe? Você consegue arrumar?"

"Acho que só o papai consegue arrumar, querido."

"Mas eu quero soltar agora." Tomado pela raiva de ter suas expectativas contrariadas, ele atirou a pipa no chão.

Ela a recolheu. "Venha, dê a mão para mim e vamos cantar uma música no caminho de volta para casa."

Ele sorriu. "Wilf pode escolher?"

Ela fez que sim com a cabeça. "Tem certeza de que Wilf conhece alguma música?"

Hugh começou a pular de empolgação. "Conhece, sim. Conhece, sim. Conhece, sim."

"E então?"

"Ele já está cantando, mamãe. Está cantando 'Carneirinho, carneirão'."

Ela riu e viu Laurence descendo os degraus da frente da casa. "Claro. A bobinha da mamãe não ouviu."

"Aí estão vocês", Laurence falou. "É melhor entrarem."

"Fomos dar uma volta no lago."

"Você está lindíssima. Fez até as rosas desabrocharem de novo."

"Eu também fiz rosas, papai?"

Laurence riu.

"Estou me sentindo melhor mesmo", ela falou. "E nós dois fizemos rosas."

Só havia uma coisa que impedia Gwen de relaxar totalmente, então na manhã seguinte ela se arrumou e avisou Naveena que queria fazer uma caminhada bem longa. No fundo da mente, sabia que a velha aia faria alguma objeção caso houvesse um bom motivo para isso.

Naveena olhou para o céu. "Chuva chegar em breve, senhora."

"Eu levo um guarda-chuva."

Quando saiu de casa, ela pegou imediatamente a estrada. Respirando fundo e balançando os braços, conseguia pensar melhor enquanto andava. Quando a superfície dourada do lago sumiu das vistas, Gwen chegou à parte do caminho onde as samambaias molhadas pen-

235

duradas nas árvores quase alcançavam o chão. O cheiro das fogueiras usadas pelos trabalhadores das linhas de trabalho para cozinhar ainda pairava no ar, acompanhado do ruído distante do latido dos cães. Uma imobilidade carregada de expectativa pairava no ar. *A calmaria que antecede tempestade*, ela pensou, observando a aproximação das nuvens escuras em meio aos raios de sol.

Ela sempre se considerara uma boa pessoa, educada para saber discernir o certo do errado. Desde o nascimento dos gêmeos, porém, essa convicção fora profundamente abalada, apesar de seu amor por Hugh e Laurence ser inequivocamente certo — disso era possível ter certeza. Mas e quanto a Liyoni? Gwen sabia que a menina estava bem, pois o desenho faltante chegara, mas e se não estivesse sendo amada?

Uma lembrança lhe veio à mente, do dia em que Liyoni nasceu. À medida que outras imagens iam se acumulando, ela teve ainda mais certeza de que ir até a aldeia era a coisa certa a fazer. Gwen não queria nem cogitar a hipótese de que Liyoni, afastada de sua verdadeira mãe, estivesse vivendo em meio a uma inexplicável sensação de abandono. Estremecendo de ansiedade pela ideia de ver a filha outra vez, ela se imaginou levando Liyoni para casa consigo, mas, quando a chuva começou e depois ficou mais forte, seu coração disparou. Laurence poderia não ficar tão ofendido com a cor da pele de Liyoni quanto as demais pessoas brancas do local, mas certamente acabaria magoadíssimo com a infidelidade da esposa.

Enquanto percorria a estrada, ela procurava pela entrada certa, mas, com a chuva caindo das árvores sobre seus olhos, estava difícil enxergar. Por fim, encontrou uma trilha que seguia pela esquerda, marcada por uma pedra coberta de líquen, e parou para recobrar o fôlego. Conseguiu avançar abrindo caminho entre os galhos com o guarda-chuva, mas, depois de vinte ou trinta metros, a parede de vegetação se tornou densa demais. Ofegante pelo esforço para tentar se desvencilhar do mato, acabou se embrenhando ainda mais, e ficou em pânico até o momento em que, em meio às lágrimas, conseguiu se libertar. A trilha havia chegado ao fim, e seu guarda-chuva estava arruinado.

Ela arrancou as folhas e os gravetos dos cabelos e, em meio a uma chuva ainda mais pesada, voltou para a estrada, tendo que se esforçar para enxergar em meio à névoa branca que baixara no caminho. Vultos escuros apareciam e desapareciam na beira da estrada, e ela ergueu a mão para se defender, subitamente amedrontada. Um pássaro grasnou, e ela ouviu o som de um impacto pesado, seguido do estalo de galhos se quebrando.

Gwen puxou os cabelos molhados da nuca e os sacudiu para se livrar da água. Agora que começara, não queria desistir. Queria ver a filha de novo; queria ver como ela estava, observar os olhinhos dela e vê-la sorrir. Queria segurar a mãozinha da menina, beijá-la no rosto e abraçá-la como fazia com Hugh. Por alguns instantes, Gwen se abriu para os sentimentos que tanto se esforçava para reprimir. Instintivamente, sempre soube que, caso deixasse que o amor pela filha viesse à tona, jamais conseguiria viver sem ela. Naquele momento, quando se permitiu querer a presença de Liyoni, sentiu uma dor tão grande que suas pernas fraquejaram. Depois de endireitar o corpo, ela limpou os olhos, respirou fundo e olhou ao redor. Gwen jamais encontraria a aldeia com aquele tempo. Atordoada pelo excesso de estímulos, sentou-se em uma pedra no meio da chuva e envolveu o próprio corpo com os braços, fingindo que era Liyoni que estava abraçando.

Ela permaneceu assim até ficar ensopada, e então suprimiu um soluço e afastou a garotinha da mente. Com o peito apertado e quase incapaz de respirar, ficou de pé. Durante vários minutos, não saiu do lugar, observando os pingos pesados de chuva ricochetearem na estrada, e, deixando para trás a lembrança da filha, começou a longa caminhada morro acima de volta para casa.

Laurence não a viu chegar, encharcada e com os olhos inchados. Apesar do cansaço, ela acendeu as velas e foi tomar banho. Embora o suprimento de eletricidade do gerador fosse inconstante em dias de chuva forte, ainda havia água quente, e ela mergulhou na banheira para aliviar a dor e a exaustão. Em seguida, tomou dois papelotes de remédio para dor de cabeça e enxaguou o rosto com água gelada.

Quando se acomodou para ler depois do jantar com o marido, as lamparinas a óleo estavam acesas. Ela sentiu o leve cheiro de fumaça, torcendo para que a tranquilidade da noite aplacasse a ferida em seu coração.

"Por que você foi fazer uma caminhada tão longa no meio da chuva?", Laurence perguntou, servindo conhaque para os dois.

Ela estremeceu, e ficou com medo de ter pegado um resfriado. "Só estava precisando de um pouco de ar fresco. Eu levei um guarda-chuva."

Ele apanhou um cobertor no outro sofá, cobriu a esposa e começou a massagear sua nuca. "Você acabou de melhorar. Não queremos você doente outra vez, querida. Precisamos muito de você."

"Eu vou ficar bem."

A verdade era que o banho de chuva a deixara exaurida, porém mais por motivos emocionais do que em virtude do tempo. Mas ela precisava aparentar normalidade, então decidiu ler um pouco e depois escrever à mãe. Gwen estava desapontada porque, como seu pai estava sofrendo com problemas respiratórios, a tão aguardada viagem de seus pais ao Ceilão fora cancelada.

"O ar fica tão úmido depois que chove, não é mesmo?"

"Vai chover de novo em breve."

Laurence foi se sentar em sua poltrona predileta e pegou o jornal.

Os pensamentos sobre Liyoni ameaçavam transbordar de seu peito, mas ela engoliu em seco e procurou afastá-los. Acomodou-se melhor no sofá, que não era o de pele de leopardo, pois Gwen nunca se sentira à vontade recostada em um animal morto. Com um travesseiro sob a cabeça, apoiou os pés em um banquinho estofado e se esforçou para se concentrar no livro, mas as palavras lhe escapavam.

"O que você está lendo?", ele perguntou, pegando o conhaque.

"Um livro de Agatha Christie, *O mistério do Trem Azul*. É bem recente, do ano passado, então tive sorte de conseguir um exemplar. Adoro Agatha Christie. Suas histórias são tão vívidas e empolgantes, parece que estamos dentro delas."

"Mas não são muito realistas."

"Verdade, mas eu gosto de ser absorvida para dentro da história. E não suporto aqueles livros pesados da sua biblioteca. A não ser os de poesia, claro."

Ele sorriu, ergueu as sobrancelhas e mandou um beijo para ela. "Que bom que temos mais uma coisa em comum."

"Querido!"

Ela fechou os olhos, mas a vontade de confessar tudo para Laurence ainda era forte. Gwen se imaginou atirando-se aos pés dele, implorando perdão, como uma heroína dos romances que tanto gostava de ler. Mas não, era uma ideia absurda. Seu coração batia freneticamente, e ela levou a mão ao peito enquanto ensaiava silenciosamente seu discurso. Bastava abrir a boca e começar a falar.

"Tudo bem?", ele perguntou, observando-a.

Ela fez que sim com a cabeça, magoada por ter que manter a existência de Liyoni em segredo por mais tempo. Naquela noite em Nuwara Eliya, ela trocara o amor de sua vida por um momento de embriaguez, mas o preço fora muito alto, e as consequências, muito duradouras. Gwen sentia que não conseguiria mais aguentar. Tentou ensaiar as palavras outra vez. *Laurence, eu dei à luz um bebê de outro homem; uma criança que mantenho escondida.* Não. Parecia terrível, mas como conseguir um jeito melhor de dizer isso?

Quando a campainha da porta tocou, ele ergueu as sobrancelhas, e ela baixou o livro.

"Estamos esperando alguém?"

Ela sacudiu a cabeça, escondendo o alívio que tomara conta de seu corpo.

"Quem pode ser a esta hora?"

"Não faço ideia. Pode ser que Verity não tenha levado a chave quando saiu."

Ele franziu a testa. "A porta não está trancada. Se fosse Verity, teria entrado sem tocar."

Eles ouviram os passos arrastados do mordomo no corredor, e em seguida uma voz feminina. Uma mulher com sotaque americano. Depois disso, vieram os saltos batucando o piso de tacos de madeira, cada vez mais altos à medida que ela atravessava o corredor.

"Christina?", Gwen perguntou baixinho.

"Eu não conheço nenhuma outra americana, e você?"

"Mas o que ela..."

A porta foi aberta, e Christina entrou. Estava de preto, como sempre, mas sem as joias. Parecia ter se vestido às pressas e simplesmente se esquecido de colocá-las. Enquanto Gwen se esforçava para conter os sentimentos negativos associados à mulher, Laurence foi cumprimentá-la e, com um sorriso no rosto, ofereceu um cálice de conhaque. Ela não retribuiu o sorriso.

"Não. Um uísque duplo. Puro."

Gwen apenas observou enquanto Christina se sentava em uma cadeira de espaldar reto à mesa de jogos de cartas. Seus cabelos, em geral presos em penteados elaborados, estavam soltos sobre os ombros, e Gwen pôde ver que a cor nas raízes era tingida. Por algum motivo, isso fez com que a visse como uma pessoa mais vulnerável.

Christina sacou um maço de cigarros e um isqueiro da bolsa. Em seguida pôs um cigarro na piteira de prata, mas, quando foi acendê-lo, estava tão trêmula que não conseguiu. Laurence se aproximou, tirou o isqueiro da mão dela e acendeu a chama. A mulher respirou fundo, acendeu o cigarro, inclinou a cabeça para trás e soltou um jato de fumaça em direção ao teto.

"Algum problema?", Laurence perguntou com uma expressão preocupada, tocando o braço dela. Não era uma carícia nem nada do tipo, só um ato de gentileza.

Christina baixou a cabeça e não respondeu. Gwen reparou que o rosto da mulher, sem nenhum sinal de maquiagem, estava extremamente pálido, e talvez por isso aparentando pelo menos dez anos a mais. Não parecia alguém na casa dos trinta anos. Nem uma mulher glamourosa. No entanto, Christina parecia tão tensa que esse fato não representou nenhum alento para Gwen.

"É melhor você se sentar."

Gwen e Laurence trocaram olhares de perplexidade.

"Muito bem", ele falou, puxando uma cadeira.

"Você também, Gwen."

"Ah, com certeza Gwen não vai querer ser incomodada, se forem assuntos de negócios. Ela andou doente."

Christina olhou para Gwen. "Fiquei sabendo. Já está melhor?"

"Sim, obrigada", ela respondeu, nada satisfeita com a ideia de que

Laurence quisesse excluí-la. "Mas eu prefiro ficar, se você não se importa, Laurence."

"Claro, claro."

"Infelizmente, não existe um jeito fácil de dizer isso." Christina fez uma pausa e emitiu um som estrangulado do fundo da garganta, como se tivesse se engasgado com as próprias palavras. Eles esperaram que ela se recompusesse.

"Algum problema com Verity? Aconteceu alguma coisa com ela?", questionou Laurence, parecendo alarmado.

Christina fez que não com a cabeça, mas sem erguer os olhos. "Não, nada do tipo."

"O que foi, então?"

Mais uma pausa.

Christina franziu a testa, respirou fundo e olhou para o chão por mais alguns minutos. Gwen sentiu seu coração disparar. Se não era Verity, o que poderia ser? Alguma notícia sobre Fran, ou talvez Savi Ravasinghe? Devia ser algo muito sério, para deixar a mulher tão abalada.

Christina ergueu a cabeça e, mordendo o lábio, alternou o olhar entre os dois.

"Conte de uma vez", pediu Laurence, batucando com os dedos na mesa.

Ela pareceu recobrar as forças de repente. "A verdade pura e simples é que a Bolsa de Valores de Nova York entrou em colapso."

Laurence ficou em silêncio, encarando a mulher, estranhamente imóvel.

"E como isso nos afeta exatamente, Christina?", Gwen perguntou, franzindo a testa.

"Aconselhado por mim, Laurence investiu uma grande quantia em minas de cobre no Chile."

Gwen franziu a testa outra vez. "Minas de cobre no Chile?"

Um sorriso se insinuou na boca de Christina, mas não era de alegria. "As ações perderam praticamente todo o valor. E amanhã vão valer ainda menos. Pode ter certeza."

"Então venda", disse Gwen.

"Não dá para vender nada, como eu disse. Elas não têm mais valor."

Laurence ficou de pé, deu um passo para trás e juntou as mãos atrás das costas. Em meio ao silêncio desconfortável, Gwen tinha várias perguntas a fazer, mas segurou a língua, observando Laurence.

"Como isso pode ter acontecido?", ele disse por fim. "Como é possível? Você falou que, com a expansão do serviço de eletricidade, o cobre era uma aposta certa. Que a luz elétrica chegaria a todas as casas. Que o preço do cobre alcançaria valores inimagináveis."

"Era o que parecia. Juro para você. Parecia mesmo."

"Mas como aconteceu?", Gwen quis saber.

Christina sacudiu a cabeça. "Tudo começou com uma safra excepcional. Um recorde."

"Mas isso não é uma coisa boa?", questionou Gwen.

"Os preços caíram demais, os produtores não conseguiram pagar os fornecedores, nem os trabalhadores, e assim por diante. Como não tiveram o lucro esperado, tiveram que recorrer ao que tinham no banco para saldar as dívidas."

Laurence franziu a testa. "Está me dizendo que houve uma corrida aos bancos?"

Ela confirmou com a cabeça.

"Ao seu banco?"

Christina contorceu os dedos ao se levantar. "Tivemos mais saques do que esperávamos. Banco nenhum está preparado para uma demanda como essa. Não havia dinheiro suficiente para pagar todos os depósitos."

"Ainda não entendi", disse Gwen, olhando para Laurence. "Nós não queríamos sacar dinheiro nem nada do tipo, não é mesmo, Laurence?"

"Não é esse o problema", ele respondeu.

"Não. É o efeito dominó. Se não tem dinheiro circulando, as taxas de juros vão às alturas. As pessoas vão à falência."

"E um dos negócios que mais sofreram foi a mineração de cobre?", ele perguntou.

Christina fez que sim com a cabeça.

"Está me dizendo que a expansão acelerada do serviço de eletricidade não vai acontecer?"

A americana foi até Laurence e pôs as mãos nos ombros dele. "Eu agi de boa-fé. Vai acontecer, eu prometo, mas não tão já. Não enquanto a economia não se recuperar."

"Pode demorar meses", respondeu Laurence, encarando a mulher.

Christina baixou a cabeça por um momento, e em seguida levantou a mão para acariciar o rosto dele. "Eu lamento muito, muito mesmo, querido. Estão dizendo que pode demorar anos."

"E o que eu faço?"

Ela baixou a mão e deu um passo para trás. "Aguente firme e espere. É tudo que você pode fazer."

"Mas eu estava contando com esses ganhos para pagar o financiamento da nova fazenda. A terceira. Já assinei o contrato."

Gwen conteve a irritação ao vê-los assim tão próximos. Christina suspirou e pegou um lenço na bolsa.

"E você?", perguntou Gwen, engolindo a raiva. "E quanto a você?"

Christina enxugou os olhos. "Eu? Vou sobreviver. Gente como eu sempre dá um jeito. Estou voltando para os Estados Unidos. Mais uma vez, me desculpe."

"Eu acompanho você até a porta", ofereceu-se Gwen.

"Não precisa", respondeu a mulher, virando-se para sair.

Gwen olhou para Laurence por cima do ombro. "Faço questão."

Laurence estava sentado à mesa de jogo de cartas, segurando a cabeça entre as mãos. A ironia não passou despercebida a Gwen. Só que não eram apenas alguns dólares perdidos em um jogo de pôquer.

No corredor, Gwen manteve a compostura. Abriu a porta e, sentindo-se no limite de sua paciência, teve vontade de empurrar a americana para fora. Conseguiu se segurar, mas quando voltou a falar seu tom de voz era tenso.

"De agora em diante, Christina, mantenha distância do meu marido. Entendeu bem? Nada de aconselhamento financeiro, e nada de visitas sociais."

"Está me ameaçando?"

"Pode acreditar que sim."

Christina soltou um risinho de deboche e sacudiu a cabeça. "Você não entende mesmo o seu marido, não é?"

Quando Gwen e Laurence saíram de casa, assim que amanheceu, ela puxou o xale com força sobre os ombros. Depois da tempestade, o caminho estava coalhado de detritos: galhos e gravetos quebrados, flores partidas e folhas. Com a temperatura em queda e o ar carregado de umidade, as chuvas ainda estavam longe de acabar. Ela olhou para a frente, na direção da fábrica de chá. Depois do anúncio chocante de Christina na noite anterior, ambos passaram a madrugada em claro, Laurence bebendo conhaque com uma expressão de desolação e Gwen tentando entender o que significava aquilo que Christina havia dito antes de ir embora. Como ela ousava afirmar que Gwen não entendia o próprio marido? E o que Christina poderia saber que ela, esposa dele, não sabia? Nem ela nem Laurence conseguiram dormir.

Enquanto caminhavam, o silêncio só se aprofundava. Ela respirou fundo e se sentiu imensamente grata a Deus por não ter se confessado para Laurence. A notícia de Christina, logo depois da revelação da verdade sobre Liyoni, teria acabado com ele. Na metade do caminho, eles pararam e se entreolharam, como se buscassem respostas — se não isso, pelo menos algo que os ajudasse a superar a situação. Ele foi o primeiro a desviar o olhar.

Gwen olhou para as nuvens pesadas e sentiu seu coração disparar.

"Não sei quais vão ser as consequências disso para nós", ele falou.

O silêncio perdurou por mais um momento, enquanto ela mordia o lábio, com medo de externar suas preocupações.

Ele segurou suas mãos e as puxou para si. "Suas mãos estão geladas."

Ela balançou a cabeça, e eles caminharam um pouco mais. No alto do morro, pararam para olhar a paisagem. Ela observou o verde vivo sobre os arbustos de chá molhados, as colhedeiras com seus sáris vermelhos, laranja e roxos, os jardins bem aparados e a casa arejada e bem iluminada. Era tudo muito bem cuidado, mas Laurence explicara que, se os arbustos não fossem podados, virariam árvores, e, observando a luz do sol refletida na superfície do lago, ela tentou imaginar o lugar tomado pela mata.

Laurence se agachou para apanhar cravos cor de laranja na beirada do caminho e entregar a ela.

Gwen cheirou as flores e pensou em sua casa e na vida que levavam juntos. Nas vezes em que passearam de barco, nos mosquitos da época de calor, nas mariposas estalando ao se queimarem nas velas. Uma vida cheia de risos de alegria. Ela escutou atentamente a música de uma flauta que vinha de uma das janelas abertas da cozinha.

Um vento mais frio sacudiu as árvores, e, sob o céu cada vez mais escuro, eles se mantiveram em silêncio. Quando ela sentiu que não aguentava mais, engoliu em seco com um nó na garganta, e as palavras que não queria dizer lhe escaparam.

"Christina falou que eu não entendo você. Por quê?"

"Não faço ideia."

"Ela estava falando de sua ligação com ela ou com a fazenda? Vamos ter que vender?"

"Fora a amizade, não tenho nenhuma ligação com ela." Ele fez uma pausa antes de voltar a falar, dessa vez com uma voz embargada. "E a fazenda só vai ser vendida por cima do meu cadáver."

"Não vamos perder nossa casa?"

Ele suspirou. "Não. E, se fosse o caso, onde conseguiríamos um comprador? Ainda que fosse possível, o preço certamente seria ridículo."

"O que vamos fazer, então?"

"Não é a primeira vez que passamos por apuros. Em 1900, quando a produção de chá superou a demanda, o preço em Londres caiu de oito pence por libra para menos de sete. Alguns plantadores faliram. Meu pai foi atrás de maneiras de aprimorar os métodos de cultivo, e derrubou o custo de produção. Mas também foi atrás de novos mercados. Na Rússia e, acredite se quiser, na China. Três anos depois, as exportações voltaram a crescer."

"Então vamos precisar fazer isso de novo?"

Ele encolheu os ombros. "Não necessariamente."

"Podemos tentar cortar gastos", ela sugeriu. "Apertar os cintos."

"Isso é a primeira coisa. Se quiser cortar alguma coisa em casa, vá em frente."

Provavelmente não faria grande diferença, mesmo que ela reduzisse bastante o orçamento doméstico, mas, agora que precisava controlar os gastos, Gwen estava determinada a não decepcionar Laurence.

"O carro de Verity vai precisar ser vendido", ele avisou.

"Ah, querido, ela gosta tanto daquele Morris Cowley", comentou Gwen, mas o verdadeiro motivo para lamentar a venda era o fato de o adorado carrinho azul-real manter sua cunhada longe de casa por um bom tempo.

"Não é uma questão de gostar ou não gostar. Vou ter que cortar a mesada dela também, mas preciso arrumar um jeito de amenizar o impacto da notícia."

Gwen soltou um suspiro profundo.

"Meus planos de expansão da escola para as crianças da fazenda vão precisar ser adiados. Só temos vagas para metade delas. Queria poder fazer alguma coisa a respeito."

Além do som de seus passos e do cantarolar dos pássaros, havia um murmúrio dolorido no ar, como se a própria natureza também estivesse em apuros. Apesar dos milhares de pensamentos que ocupavam sua cabeça, e com certeza a de Laurence também, nada mais foi dito durante vários minutos.

"O problema, Gwen", ele disse por fim, "é que vou precisar passar um tempo fora."

Ela deteve o passo. "É mesmo?"

"Acredito que sim. Primeiro em Londres, e nos Estados Unidos. Podemos passar sem o dinheiro das minas, mas preciso de mais tempo para conseguir honrar o financiamento da nova fazenda. E, além de tudo isso, se o preço do chá cair..."

"Isso vai acontecer?"

"É possível. Enfim, quero estar em Londres nos próximos leilões, porque as coisas podem ficar feias. Acho que temos tempos difíceis pela frente."

Enquanto caminhavam os últimos metros até a fábrica, essas palavras lhe provocaram um frio na espinha.

"E quanto a Hugh?"

"Bem, ele não tem nem quatro anos ainda, com certeza as coisas vão ter melhorado quando chegar a época de mandá-lo estudar na Inglaterra."

Gwen ficou na ponta dos pés para beijá-lo no rosto. "Nós vamos superar isso, Laurence, e vamos fazer isso juntos."

Ele não respondeu.

"Quando você viaja?"

"Depois de amanhã."

"Tão cedo?"

Ele respirou fundo. "Você está bem, não é? Porque vai ficar no comando. Se achar que não está bem o suficiente para isso, me avise. Verity pode assumir o seu lugar, se for preciso."

"Eu dou conta."

"Ótimo. Era essa a resposta que eu esperava. Você vai trabalhar junto com Nick McGregor, claro."

Enquanto voltava, ela pensou em Hugh sendo mandado para o internato aos oito anos de idade; era uma coisa cruel demais com um garotinho. Nesse momento, uma vozinha no fundo de sua mente apontou sua hipocrisia. Em seguida ela pensou no desafio que teria nas mãos. Sua saúde estava boa de novo, mas seria preciso lidar com McGregor todo o tempo, e manter a cunhada em rédeas curtas.

Quando chegou em casa, Verity estava estacionando seu Morris. Assim que ela desceu, Gwen fez um gesto para que se aproximasse.

"Queria conversar com você, se tiver um tempinho."

"Claro. É sobre a quebra da bolsa? Em Nuwara Eliya só se fala disso."

"E com razão. Laurence vai me deixar encarregada de tudo enquanto estiver fora. Vamos precisar trabalhar todos juntos nesse momento de dificuldade."

"Para onde ele vai?"

"Para Londres, e depois para os Estados Unidos."

"Nossa! Então vai ficar fora durante meses."

Gwen encolheu os ombros. "E é bom você se preparar. Laurence disse que seu carro vai ser vendido. Vamos ter que compartilhar o Daimler. McGregor, você e eu."

"Isso não é justo. E você nem sabe dirigir."

"Vou aprender."

"Como?"

"Você vai me ensinar. Laurence perdeu tudo com a quebra da bolsa. Todos os investimentos. Sua mesada vai ser cortada, e, se quisermos sobreviver, vamos precisar apertar os cintos."

Gwen deixou Verity parada no caminho de cascalho e se afastou sem dizer mais uma palavra. Quando entrou, ouviu o estouro de um trovão. Olhou por cima do ombro para a porta aberta. Do lado de fora, a água da chuva ricocheteava no chão e abria sulcos para escoar em diferentes direções. Ela viu Verity entrar no carro, ligar o motor e arrancar morro acima.

# 21

Embora Gwen não tivesse se dado conta no momento, fora um erro de sua parte ter alertado Verity a respeito da decisão de Laurence de cortar a mesada e vender o carro.

Estavam todos juntos na sala de estar para um café depois do jantar quando Laurence tocou no assunto. Verity agiu como se estivesse surpresa, e alegou ter conseguido o emprego de seus sonhos, cuidando de cavalos em Nuwara Eliya. Ela se ajoelhou ao lado de Laurence e o abraçou pelas pernas.

"Vou precisar do carro, sabe", disse, encarando-o com os olhos cheios de lágrimas. "Tenho que passar por vários estábulos diferentes todos os dias. Por favor, Laurence. É a grande chance que eu tenho de provar minha capacidade. Você vive me dizendo para encontrar uma ocupação útil, e agora que consegui quer me impedir de fazer isso."

Ela baixou a cabeça e começou a chorar, mas ele se desvencilhou dos braços da irmã e ficou de pé. "Entendo. Não estava sabendo desse emprego."

Gwen achou que Laurence estava apenas tentando pôr panos quentes no assunto, e esperava ouvir a qualquer momento a recusa ao pedido de Verity.

"Eles não vão me pagar no começo", Verity continuou, erguendo a cabeça e lançando um sorrisinho para Gwen. "Eu vou mostrar

249

meu valor, e daqui a um mês mais ou menos vão começar a pagar. Então vou precisar da minha mesada também, só por mais um tempinho, e talvez um dinheirinho extra para cobrir as despesas com hospedagem."

Houve uma pausa.

"Muito bem", Laurence disse por fim. "Por enquanto sua mesada está mantida, mas nada de dinheiro extra."

Ele tomou a decisão sem dirigir sequer um olhar para Gwen. Ela balançou a cabeça, inconformada.

"Tudo bem, claro", respondeu Verity. "Obrigada, Laurence. Você não vai se arrepender. Por falar nisso, preciso ir. Tenha uma ótima viagem, meu querido irmão. E volte carregado de dinheiro!"

Verity saiu da sala, lançando outro sorriso na direção de Gwen. Laurence parecia satisfeito.

"Ela parece estar progredindo, não? Um pouco de responsabilidade vai ajudá-la a amadurecer."

Gwen mordeu a língua para manter o que esperava ser um silêncio digno. A única coisa boa naquilo tudo era que Verity passaria a maior parte do tempo fora.

Laurence provavelmente notara a expressão de contrariedade em seu rosto. "Que foi? Você está meio enfezada."

Gwen desviou o olhar.

"É por causa de Verity? Não seja assim tão rígida, dê mais uma chance a ela. Para tentar superar as desavenças."

Gwen manteve o tom de voz sob controle, mas estava difícil conter a raiva. "Você não acha que deveria ter discutido essa decisão comigo?"

Ele franziu a testa. "Ela é minha irmã."

"E eu sou sua mulher. Não podemos continuar assim. Não estou disposta a passar o resto da vida dividindo minha casa e meu marido com uma irmãzinha mimada e manipuladora."

Ela saiu da sala, e quase prendeu os dedos no batente ao fechar a porta.

Dois dias depois, Gwen acompanhou Laurence e Nick McGregor no trajeto até Colombo. Com a temporada de monções no auge, não era uma viagem fácil, e em alguns lugares os pequenos deslizamentos de terra quase bloqueavam a estrada. Gwen olhou pela janela e, vendo a chuva sugar a cor do mundo e obliterar as vistas, soube que teria um futuro incerto pela frente. Ninguém dizia uma palavra. Mesmo que quisessem falar, a chuva que caía com força no teto do carro teria impedido que se ouvissem. Gwen estava tensa, sentindo um nó no estômago.

O trajeto demorou mais do que deveria, mas, assim que começaram a caminhar em meio às deusas entalhadas da entrada imponente do Hotel Galle Face e subiram os degraus do elegante saguão, tudo por que haviam passado durante a viagem pareceu cair no esquecimento. Sem dizer nada, ambos sabiam o que fariam a seguir. Os carregadores levaram as malas, e, enquanto esperavam, Gwen temeu que a tensão causada pelo assunto não resolvido entre os dois ficasse visível a todos. Ela nunca vira aquele olhar no rosto de Laurence antes e, apesar de excitada, ficou também apreensiva.

No quarto, depois de subirem as escadas correndo até o primeiro andar e antes mesmo de desfazerem as malas, fizeram amor. Ele foi tão intenso que ela mal conseguia respirar. Apenas quando Laurence estremeceu no final e relaxou foi que ela notou que o marido era o tipo de homem que precisava do sexo para aliviar seus medos. Por um momento, ficou assustada com essa diferença entre eles, mas então se lembrou de todas as vezes em que se mostrara afetuoso. Nessas ocasiões, fora ela quem precisara do sexo para sentir o amor dele. Mesmo nessas ocasiões, porém, havia diferenças, pois ela precisara do sexo para *reafirmar* seu amor por ele. Gwen fechou os olhos e dormiu por uma hora. Quando acordou, ele estava com os olhos abertos, apoiado sobre os cotovelos, estudando seu rosto.

"Espero não ter machucado você", disse. "Me desculpe pelo outro dia. Não queria viajar sem fazer as pazes."

Ela sacudiu a cabeça e ergueu a mão para tocá-lo no queixo.

Ele se levantou e foi até a janela. Laurence adorava quartos com vista para o mar e sacada, e foi um desses que pegaram, embora Gwen preferisse a paisagem do vasto gramado do Galle Face. Ela gostava de ver os locais fazendo sua caminhada de fim de tarde por ali, e as crianças jogando bola.

Quando o céu clareou por um breve momento, eles saíram para respirar o ar salgado do oceano.

Laurence se virou para encará-la. "Você acha que nós acabamos de fazer mais um bebê?"

Ela encolheu os ombros, olhando por cima do ombro dele para a onda de mais de cinco metros que se chocou contra a parede e voltou na forma de espuma branca. O movimento furioso e o som retumbante do mar pareciam ecoar seu estado de ansiedade. Ele a beijou no topo da cabeça e tentou esconder a preocupação da voz.

"Em que você está pensando?", ele perguntou.

"Em nada", ela respondeu enquanto andavam pelo caminho de areia que ladeava o gramado, de costas para a água e contemplando um pôr do sol perfeito e avermelhado. Quando se viraram de novo, o mar assumira o aspecto de ouro líquido, embora à distância as nuvens carregadas voltassem a se formar.

"Não se preocupe, Gwen. Trate apenas de cuidar bem de si mesma e de Hugh. Pode deixar que eu me preocupo por nós dois. Tenha fé. Nós vamos superar esse baque."


Na manhã seguinte, o tempo estava feio demais para tomarem café da manhã na varanda do hotel, perto do gramado. O pôr do sol à beira do mar fora só um instante de trégua, e no momento eles estavam sentados em meio às palmeiras plantadas em vasos no saguão. Ela escutava o tilintar das xícaras nos pires, e via as pessoas brancas e bem alimentadas batendo papo enquanto bebiam chá com torradas, sorrindo e acenando sem preocupações. Gwen mal conseguira dormir. O mar estava agitado demais, assim como os pensamentos em sua cabeça. Ela olhou para seu café da manhã intocado, o ovo esfriando, o bacon ressecando. Experimentou uma mordida na torrada, mas estava sem gosto, com textura de papelão.

Ela serviu o chá e entregou uma xícara a Laurence.

Por um instante, ficou irritada com o marido por dar ouvidos a Christina. Nenhum dos outros plantadores entrara no negócio de ações, então por que ele havia feito isso? Por que tinham que ser eles a enfrentar um futuro de incertezas?

"Está chegando a hora", disse ele, pegando o chapéu e ficando de pé. "Não vai me dar um abraço de despedida?"

Ela se levantou em um gesto súbito, envergonhada com o acesso de raiva, e derrubou a xícara de chá. Quando o garçom apareceu às pressas para limpar a bagunça, Gwen deu um passo para trás, com os olhos voltados para o chão, piscando sem parar. Ela prometera a si mesma que se mostraria feliz e confiante para Laurence, e que em circunstância alguma choraria.

"Querida?", Laurence chamou com as sobrancelhas erguidas. Ele estendeu os braços.

Sem se importar com as pessoas ao redor, e desejando que ele não precisasse ir, Gwen correu até Laurence e se jogou nos braços dele com uma espécie de desespero. Quando se separaram, ele acariciou seu rosto com os dedos, carinhoso e solícito. Com o coração cheio de amor, ela sentiu a dor da partida do marido.

"Vamos ficar bem, não?", ela murmurou.

Era só sua imaginação ou ele desviara os olhos antes de responder? Ela esperava que ele se mantivesse firme de uma maneira que não era exatamente justa. Ninguém podia estar certo quanto ao que viria pela frente. No dia anterior, um banqueiro de Nova York se jogara do alto do prédio da Bolsa de Valores. E, apesar de desejar desabafar com Laurence sobre a tristeza que sentia, e que poderia tomar conta de vez de seu coração assim que ele embarcasse, Gwen manteve a boca fechada.

"Claro que vamos ficar bem", ele garantiu. "Mas lembre-se: por mais que você discorde, existem maneiras consolidadas de fazer as coisas."

Ela franziu a testa e, inclinando a cabeça para o lado, deu um passo para trás. "Mas são as maneiras certas, Laurence?"

Ele enrugou o queixo. "Talvez não, mas agora não é hora para mudanças."

Ela não queria discutir bem no momento da despedida, mas foi incapaz de esconder a irritação. "Então minha opinião não conta?"

"Não foi isso que falei."

"Foi o que você insinuou."

Ele encolheu os ombros. "Só estou tentando facilitar as coisas."

"Para mim ou para você?"

Ele pôs o chapéu. "Desculpe, querida, eu não quero brigar. De verdade, preciso ir."

"Você disse que eu ficaria no comando."

"E, em última instância, você está. Mas aceite a orientação de Nick McGregor nas questões relacionadas à propriedade. E, acima de tudo, lembre-se de que tenho fé em você, Gwen, e acredito que vai saber tomar as decisões certas."

Ele a abraçou novamente, olhando no relógio.

"E Verity?"

"Eu a deixo sob sua responsabilidade."

Ela assentiu com a cabeça, segurando as lágrimas.

Laurence se afastou rapidamente e, com um sorriso largo, virou-se para um último aceno. Gwen sentiu um aperto no peito, mas conseguiu erguer a mão e retribuir o gesto. Por um momento depois que ele entrou no carro, ela tentou se convencer de que o marido tinha ido só dar um passeio no jardim. Em seguida, porém, seus ombros despencaram. Ela ficaria com muita saudade. Da respiração dele ao seu lado, dos olhares que costumavam trocar e do calor que sentia quando era abraçada por ele.

Gwen passou um sermão em si mesma. Não havia motivo para fraquejar, e a situação financeira do casal era um problema ainda em desdobramento, apesar de lhe parecer inacreditável que uma coisa acontecida nos Estados Unidos pudesse afetar de forma tão profunda sua vida, isolada na ilhazinha distante que era o Ceilão.

No saguão grandioso do hotel, ela olhou para as portas abertas e, não sem alguma surpresa, viu Christina entrando em um Rolls-Royce de um modelo mais recente, um pouco menor. Seu primeiro impulso foi ir atrás de Laurence para garantir que seu marido e a americana não viajassem no mesmo navio. Pensando melhor, porém, ela sabia que só pioraria as coisas se mostrasse ao marido que não confiava nele. Gwen respirou fundo e decidiu comprar algumas coisas para Hugh.

Naveena conseguira reaproveitar as roupas de Laurence para Hugh, mas o menino precisava de papel e giz de cera.

Um pouco mais tarde, antes de entrar pelas portas elegantes do prédio de tijolos pintado de vermelho e bege da Cargills, uma mulher tâmil envergada e enrugada se colocou ao seu lado. A velha falou alguma coisa e sorriu, revelando os poucos dentes pretos com pontas vermelhas. Em seguida cuspiu na palma da mão e esfregou na mão de Gwen. Ela disse mais alguma coisa, porém Gwen estava confusa demais, olhando para a arcada na fachada da loja, ansiosa para entrar. Quando se virou, a mulher disse "dinheiro" em inglês. Gwen se virou e viu que a velha tinha um facão debaixo do braço. Remexendo na bolsa, entregou algumas moedas e limpou a mão na saia para se livrar da saliva da velha.

O incidente permaneceu em sua mente enquanto ela observava a equipe de limpeza polindo os tubos de metal por onde o dinheiro era transportado em sistema de sucção para o cofre em um andar superior. Ela comprou a caixa de giz de cera e saiu às pressas.

Com o clima generalizado de depressão nas ruas, o agito da cidade parecia de alguma forma mais ameno. O cheiro no ar ainda era de coco, canela e peixe frito, mas as pessoas pareciam mais magras e abatidas, e havia menos barracas de chá montadas nas calçadas. Ela tentou não se preocupar com o que Laurence estaria guardando apenas para si — se é que *havia* mesmo algo desse tipo —, mas era impossível não pensar que ele estava omitindo alguma coisa. Ela só esperava que de fato não fosse necessário vender a fazenda. Aquele lugar se tornara seu lar, e de Hugh também, e todos o amavam. Por mais que sentisse saudade da Inglaterra, não conseguia se imaginar vivendo lá de novo, e não estava disposta a admitir que um dos motivos para isso era que, nesse caso, jamais teria notícias da filha, nem voltaria a vê-la.

Enquanto caminhava pelo mercado chinês na rua Chatham, Gwen passou por lojinhas de tecido com estoques abundantes de sedas, dois ou três vendedores de ervas e várias lojas de artigos laqueados. Pru Bertram estava sentada à janela de uma casa de chás e fez sinal para que ela entrasse, mas Gwen bateu com os dedos no relógio e fez que não com a cabeça. Mais adiante, passou por lojas que vendiam utensílios de cozinha cingaleses de latão e copos com padrões intricados. Por fim, viu-se diante de uma joalheria, de onde pôde ver McGregor tamborilando com os dedos no volante enquanto a esperava no carro, a poucos metros da torre do relógio. Ela olhou para a vitrine e parou para examinar mais de perto. Seria possível, depois de tanto tempo? Não podia ser. Ela estreitou os olhos para enxergar melhor, erguendo a mão para proteger a vista do sol. Devia haver dezenas de peças mais ou menos parecidas, mas mesmo assim era incrível. Gwen entrou na loja.

O joalheiro lhe entregou o bracelete. Ela ficou hesitante por causa do preço, mas não podia deixar que a peça fosse adquirida — e usada — por outra pessoa. *Não importa o quanto custa*, ela pensou enquanto entregava o dinheiro, e, depois de examinar o que comprara, prendeu o bracelete no pulso para não perdê-lo. Intrigada com o fato de ter ido parar ali, foi olhando um por um os pingentes de prata até encontrar o templo budista de Fran. Talvez fosse um bom presságio.

## 22

No caminho de volta para casa, Gwen não conseguia parar de pensar em Fran. Sentia falta do espírito indomável, do brilho dos cabelos castanhos e dos olhos azuis e risonhos da prima. Daria tudo por uma chance de diminuir a distância que havia se estabelecido entre as duas em Londres. Gwen sentia como se tivesse perdido algo infinitamente valioso. Ela não tinha irmã. Fran fizera esse papel, talvez até mais que uma irmã de verdade. Afinal, elas haviam sido criadas praticamente juntas, e continuaram melhores amigas até o sr. Ravasinghe aparecer e mudar a vida das duas.

Gwen queria tirar aquele homem da cabeça, e, como no caminho de volta a chuva dera uma trégua, tentou conversar com Nick McGregor, o que não era fácil com o motor vibrando como estava, principalmente nas estradas mais afetadas pelo mau tempo.

"Lamento muito por não termos nos dado muito bem até aqui", ela falou durante um trecho mais tranquilo.

"Pois é", ele respondeu, mas logo mudou de assunto. "Olha só o estado dessas estradas! Até melhoraram ao longo dos anos, mas veja só. As monções acabam com elas."

"E como ficam as linhas de trabalho com esse tempo?"

"Não é nada fácil, eu admito. As crianças adoecem."

Ela franziu a testa. "Pensei que vocês oferecessem atendimento médico."

"É uma coisa bem rudimentar, na verdade. Temos um farmacêutico na propriedade, e é só."

"Não é o dr. Partridge que faz o atendimento?"

Ele riu. "Não dos tâmeis. É um sujeito cingalês, lá de Colombo. Os tâmeis não gostam dele, não."

"Por que não?"

"Ele é cingalês, sra. Hooper."

Ela soltou um suspiro de irritação. "Então contrate um médico tâmil, que talvez os entenda melhor."

"Ah, mas ele sabe falar tâmil."

Gwen lançou um olhar atravessado para McGregor. "Eu não estava me referindo ao idioma, e sim à cultura."

"Infelizmente não existe nenhum médico tâmil disponível. Daqui a pouco a senhora vai querer que eles sejam pagos quando não puderem trabalhar."

"É uma ideia tão ruim assim? O bem-estar das pessoas é importante."

"A senhora não entende a cabeça dos nativos, minha cara. Se eu fizer isso, todos eles vão ser acometidos por uma doença imaginária e passar o dia inteiro deitados. O chá nunca seria colhido e processado."

Gwen percebeu que, não importava o que dissesse, ele não mudaria de ideia. A convicção de Nick McGregor de que estava certo era absoluta.

"E agora, com todos os cortes que vou precisar fazer, não há dinheiro para gastos extras. Não, minha cara senhora, é melhor deixar os trabalhadores por minha conta."

"Cortes, sr. McGregor?"

"Na força de trabalho. Vou ter que demitir duzentos trabalhadores, talvez. Alguns inclusive já foram."

Ela balançou a cabeça. "Eu não sabia. O que eles vão fazer?"

"Voltar para a Índia, acho eu."

"Mas alguns deles nasceram aqui. A Índia não é mais seu lar."

Ele se virou para o lado, e os dois se encararam brevemente. "Isso não é problema meu, sra. Hooper."

Ela pensou na mendiga com o facão e se sentiu um tanto enver-gonhada. Talvez a mulher fosse uma das demitidas. "Eu gostaria de aprender a língua deles."

Ele inclinou a cabeça.

Durante vários quilômetros de curvas fechadas e ladeiras íngre-mes, houve apenas o silêncio. Gwen ficou olhando pela janela, obser-vando a névoa pesada e pensando em Laurence.

Foi McGregor quem retomou a conversa.

"A senhora vai ficar com saudade de seu marido, não?", ele co-mentou.

Ela assentiu com a cabeça e sentiu a tensão se formando em torno dos olhos. "Vou mesmo. E o senhor, tem família?"

"Minha mãe ainda é viva."

"Onde ela mora?"

"Em Edimburgo."

"Mas o senhor não foi para lá nenhuma vez desde que eu cheguei."

Ela olhou para McGregor, que encolheu os ombros. "Não somos muito próximos. O exército era minha verdadeira família, até eu ma-chucar o joelho."

"Foi assim que conheceu Laurence?"

"Sim, ele me deu um emprego aqui, e durante a guerra me deixou no comando. Desculpe se às vezes pareço meio grosseiro, mas conheço aquela fazenda de cabo a rabo. Administrei a propriedade por quatro anos, e às vezes é difícil aceitar novas opiniões."

"E o senhor nunca se casou?"

"Se não se importa, sra. Hooper, prefiro não falar sobre isso. Nem todo mundo tem a sorte de encontrar alguém para compartilhar a vida."

O restante da viagem transcorreu com lentidão, mas eles conse-guiram chegar ao cair da noite. Gwen ficou surpresa ao ver o carro de Verity parado do lado de fora e, quando passou pelo corredor, ouviu vozes na sala de estar. De Verity e de um homem, ao que parecia. Com passos firmes, ela foi até a sala e abriu a porta.

Spew estava deitado em seu cesto no chão ao lado do sr. Ravasin-ghe. Acomodado no sofá, ele parecia bem relaxado enquanto fumava um charuto. O choque de vê-lo foi grande, e, subitamente desorientada, Gwen desejou que ele fosse embora o quanto antes.

"Sr. Ravasinghe", ela conseguiu dizer. "Não esperava encontrar o senhor por aqui."

Ele se levantou e fez uma mesura. "Fomos levar o cachorro para passear. Ele está cheirando muito mal agora."

Gwen estava trêmula por dentro, tanto que acreditava que esse fato transparecia claramente, mas conseguiu manter o mesmo tom de voz. "Em geral ele fica no vestíbulo até se secar."

"Ah, a culpa foi minha", Verity disse com um sorriso. "Desculpe."

Gwen se virou para a cunhada. "Pensei que você já tivesse ido para Nuwara Eliya, Verity."

"Nuwara Eliya? Para quê?"

"Para começar em seu novo emprego."

Verity negou com a mão, com um gesto de desprezo. "Ah, isso! Acabou não dando certo."

Já abalada por ter visto Christina em Colombo, e agora horrorizada por encontrar Savi Ravasinghe, Gwen respirou fundo. Ela havia se esforçado demais para superar sua doença e fazer a vida na fazenda entrar nos eixos de novo, com as refeições acontecendo nos horários programados, os cômodos sendo limpos na ordem correta e as contas todas em dia, e mesmo assim Verity ainda conseguia perturbá-la.

"Tudo bem se Savi passar a noite aqui?", Verity perguntou com um sorriso largo. "Sei que você vai concordar, e por isso pedi a um dos camareiros para arrumar o quarto ao lado do meu. Seria vergonhoso dizer não agora."

Derrotada pelas circunstâncias, Gwen não retribuiu o sorriso. Era preciso escolher suas batalhas. Ela juntou as mãos atrás das costas, cravou as unhas nas palmas e, mantendo-se imóvel, respondeu. "Sim, claro que o sr. Ravasinghe pode ficar. Agora, se me derem licença, tive um dia longo e cansativo. Hugh já está na cama?"

"Sim. Dei a noite de folga a Naveena e o coloquei para dormir. Ele e Wilf estão cantando 'Carneirinho, carneirão' juntos." Verity olhou para o pulso de Gwen. "Minha nossa, é o bracelete perdido de sua prima? Aquele pelo qual ela fez um escândalo quando perdeu?"

"Fico surpresa por você ter reconhecido. Não parece ser outro?"

"É porque eu vi o pingente do templo, só isso. Então estava aqui o tempo todo?"

Gwen fez que não com a cabeça, notando que Verity tinha parado para pensar antes de responder.

"Estava onde, então?"

"Em uma loja de Colombo."

"Se quer saber minha opinião, eu ficaria de olho em Naveena."

Gwen cerrou os dentes e saiu da sala, achando melhor não fazer nenhum comentário. A audácia dessa menina, ela pensou enquanto atravessava o corredor. Naveena, até parece! Seu irmão pode até se deixar enganar, Verity, mas eu não duvido que tenha sido você quem pegou o bracelete.


No dia seguinte, o calor começou mais cedo que o normal, e o ar refrescante da manhã logo ficou mais pesado. Encontrar Savi Ravasinghe deixara um gosto amargo na boca de Gwen, e trouxera à tona lembranças assustadoras. Com o coração disparado na maior parte da noite, ela mal conseguira dormir, mas, como não queria ver o homem de novo antes que ele fosse embora, achou melhor se manter ocupada.

Apesar do corpo dolorido de cansaço, decidiu verificar a fabricação do queijo, antes que o tempo esquentasse demais. O ajudante de cozinha que se encarregara do trabalho enquanto Gwen estivera doente cumprira bem a função, mas estava na hora de reassumir as rédeas. Acima de tudo, ela sentia falta do orgulho de produzir alguma coisa que não fossem almofadas bordadas.

Quando fechou a porta lateral e olhou ao redor do pátio, constatou com uma boa dose de satisfação que os brotos que plantara haviam florido. Era surpreendente como certas espécies inglesas cresciam bem por lá: rosas, cravos vermelhos, até mesmo as ervilhas-de-cheiro.

Hugh saíra com ela, e estava empurrando um carrinho.

"Venha, Hugh", ela falou, ainda apreensiva, mas fazendo de tudo para evitar demonstrar. "Você quer ver a mamãe fazer queijo?"

"Nãããão. Quero brincar com Wilf."

"Muito bem, querido. Mas não vá para o meio das árvores, hein?"

"Sim. Sim. Sim. Sim. Sim. Sim. Sim."

Ela riu. "Certo, acho que já entendi. Quando quiser voltar lá para dentro, chame a mamãe."

Ela destrancou a porta do galpão de queijo e a deixou entreaberta, para poder escutar Hugh, que cantava alegremente sozinho. Olhou ao redor. Havia algo inexplicavelmente tranquilizador na fabricação de queijo, e Gwen sorriu, feliz por estar em seus domínios. Estava tudo em ordem. A bancada de mármore em que mexiam o leite estava impecavelmente limpa, mas um cheiro um pouco azedo pairava no ar, e haviam deixado a janela aberta. Que estranho, ela pensou, nós nunca deixamos aberta.

Ela fechou a janela para que os insetos não contaminassem o leite, e limpou as superfícies expostas uma a uma. Em seguida foi até o jarro pesado de leite, que só conseguiu empurrar um pouco para o lado, mas o suficiente para revelar o líquido derramado sobre o chão. Gwen limpou a sujeira e emborcou o recipiente para despejar o leite na panela grande que usavam para aquecê-lo. Depois disso, saiu para pedir a um cule da cozinha que carregasse a panela, mas o silêncio no pátio chamou sua atenção. Estava tudo quieto demais.

"Hugh, onde você está?", ela chamou.

Não houve resposta.

Ela deu as instruções ao cule da cozinha e foi dar uma olhada no meio das árvores altas.

"Hugh, você está aí?"

Não houve resposta.

Ela voltou para a casa, mas parou diante da porta. Se Hugh tivesse entrado, teria avisado, e ela teria ouvido a porta. Gwen atravessou o pátio e, na beirada da mata, ouviu o som de latidos no caminho mais à frente. Ele devia ter ido atrás de um dos cães.

Gwen deu alguns passos em meio ao túnel de árvores e, momentos depois, acabou caindo quando Hugh veio correndo e saltou sobre ela.

"É uma menina, mamãe. Uma menina grande."

Ela se sentou no chão e franziu a testa quando Spew e Ginger subiram em seu colo e começaram a lamber seu rosto. Gwen os afastou e limpou o rosto com a manga da roupa.

"É uma pessoa de verdade, Hugh?"

"Sim. Ela não consegue ficar de pé, mamãe. Foi Spew que ouviu, e eu e Ginger foi atrás."

"Fomos atrás, querido", corrigiu Gwen, levantando-se e passando as mãos nas roupas. "Agora eu fiquei toda suja."

"Mamãe. Venha logo!"

"Bom, acho melhor você me mostrar, então, se é uma pessoa real."

Ele segurou sua mão e a puxou.

Enquanto caminhavam, Hugh viu um jarro de barro quebrado no meio do caminho e se abaixou para pegar.

"Não. Melhor deixar aí", disse Gwen.

Ele fez cara feia, mas obedeceu.

"Ela está longe?", Gwen perguntou, mexendo nos cabelos do filho.

"Não, está perto."

Gwen suspirou, pensando em seu queijo enquanto caminhavam. Estava perdendo tempo, e provavelmente não iriam encontrar ninguém. Mas então, um pouco mais adiante, ela viu um trabalhador agachado ao lado de alguém no chão.

"Ele não estava aí", contou Hugh. "Ela estava sozinha."

"Acho melhor nós voltarmos", disse Gwen. "Agora já tem alguém para cuidar dela."

"Mamãe!" Hugh fez uma careta. "Eu quero ficar."

"Não. Vamos embora já", ela falou, puxando Hugh pela mão.

Gwen chamou Spew, mas, quando se viraram para voltar, um grito agudo os deteve. Ambos se viraram para olhar.

"Mamãe, você precisa ajudar", Hugh disse com um olhar obstinado que lembrava o de Laurence.

Enquanto observava o homem e a criança, logo ficou claro que a menina não conseguia se levantar. Toda vez que o homem tentava ajudá-la a ficar de pé, ela gritava.

"Muito bem. Vamos ver o que está acontecendo."

Hugh bateu palmas. "Boa mamãe! Boa mamãe!"

Ela sorriu. Seu filho estava repetindo o que ela tanto dizia a ele: "bom menino".

Ele correu na frente e parou a alguns passos do homem, que estava debruçado sobre a menina.

"A perna dela está esquisita", Hugh comentou com os olhos arregalados.

O homem olhou para eles e, para sua surpresa, Gwen o reconheceu. Era o tâmil que havia ajudado assim que chegara à fazenda, o que estava com o pé machucado. Pelo olhar no rosto dele, deu para ver que a reconhecera também. O trabalhador tivera problemas por causa de seu contato anterior, e ela sabia que sua ajuda poderia não ser bem-vinda. Quando se agachou para avaliar melhor a situação, a menina ergueu a cabeça e a encarou com os olhos castanhos enormes banhados em lágrimas. Sua respiração se acelerou. Os olhos da criança a fizeram se lembrar de Liyoni, e instintivamente Gwen foi acometida por um surto de saudade, com o coração disparado dentro do peito.

Fazendo força para afastar a filha dos pensamentos, ela conseguiu se controlar. A menina era mais velha que Liyoni, devia ter oito anos, e era tâmil, não cingalesa, com uma pele muito mais escura. Seu pé estava em um ângulo improvável, o tornozelo inchado e as roupas, molhadas. A princípio Gwen pensou que a menina tivesse perdido o controle da bexiga por causa do susto, mas então percebeu que era leite.

"Vá buscar o jarro que nós vimos, Hugh. Aquele que estava quebrado no meio do caminho."

Quando ele voltou carregando dois pedaços do jarro, a garotinha se encolheu toda e começou a falar em tâmil.

"Ela está arrependida, mamãe."

"Você consegue entender?"

"Sim, mamãe. Eu escuto os camareiros conversarem o dia todo."

Gwen ficou surpresa. Ela mesma não entendia quase nada do idioma, e sabia que Hugh falava cingalês, mas não tâmil. "Pergunte por que ela está arrependida."

Hugh disse algumas palavras, e a menina respondeu, mas em seguida voltou a chorar.

"Ela não quer falar."

"Tem certeza?"

Ele assentiu com a cabeça, todo sério.

"Ela disse alguma coisa?"

Ele respondeu que não com a cabeça.

"Bom, vamos deixar isso de lado por enquanto. Vá correndo até a cozinha e diga que a mamãe está precisando de dois ajudantes. Entendeu bem?"

"Sim, mamãe."

"E volte para cá com eles imediatamente. Diga que é uma emergência."

"O que é emergência?"

"É o que está acontecendo agora, querido. Agora vá."

O homem tentou levantar a criança de novo, mas, quando a menina gritou de dor, Gwen sacudiu a cabeça, e ele pareceu se dar por vencido, virando-se na direção das linhas de trabalho e agitando as mãos, parecendo ansioso para ir embora dali. No entanto, ela não podia permitir que ele levasse a menina naquela condição.

Alguns minutos depois, Hugh voltou com dois ajudantes de cozinha, que trocaram algumas palavras apressadas em tâmil com o homem.

"O que eles estão dizendo?"

"Eles estão falando rápido demais, mamãe."

Quando Gwen fez sinal para que erguessem a menina, eles obedeceram, segurando-a um pelos braços e outro pelas pernas. Com a criança gritando de dor, tomaram o caminho das linhas de trabalho.

Gwen gritou para que parassem, apontando para a casa.

Os ajudantes de cozinha se entreolharam, constrangidos.

"Para a casa, agora", ela falou em tâmil, esforçando-se para que suas palavras fossem inteligíveis. Hugh repetiu a ordem, estufando o peito e tentando mostrar que era o patrão.

Gwen os conduziu até o vestíbulo, tirou as coisas de cima da mesa e mandou colocarem a menina sobre o móvel. O homem os seguira, e estava remexendo os pés, apreensivo.

Ela puxou uma cadeira. "Hugh, diga ao homem para se sentar. Vou telefonar para o médico."

O mordomo escutou a comoção e apareceu na porta com um camareiro, mas deu um passo para trás quando viu os dois tâmeis.

"Esses não podem ficar aqui, senhora. Tem farmacêutico em plantação de chá. Senhora precisa ligar para fábrica."

"Eu vou ligar para o médico", ela repetiu, passando pelo perplexo mordomo na direção do corredor.

Por sorte, John Partridge estava em seu consultório perto de Hatton, e não demorou a chegar. Quando Gwen atendeu à porta, ele entrou todo ofegante, cheirando a tabaco. "Vim o mais rápido que pude. Uma criança ferida, você falou?"

"Sim. Ela está no vestíbulo."

"É mesmo?"

"Eu não queria movê-la mais que o necessário. Acho que está com o tornozelo quebrado."

Quando ele entrou no recinto, ela o ouviu suspirar de susto.

"Você não falou que era uma menina tâmil."

"Isso faz diferença?"

Ele encolheu os ombros. "Talvez não para você nem para mim, mas..."

"Disseram que é um farmacêutico quem cuida das emergências, mas achei que ela precisava ser atendida por um médico o quanto antes."

Ela segurou a mão da criança enquanto o médico a examinava.

"Você está certa", ele falou, endireitando o corpo. "Se o ferimento começasse a cicatrizar sem os ossos serem colocados no lugar, ela ficaria manca pelo resto da vida."

Aliviada, Gwen soltou o ar lentamente. Era impossível não admitir o desejo de ter Liyoni junto de si, apesar de acreditar que esse não era o único motivo para ajudar a menina.

"Você por acaso teria gesso em casa?"

Ela fez que sim com a cabeça e mandou um camareiro ir buscar. "Laurence e Hugh usam para fazer miniaturas."

Em seguida ele se voltou para a menina e, dando um tapinha de leve na mão dela, disse algo no idioma dos trabalhadores.

"Não sabia que você falava a língua deles tão bem."

"Trabalhei na Índia antes de vir para cá e aprendi um pouco de tâmil por lá."

"Infelizmente, eu não sei quase nada. Os empregados falam comigo em inglês, então quase não tenho como praticar. Você se importaria de dizer ao pai o que vai fazer? Isso se ele for mesmo o pai."

Depois de trocar algumas palavras com o médico, o homem assentiu com a cabeça. Ele olhou para Gwen. "Ele é o pai, e quer levar a menina para casa agora mesmo. Trabalha na poda dos arbustos, e está com medo de acabar encrencado por trazer a criança aqui. Ele tem razão, McGregor não vai gostar nada disso."

"Não me interessa o que McGregor vai pensar. É só uma garotinha. Veja só a carinha dela. Diga para o pai que você precisa imobilizar esse tornozelo."

"Muito bem. Na verdade, é melhor que ela faça repouso absoluto por um dia ou dois."

"Nesse caso, faço questão que fique aqui até poder ser transportada. Podemos estender colchões aqui, e o pai também pode ficar."

"Gwen, acho melhor o homem voltar para as linhas de trabalho. Ele não teria como explicar a ausência. Além de perder o dia de trabalho, pode até ser despedido."

Ela ficou pensativa por um momento. "McGregor avisou que haveria demissões."

"Pois então. Estamos combinados? Vou dizer que ele já pode ir."

Ela assentiu, e o médico explicou a situação para o homem. O pai balançou a cabeça, apertou a mão da menina, virou as costas e saiu, com a apreensão estampada no rosto.

John Partridge olhou para Gwen, um tanto vermelho. "Até hoje não consegui entender como aconteceu aquele problema com a sua receita. Mil desculpas. Nunca tinha cometido um erro como esse."

"Isso não importa mais."

Ele balançou a cabeça. "Fiquei preocupado. Só prescrevo as doses mais altas para doentes terminais."

"Bom, as consequências não foram graves, e, como você pode ver, estou firme e forte de novo. Vou deixá-lo fazer seu trabalho agora, John. Venha comigo, Hugh."

"Eu quero ver."

"Não. Venha comigo agora."


Pouco depois, seu descanso de antes do almoço foi interrompido pelos sons de Verity e Savi Ravasinghe voltando de uma caminhada na beira do lago. Ela ficou de pé e viu seu reflexo no vidro da janela, com o que parecia ser a sombra de uma garotinha atrás de si.

"Liyoni", disse em um sussurro. Gwen se virou. Nada. Era só um efeito de luz.

Ela torceu desesperadamente para que Verity e Savi Ravasinghe fossem embora, e mal conseguiu olhar para o homem quando os dois entraram na sala.

"Fiquei sabendo que perdemos todo o drama que aconteceu hoje de manhã", comentou Verity, esparramando-se em um dos sofás. "Sente-se, Savi, eu fico nervosa com gente de pé ao meu lado."

"Eu preciso mesmo ir", ele disse com um sorriso amarelo.

Verity fez uma careta. "Se eu não levá-lo de carro, você não tem como ir."

Gwen se esforçou para deixar de lado a apreensão e se preparou para lidar com a conversa educada que viria. "Com certeza o sr. Ravasinghe deve estar ansioso para voltar ao trabalho. De quem é o retrato que está pintando atualmente?"

"Eu estava na Inglaterra, na verdade. Recebi uma encomenda de lá."

"Ah, espero que tenha sido de alguém importante. O senhor viu minha prima?"

Ele sorriu mais uma vez e inclinou a cabeça. "Um pouco, sim."

Ela tentou observá-lo de forma objetiva, sem deixar os sentimentos interferirem. Analisou o quanto deveria ser atraente para moças solteiras — bonito, charmoso e obviamente talentoso. As mulheres gostavam disso, assim como de homens que as faziam rir. Gwen admirou a pele dele, bronzeada com um belíssimo tom de açafrão, mas isso só trouxe de volta o horror daquilo que com certeza ocorrera entre os dois. Depois disso, foi acometida por um acesso de raiva tão grande que se sentiu fisicamente atacada. Cerrou os punhos e virou o rosto, sentindo a tensão esmagar o peito.

"Na verdade, foi a sua prima que ele pintou", Verity disse com um sorriso. "Não é incrível? Estou surpresa que ela não tenha lhe contado."

Gwen engoliu em seco. Fran não dissera nada.

"Ouviu o que eu falei, Gwen?"

Ela se virou para o homem. "Que maravilha, sr. Ravasinghe. Vou querer ver quando for à Inglaterra. Com tantas coisas a fazer, nem sempre consigo me manter atualizada."

"Coisas como socorrer crianças tâmeis feridas? É disso que você está falando, Gwen?" Verity falou com um olhar cheio de inocência no rosto, ergueu as sobrancelhas e sorriu para Savi, como se estivesse insinuando algo que Gwen não conseguiria entender.

Alguma coisa explodiu dentro de Gwen, tanto que ela nem se importou que eles vissem que estava tremendo.

"Não é disso que estou falando. Estou falando de ser uma esposa para Laurence, uma mãe para Hugh e de cuidar da casa, principalmente agora que precisamos controlar as despesas. As contas, Verity. Você sabe muito bem. E todo aquele dinheiro que sumiu sem explicação. Aliás, eu ainda acho que você pode me ajudar a esclarecer isso."

Pelo menos sua cunhada teve a decência de ficar vermelha antes de desviar o olhar.

"Sr. Ravasinghe, Verity vai levá-lo à estação agora."

"Esse é o problema", ele falou. "A esta hora não há mais trens."

"Nesse caso, Verity vai levá-lo a Nuwara Eliya."

"Gwen, francamente..."

"E, para não haver nenhum mal-entendido, vai fazer isso agora mesmo."

Ela deu as costas para os dois e foi até a janela, tão tensa que parecia que seu corpo iria se partir ao meio. Gwen ficou observando o voo baixo de uma garça por sobre a fina camada de névoa branca que pairava sobre o lago, e escutou quando os dois se levantaram e saíram. Ao ouvir o guincho dos pneus do carro, fechou os olhos e respirou fundo várias vezes, sentindo o alívio aquecer sua pele e relaxar seus músculos. Ela se sentia na corda bamba, em um momento de abalo sísmico em sua vida, sem saber onde estaria quando o tremor passasse — sem saber sequer se ainda estaria de pé depois disso. Tudo que sabia era que, agora que Laurence não estava por perto, as frentes de batalha que enfrentaria estavam se desenhando.

# 23

O dia seguinte era de Poya, feriado budista que acontecia todo mês na lua cheia, e, como estava tudo bem silencioso, Gwen dormiu até mais tarde. Laurence sempre dava esse dia de folga para os empregados da casa, para que pudessem ir ao templo. Para os seguidores mais devotos, era dia de jejum, ou *uposatha*. Para os outros, significava que as lojas e empresas estavam fechadas, e que a venda de álcool e carne estava proibida.

A maior parte dos trabalhadores era tâmil, e portanto hindu, mas alguns dos empregados da casa, como Naveena e o mordomo, eram budistas cingaleses. Laurence achava melhor suspender as atividades da fazenda doze ou treze vezes por ano, quando chegava a lua cheia. E, obviamente, durante o festival da colheita hindu. Isso propiciava um motivo a menos de divisão entre os trabalhadores, e a garantia de que todos tivessem suas folgas.

A primeira coisa que Gwen fez foi ir ver a garotinha, com Hugh e Ginger em seus calcanhares. Hugh carregava seu ursinho favorito debaixo do braço e, quando entrou no vestíbulo, entregou seu carrinho de metal predileto para a menina. Ela o pegou, virou e girou as rodinhas, abrindo um sorriso largo.

"Ela gostou, mamãe."

"Acho que gostou mesmo. Muito bem. Foi muita gentileza sua trazer coisas para ela brincar." Gwen não disse nada, mas achava que a menina não tinha nenhum brinquedo em casa.

"Queria que ela ficasse contente."

"Que ótimo."

"Trouxe o urso também. E chamei Wilf, mas ele não quis vir."

"Por que não?"

Hugh deu de ombros de um jeito engraçado, como as crianças fazem quando querem parecer adultos.

Ela ficou observando os dois por um momento. "Eu tenho umas coisas para fazer. Quer ir brincar no meu quarto?"

"Não, mamãe. Quero ficar aqui com Anandi."

"Tudo bem, mas ela precisa ficar de repouso. Vou deixar a porta aberta para poder ouvir você. Comporte-se."

"Mamãe, o nome dela significa pessoa feliz. Ela me contou isso ontem."

"Que bom saber que vocês estão se dando tão bem. Mas lembre-se..."

"Eu sei. Vou ser um bom menino."

Ela sorriu e deu um abraço em Hugh antes de sair do vestíbulo.

No corredor, ouviu o filho e a menina batendo papo em tâmil, e o som de risadas. Ele é um bom menino, pensou enquanto entrava no quarto para pôr a correspondência em dia.

Mais ou menos uma hora depois, o som de vozes exaltadas a interrompeu. Quando ouviu o sotaque escocês de McGregor, se deu conta de que não poderia ter deixado Hugh e a menina tâmil sozinhos, e foi correndo para o vestíbulo.

A porta do pátio estava aberta, e Gwen percebeu que a gritaria tinha começado lá. Quando viu McGregor brandindo o punho para uma mulher de sári laranja, Gwen respirou fundo e olhou para dentro do vestíbulo. Em um dos cantos, Hugh estava encolhidinho, envolvendo os joelhos com os braços, fazendo careta e mordendo o lábio, tentando não chorar. A menina estava sentada no colchão, com as lágrimas escorrendo pelo rosto sobre as mãos abertas, quase como se as tivesse posicionado para apará-las.

McGregor devia tê-la ouvido entrar, porque se virou com uma expressão furiosa no rosto.

"Que diabos está acontecendo aqui, sra. Hooper? Assim que seu marido vira as costas, a senhora traz a filha de um trabalhador para casa. Em que estava pensando?"

Gwen ficou surpresa quando viu Verity entrar e se agachar ao lado de Hugh.

"Não sabia que você já estava de volta", comentou Gwen, ignorando McGregor, ciente de que Verity deveria estar apenas esperando pela oportunidade de alertar o homem a respeito.

Gwen foi até Hugh, inclinou-se para a frente e bagunçou os cabelos dele. "Tudo bem, querido?"

Ele assentiu, mas não disse nada. Respirando fundo, Gwen endireitou o corpo, deu alguns passos na direção do homem e cruzou os braços. "As crianças estão apavoradas, sr. McGregor. Veja só a carinha delas. Isso é inaceitável."

Ele grunhiu, e ela notou que os punhos do homem estavam cerrados. "Inaceitável é a senhora interferir outra vez com os trabalhadores da fazenda. Fiz o que pude para ajudá-la, cedi os jardineiros, tomei as providências para a fabricação do queijo, e é assim que a senhora me retribui."

Ela ficou tensa. "Como assim? A questão aqui não é retribuição, nem ao senhor nem a ninguém. É uma garotinha com o tornozelo quebrado. O médico falou que ela ficaria manca se não fosse imobilizada com urgência."

"Os tâmeis não são atendidos pelo dr. Partridge."

Ela sentiu o maxilar tremer. "Ora, pelo amor de Deus, escute só o que o senhor está dizendo. É uma criança."

"Algum motivo para a senhora se preocupar tanto com essa menina?"

Ela o encarou, sem entender.

"A senhora sabe quem é o pai dela?"

"Eu o reconheci, se é isso que o senhor está insinuando."

"Ele é um dos maiores agitadores que temos na propriedade. A senhora há de se lembrar que ele já enfiou um prego no próprio pé para tentar receber sem trabalhar. Provavelmente quebrou o tornozelo da menina de propósito."

A essa altura, Gwen estava trêmula, sentindo uma mistura de raiva e medo. "Não, sr. McGregor, ele não fez isso. Ela caiu da janela do galpão de queijo."

"Como a senhora sabe?"

Ela o encarou, arrependida do que havia dito. "Que tal nos concentrarmos em levar a menina em segurança para casa?"

"O que ela estava fazendo na janela do galpão de queijo? Os trabalhadores são proibidos de se aproximar da casa. A senhora sabe disso."

Gwen sentiu o rosto queimar.

"É melhor não contar para ele", murmurou Hugh.

McGregor olhou ao redor do cômodo e falou com a voz rouca. "O que é melhor não me contar? O que ela estava fazendo na janela do galpão de queijo?"

"Eu..."

Houve um silêncio carregado de tensão.

"Acho que ela pode ter ido pegar um pouco de leite."

"Mamãe!", gritou Hugh.

"Pegar um pouco de leite? Vamos esclarecer isso melhor. Está me dizendo que ela estava roubando?"

Gwen olhava apenas para a frente, sentindo-se péssima. "Eu não vi. Mas o vestido dela estava molhado, a janela tinha ficado aberta e encontrei leite derramado no chão."

Hugh se levantou e foi ficar ao lado de Gwen, segurando em sua mão. "Ela pegou o leite para o irmãozinho", ele explicou. "O irmão dela está doente, e ela pensou que o leite fosse ajudar. Ela está arrependida."

McGregor fez uma careta. "E com razão, assim como o pai dela. Com certeza foi ele que a mandou fazer isso. O pai vai ser açoitado, e vai perder um dia de trabalho. Não posso admitir que os trabalhadores roubem coisas da casa."

Gwen soltou um suspiro de susto. O administrador da fazenda parecia completamente insensível ao sofrimento humano. "Sr. McGregor, por favor. Foi só um pouco de leite."

"Não, sra. Hooper. Se ele sair impune, logo mais estarão todos fazendo o mesmo. Além disso, ainda não entendi por que a senhora está tão interessada em defender essa menina. Não se esqueça de quantos eles são. Precisamos ter a mão firme, caso contrário será o caos."

"Mas..."

Ele ergueu a mão. "Não tenho mais nada a discutir sobre esse assunto."

"Ele tem razão", disse Verity. "Hoje em dia os açoitamentos não são tão comuns, mas de vez em quando é preciso mostrar para os trabalhadores quem é que manda."

Gwen teve que se segurar para controlar o tom de voz. "Mas eles têm seus direitos, não?"

Verity encolheu os ombros. "Mais ou menos. O salário mínimo fez o pagamento deles melhorar, e agora o arroz subsidiado é obrigatório, mas isso é tudo. E nós já forneçíamos arroz subsidiado três anos antes disso. Laurence sempre foi justo."

"Eu sei."

"Mas não existe nada que impeça que um trabalhador seja açoitado, sabe."

A mulher no pátio, que mantivera distância durante a discussão, voltou a falar, e Gwen se virou na direção dela, observando os cabelos partidos ao meio, as narinas largas, os zigomas pronunciados e os brincos dourados nas orelhas de lóbulos compridos. Sob o sári laranja, usava uma camisa limpa de algodão. Parecia ter se vestido especialmente para comparecer à casa.

"O que ela está dizendo, Hugh?"

"Ela pôs as melhores roupas que tinha e veio buscar Anandi."

"Diga a ela para voltar. É longe demais para a menina ir até lá pulando em uma perna só. Verity e eu vamos levar Anandi de carro. Ela pode ficar com o pé para cima no banco de trás." Gwen olhou para Verity, que parecia hesitante.

"Verity?"

"Certo, tudo bem."


A noite foi tranquila. Nada mais foi dito sobre a visita de Savi Ravasinghe, mas Gwen continuava chateada, em parte por isso e em parte por causa do incidente com McGregor. Ela achava que Verity tinha ido alertá-lo, já que não havia motivo algum para ele aparecer na casa em dia de Poya. Não estava muito frio, mas a lareira conferia um toque reconfortante à casa, então Verity acendeu o fogo e, como os empregados estavam de folga, Gwen preparou uma refeição simples com torradas francesas e panquecas de melaço com coco e frutas.

Gwen deixou as cortinas abertas para observar o luar sobre o lago. Alguma coisa naquela superfície azulada e prateada a fazia se lembrar do clima de Owl Tree e da lagoa local, que ficava no alto de um morro. Na lua cheia, a água reluzia da mesma maneira, e ela sempre achou que havia um clima sobrenatural em Owl Tree à noite.

"Olha, mamãe, estou comendo as cenouras direitinho", disse Hugh. "E Wilf também."

Ela olhou para o prato dele. "Isso não é cenoura, é laranja."

"As laranjas ajudam a enxergar no escuro também?"

Gwen riu. "Não, mas fazem bem para a saúde, como todas as frutas."

"Posso tocar?", perguntou Verity, levantando-se da cadeira.

Enquanto Verity tocava, Hugh cantou algumas marchas militares do tempo da guerra, inventando as letras que, felizmente, ele não conhecia. Queria que Gwen cantasse também, e a encarou com olhinhos ansiosos, mas ela fez que não com a cabeça, alegando que estava cansada. Mas a verdade era que estava com os nervos abalados.

Depois que Hugh foi para a cama, Gwen se agachou ao lado da lareira para reavivar um pouco o fogo.

Verity se recostou na pele de leopardo. "Eu gosto desses dias de folga."

Gwen não estava com a menor vontade de conversar, mas, se a cunhada queria fazer um esforço para ser amigável, era preciso tentar. "Sim. Eu também gosto de me cuidar sozinha. Só rezo para que não acabemos perdendo a fazenda. É uma pena que McGregor tenha que demitir tantos trabalhadores em breve."

"Ah, ele já fez isso. Você não sabia?"

"É mesmo?"

"Sim, foi anteontem."

"Ele contou para você e não para mim?"

"Tente não encarar a coisa dessa maneira. Ele com certeza teria dito, se você tivesse perguntado."

Gwen assentiu com a cabeça, mas não estava assim tão certa.

Como estava se sentindo bem desanimada, Gwen passara a tarde na cama enquanto Hugh tirava seu cochilo, então havia um assunto que não acompanhara. Ela não sabia se McGregor levara a cabo a ameaça de açoitar o homem, e ficou se perguntando o que Laurence faria se estivesse lá. Permitiria que McGregor impusesse o castigo ou teria interferido? Pelo que Gwen sabia, ninguém fora açoitado durante todo o tempo em que vivia na fazenda.

Ela esfregou a nuca, mas não conseguiu se livrar da tensão. "Você sabe se McGregor cumpriu a ameaça?", ela perguntou por fim. "O homem foi açoitado?"

"Foi, sim."

Gwen soltou um grunhido.

"Não foi nada bonito. A mulher dele foi obrigada a assistir."

Gwen olhou para a cunhada, tentando absorver o que ela dizia. "Você não quis ver, não é?"

Verity fez que sim com a cabeça. "A mulher se agachou sobre os calcanhares e começou a soltar uns gemidos horrorosos. Parecia um animal."

"Ai, meu Deus. Você foi ver. Onde foi?"

"Na fábrica. Ora, não fique pensando nisso. Quer jogar baralho?"

Mordendo o lábio inferior para segurar as lágrimas, Gwen ficou abaladíssima.


Algumas horas depois, Gwen estava acordada na cama, tentando desviar seus pensamentos do açoitamento. Foi ver Hugh no quarto anexo, mas ele estava em um sono profundo, assim como Naveena. Ao ouvir os roncos baixinhos da velha aia, Gwen decidiu que estava na hora de Hugh ter seu próprio quarto. Ele não era mais um bebê, e precisava de espaço para sua coleção cada vez maior de brinquedos, e de uma escrivaninha para fazer seus desenhos de dinossauros. De volta ao quarto, ela abriu a veneziana e olhou para fora.

A princípio, não viu nada de diferente, mas, assim que seus olhos se ajustaram à luz fraca do luar, percebeu a presença de luzes à distância, mas longe demais para que conseguisse identificar do que se tratava. Não pensou muito a respeito e, acreditando que tivesse alguma coisa a ver com o feriado, fechou e trancou a veneziana, mas deixou o vidro entreaberto.

Gwen devia ter dormido, porque quando acordou de novo o ruído era intenso. Havia um som de cantoria, vozes ritmadas e quase musicais. Parecia algo estranhamente mágico, e, apesar de não estar muito distante, ela não sentiu medo. Como estava acordada e pensava se tratar de algum ritual religioso, decidiu dar uma olhada. Provavelmente não era nada de mais; podia até ser um som carregado pelo vento de algum lugar afastado.

Quando abriu a veneziana para espiar, viu dezenas de homens marchando pelo caminho ao redor do lago. Os vultos escuros pareciam ameaçadores sob a luz do luar, mas foi o cheiro de fumaça e querosene que saía das tochas, misturado talvez com algum tipo de alcatrão, que realmente a preocupou. Ela fechou a veneziana às pressas, correu para fechar a janela de Hugh e acordou Naveena.

"Leve Hugh para o quarto do patrão e acorde Verity."

Ela atravessou o corredor com passos apressados até a sala de estar, onde deteve o passo. Pelas cortinas abertas, viu o jardim iluminado pela lua. Mais adiante, a fumaça e as chamas amareladas das tochas iluminavam o rosto dos homens, deixando o ar acima do lago com um tom pesado de marrom. Quando notou que os homens passariam reto pela casa, ela soltou um suspiro de alívio e correu para fechar as cortinas. Nesse momento, um homem apareceu do outro lado da vidraça, com o rosto a centímetros do seu. Ele se virou para ela com os olhos arregalados no rosto escuro e reluzente. Vestindo apenas um pedaço de tecido enrolado na cintura, tinha cabelos longos e embaraçados, e parecia a encarnação viva da máscara que Laurence dera a Christina.

Quando ele ergueu o punho e a encarou, Gwen ficou paralisada, apavorada demais para se mexer, com o coração batendo mais forte do que nunca. Ele continuou encarando-a, sem se mover. Ela não conseguiu sustentar o olhar e, com as mãos trêmulas, fechou as cortinas para tirá-lo de vista. Não era possível saber se estava acompanhado de outros, disposto a fazer um cerco à casa, mas, se estivesse, o que poderia fazer? Abalada pela possibilidade de que pudessem machucar Hugh, ela correu para pegar a espingarda de Laurence no armário de armas.

Com o medo tomando conta, Gwen se viu quase incapaz de raciocinar. Não havia como avisar McGregor de que dezenas de locais com tochas acesas estavam indo na direção de sua casa. Ela pressionou um dos braços contra as costelas, como se assim pudesse se livrar do pânico, e correu para o andar de cima, onde Verity, Naveena e Hugh estavam na janela do quarto de Laurence.

"Veja, mamãe. Eles estão passando direto. Não estão vindo para cá."

Gwen abriu a janela, apontou a espingarda para fora e esperou mais alguns instantes para se certificar de que não havia mesmo ninguém se dirigindo à casa. Apenas um ou outro se virou para olhá-la. Um dos homens brandiu a tocha no ar.

"Deus do céu, espero que não aconteça nada com McGregor."

"Ele deve ter acordado com o barulho, e Nick McGregor sabe muito bem se defender sozinho", respondeu Verity. "Mas, Hugh, você precisa se afastar um pouco da janela."

De repente, um tiro foi disparado, e depois outro. Um grito terrível preencheu o ar.

"Ai, meu Deus, ele está atirando!", disse Gwen. Quando Hugh teve um sobressalto e foi se abraçar à mãe, ela passou a espingarda para Verity.

"Apague a luz. Não quero que eles nos vejam aqui."

"Eles já nos viram", rebateu Verity. "Enfim, McGregor não deve estar atirando neles. Deve estar disparando para o alto, só para assustar."

"E se ele acertar alguém?"

"Bom, ele pode acertar um ou outro, mas seria um acidente. Eles precisam se dispersar de alguma maneira. Veja só, está funcionando."

Apesar do medo, Gwen sentia pena daqueles homens, e temeu que McGregor pudesse persegui-los. Mas, se por um lado a pobreza dos trabalhadores a comovia até as lágrimas, para Verity eles não pareciam ser um assunto digno de muita atenção.

Ela voltou seu olhar para o bangalô de McGregor, onde uma confusão imensa estava se formando. Como abelhas expulsas da colmeia por um jato de fumaça, os homens estavam se dispersando, e alguns inclusive já estavam em fuga. Algumas tochas ainda queimavam, enquanto outras eram descartadas no lago. Um cheiro azedo e acre se espalhava pelo ar. Diversas chamas ainda ardiam no ar, mas, para alívio de Gwen, os homens estavam voltando todos para o caminho do lago, e nenhum deles parecia disposto a se desgarrar e se aproximar da casa. Ela rezou para que ninguém acabasse morto.

A essa altura, Verity ainda estava debruçada na janela com a espingarda, e deu um tiro para o alto, produzindo um barulho tão alto que quase matou Gwen de susto.

"Por que você fez isso, Verity?"

"Só queria mostrar para eles que, apesar de Laurence não estar por aqui, nós também podemos atirar."

Gwen assumiu uma posição na janela e permaneceu atenta até não haver mais ninguém por perto.

"Acho melhor voltarmos a dormir", ela disse depois de um tempo. "Vou ficar aqui em cima com Hugh. Naveena, você pode usar o quarto ao lado. Boa noite."

"Com certeza ainda não acabou", disse Verity. "Posso ficar com vocês aqui, por favor? Para ajudar a garantir a segurança de Hugh?"

Gwen refletiu por um instante. Provavelmente era melhor se ficassem todos juntos.

"Eu fico com a arma", ela falou, e, apesar de se sentir capaz de fazer qualquer coisa para proteger o filho, a ideia de apontar a espingarda para outro ser humano e matá-lo fazia seu sangue gelar.

Quando Hugh pegou no sono, Gwen acariciou o rostinho quente e macio do menino e ficou deitada de olhos abertos no escuro, refém de um turbilhão de pensamentos. Gwen não se sentia à vontade com o fato de Hugh estar ensanduichado entre ela e Verity, e ficou se perguntando se contaria a Laurence sobre o motivo que deixara os homens tão irritados e vingativos. Só podia ser por causa do açoitamento. McGregor poderia ter morrido por isso — poderia ter feito com que todos eles fossem mortos.

\*

Pouco antes de amanhecer, ela se sentou na cama de forma abrupta. Verity estava parada na porta, enrolada em um cobertor, conversando com Naveena aos sussurros. Segurava uma vela e a espingarda, e se virou quando ouviu Gwen se levantando. Verity entregou a vela para Naveena e levou o indicador aos lábios antes de segurar a porta aberta para Gwen.

"Depressa. Não acorde Hugh. Vista o roupão de Laurence."

Gwen obedeceu e saiu, fechando a porta atrás de si.

"Vamos", chamou Verity, parecendo empolgada.

"O que está acontecendo? Por que o cheiro está mais forte que antes?"

"Você vai ver."

Naveena guiou o caminho pela escada, pelo corredor e pelo vestíbulo, tendo apenas a luz bruxuleante da vela iluminando a passagem. Gwen ouviu os estalos antes de ver o fogo e, pela janela do vestíbulo, notou que o céu assumira um tom alaranjado.

Em pânico, ela correu na frente de Verity e Naveena para abrir a porta lateral que dava para o pátio. Imediatamente levando a mão ao pescoço, foi envolvida pelas nuvens de fumaça azul vindas da construção adicional à esquerda da casa. O fogo parecia fora de controle, e a fumaça era tanta que não conseguia ver o que estava queimando. Houve um barulho retumbante, seguido pelo som forte de um impacto, quando uma das vigas principais do galpão de queijo cedeu, espalhando faíscas e cinzas pelo ar e lançando a fumaça preta na semipenumbra do céu do amanhecer. Os olhos de Gwen ardiam por causa do cheiro de madeira e queijo queimado que se espalhava pelo pátio, e era quase impossível respirar.

O barulho continuava, embora a estrutura do galpão em si, feita de pedra e com piso de cimento, continuasse intacta. O verdadeiro perigo era que as chamas se espalhassem para as cozinhas e para os quartos dos empregados através das vigas do telhado, e em seguida para o restante da casa. Apavorada com o que poderia acontecer a seguir, e temendo pelo filho, Gwen cobriu a boca e o nariz e correu na direção do galpão, mas imediatamente começou a tossir, agitando violentamente os braços.

Verity veio até ela.

"Não é emocionante? Veja, o *appu* e os cules da cozinha já estão combatendo o incêndio. Os camareiros estão fazendo o mesmo do outro lado."

Enquanto os homens corriam em torno do fogo, gritando instruções uns para os outros, Gwen viu os olhos de Verity se iluminarem. Quando a cunhada se aproximou ainda mais das chamas, porém, Gwen deu um passo para trás, por causa do calor.

O incêndio continuava, e as chamas consumiam toda a estrutura do telhado. Então diminuíram em meio ao barulho da água quando, com panelas e uma mangueira, os homens conseguiram molhar toda a superfície. Gwen respirou aliviada, mas um instante depois o fogo apareceu ainda mais alto, e a aflição recomeçou. Ela se sentia indefesa, observando o vento arrastar a espiral de fumaça preta sobre o lago e as chamas alaranjadas se erguerem contra o céu.

Por fim, depois que o fogo cedeu, os homens começaram a apagar as brasas com panos molhados. Respirando mais livremente, Gwen limpou os olhos. Quando o incêndio acabou de vez, os homens começaram a cumprimentar uns aos outros. No entanto, enquanto o *appu* verificava que nada mais voltaria a queimar, uma nuvem de fumaça ainda pairava sobre o pátio.

Verity gritou algo para ele em tâmil.

Ele assentiu com a cabeça e falou algumas palavras que Gwen não conseguiu entender.

"O que ele disse?", ela quis saber.

"Nada de mais. Só confirmou que o incêndio acabou de vez."

Estava tudo coberto de cinzas, inclusive as roupas e os cabelos de Gwen, que se sentia imunda. "Ainda bem que você me chamou", ela disse, tentando se limpar com as mãos.

As lágrimas se acumularam nos olhos escuros de Verity. "Claro que sim. Hugh é importante demais para mim. Eu jamais o deixaria correr perigo."

Elas entraram juntas. Enquanto subia ao quarto de Laurence para ficar com Hugh, com os olhos ardendo por causa da fumaça, ela estremeceu ao pensar que algo mais grave poderia ter acontecido caso o incêndio não tivesse sido descoberto logo no início. O que a incomodava não era o estrago já feito — o galpão de queijo poderia ser reformado —, mas o estrago que poderia ter acontecido. Gwen limpou o rosto e, enquanto a luz da manhã começava a entrar no quarto, ajeitou-se na cama e acariciou o rosto do filho. Ele estava a salvo, graças a Deus.

A única pessoa em que confiava caso as coisas ficassem realmente sérias era Laurence. Pensava nele todos os dias desde que partira. Sentiu vontade de chorar. Chorar para valer. Quando a imagem de Christina entrando no carro diante do Hotel Galle Face voltou à sua mente, um raio de sol iluminou a mesa no local onde o rosto de Caroline reluzia no porta-retratos de prata. Queria poder falar com você, pensou. Talvez você soubesse o que fazer.

# 24

Amanheceu um dia ensolarado, iluminado por uma luz delicada, com uma névoa azul clara pairando sobre o lago. Parecia estranho que, depois de uma noite tão assustadora, tudo parecesse tão tranquilo e corriqueiro à beira do lago, com o sereno cobrindo as folhas das árvores e do gramado. Na lateral da casa, porém, o cheiro de queijo queimado ainda pesava no ar, e um clima de desolação tomava conta do pátio coberto de cinzas enquanto os cules faziam a limpeza. Gwen mantinha Hugh sempre perto de si, e esperava ansiosamente pela chegada de McGregor.

Verity entrou na sala de estar. "Um dos cules da cozinha se feriu no incêndio."

"Foi grave?"

"Não sei. O *appu* acabou de me contar. Vou procurar McGregor e perguntar se ele sabe de alguma coisa."

"Depois me conte, certo?"

"Claro."

No momento em que Florence Shoebotham apareceu com uma torta de toucinho, Gwen viu McGregor no patamar superior do jardim, gesticulando com os braços enquanto conversava com Verity. Gwen inclinou o corpo para trás em uma tentativa de não ser vista, mas, quando McGregor a encarou sem nem uma sombra de sorriso no rosto, ela ficou tensa. Era bem o que estava esperando.

Florence era a última pessoa que gostaria de ver, mas, em certo sentido, apesar de preocupada com o empregado ferido, Gwen gostou de ter um motivo para adiar a reprimenda do capataz. Em breve eles teriam que se falar, mas enquanto isso não acontecesse ela não faria questão nenhuma de procurá-lo.

"Eu vim assim que soube", disse Florence, com o queixo duplo balançando em uma expressão de compaixão. "Ouvi dizer que seu anexo inteiro pegou fogo."

"Não. Na verdade foi só o galpão de queijo."

"Eu sinto muito."

Gwen foi obrigada a ficar na sala com a visita, e pediu ao mordomo que trouxesse chá, servido com a melhor porcelana da casa, e com um bolo de três camadas. Enquanto Florence se ocupava das guloseimas, que estavam apenas com um leve cheiro de fumaça, Gwen foi ficando cada vez mais ansiosa. Mais cedo ou mais tarde, teria que perguntar a McGregor sobre o empregado ferido.

"Alguma chance de vermos em breve sua agradabilíssima prima Fran?", perguntou Florence.

"Não tão cedo, mas ela prometeu fazer uma visita quando pudesse."

"Você deve estar com saudade dela, e de seu marido também, claro." A mulher tratou de colocar uma expressão de preocupação no rosto, e baixou o tom de voz. "Espero que esteja tudo bem com Laurence. Ouvi dizer que ele sofreu grandes prejuízos com a quebra de Wall Street."

"Não precisa se preocupar, Florence. Está tudo bem com Laurence, e comigo também."

Gwen teve a impressão de que Florence se esforçava para esconder a decepção com o fato de que a fofoca não seria tão apetitosa quanto esperava.

"Esperamos que ele volte muito em breve", continuou Gwen. Ela não mencionou que Laurence mandara um telegrama para o corretor que o representava nos leilões naquela mesma manhã, avisando que demoraria mais que o esperado, nem que o marido não havia sido informado sobre o incêndio.

Depois que Florence foi embora, Gwen abriu a janela, mas, com o cheiro de queimado ainda pairando no ar, fechou-a em seguida e foi atrás de Verity e Hugh. Queria manter o menino sempre ao seu lado, mas ele escapulira durante a visita de Florence. Ela percorreu os caminhos entre as árvores e os arbustos no jardim, chamando pelo filho, e, quando chegou ao último patamar, parou para observar as ilhazinhas que pontuavam a superfície da água. Uma fina névoa ainda pairava sobre o lago, e uma lufada de vento a refrescou. Quando ouviu passos no caminho e o som da voz de Hugh, ela se virou, mas deu de cara com McGregor, que conduzia o menino pela mão.

"Sr. McGregor", ela falou.

"Sra. Hooper." Ele soltou a mão de Hugh, que foi correndo até a mãe.

"Como está o homem?", ela perguntou, fazendo um esforço para parecer calma.

"O farmacêutico está com ele."

"Uma sequência infeliz de acontecimentos", comentou Gwen.

Ele sacudiu a cabeça. "Muito mais que infeliz. Destruição deliberada é uma coisa inaceitável. Espero que pare por aí. Mas eu aconselharia a senhora a manter o menino por perto por enquanto."

"Vamos torcer para que não tenha sido nada tão sinistro. Pode ter sido um acidente, não? Com todas aquelas tochas acesas tão perto da casa."

"Eu duvido. Mas foi sorte que o fogo tenha sido descoberto a tempo."

Ela respirou fundo.

Ele se virou para ir embora, afastou-se alguns passos, mas então olhou para trás. "Eu sabia que uma coisa assim poderia acontecer. Sorte sua que o homem ainda está vivo."

Ela juntou as mãos para tentar suprimir a raiva. "Como assim?"

"Estou dizendo que esse é o tipo de problema que acontece quando alguém interfere na maneira como as coisas são feitas."

"E esse alguém seria eu?"

Ele inclinou a cabeça e fechou a cara.

Ela deu alguns passos na direção dele, sentindo seu esforço para moderar a raiva ir por água abaixo. "Na verdade, sr. McGregor, acho que não fiz nada de errado ajudando aquela menina. Só uma pessoa com o coração de pedra pensaria o contrário. Não fui eu que causei tudo isso, e sim o senhor. Essa coisa de açoitar um homem por qualquer motivo ficou no passado, e, se o senhor acha que não, deveria se envergonhar."

"Já terminou?"

"Não mesmo. Só com muita sorte o Sindicato Trabalhista do Ceilão não vai ficar sabendo desse caso. O senhor é um homem cruel, que só consegue enxergar o pior nas pessoas. Eu acredito que devo tratar os outros de forma justa e gentil, qualquer que seja a cor da pele."

O rosto dele se contorceu em um espasmo. "Isso não tem nada a ver com a cor da pele."

"Claro que tem a ver com a cor da pele. Tudo neste país tem a ver com a cor da pele. Escreva o que eu vou dizer, sr. McGregor, tudo isso ainda vai se voltar contra o senhor, e nesse dia nenhum de nós vai estar seguro."

Depois disso, Gwen saiu pisando duro e com o queixo levantado, levando Hugh a reboque. Ela não daria ao sr. McGregor a satisfação de ver que seus olhos estavam cheios de lágrimas.

Aquela noite foi de sonhos atribulados, com homens brandindo tochas que pareciam emergir da superfície do lago. Gwen sonhou com Laurence também, junto com ela na cabana dos barcos, com uma mecha de cabelos caindo sobre os olhos ao se inclinar sobre a esposa. Os pelos dos braços dele brilhavam sob o luar, e as sardas pintavam o rosto. Ela o abraçou pelo pescoço e o segurou pela nuca, mas então percebeu que o olhar de Laurence estava distante, como se não a estivesse enxergando. Foi um sonho sinistro e perturbador, e, assim que acordou, ela recebeu a notícia de que o empregado morrera por causa das queimaduras.

Gwen passou o dia tentando descobrir onde encontrar a família do homem, para ver se podia fazer algo para ajudar. Ela se lembrava dele, e ficou arrasada ao pensar que tivera a vida interrompida de um jeito tão doloroso — era um jovem, pouco mais que um menino, sempre solícito e sorridente. Quando cruzou com McGregor no jardim, porém, ele deixou bem claro que cuidaria da questão pessoalmente.

"Mas ele era um dos cules da casa."

"Mesmo assim, sra. Hooper, não posso permitir que os sentimentos aflorem em um momento tão delicado. O risco de enfrentarmos mais repercussões ainda existe."

"Mas..."

McGregor não respondeu. Simplesmente fez um aceno de cabeça, virou-se e saiu andando na direção oposta. Ela ficou olhando para o lago, sem saber o que fazer.

# 25

As semanas seguintes também foram tensas, com uma espécie de melancolia pairando sobre a casa. Pensando em Hugh, Gwen tentou agir bravamente, como se tudo estivesse dentro da normalidade, mas logo ficou claro que Verity estava bebendo demais. Quase do dia para a noite, tornara-se distante, passando horas e horas no quarto, e às vezes Gwen a ouvia chorar. Em outros momentos, parecia irritadiça, perdia a paciência até com Hugh. Uma ou duas vezes, Gwen foi obrigada a repreendê-la, e depois disso a ouviu andando no quarto de Laurence no meio da madrugada. Quando descia, Verity se mostrava a melancolia em pessoa, vagando pela casa como uma criatura desvalida.

Não parecia haver uma forma fácil de entender a irmã de Laurence, e Gwen começou a se preocupar com o estado mental da jovem. Mudanças de humor eram compreensíveis, mas aquilo já era demais! Quando tentava perguntar o que estava acontecendo, Verity fechava os olhos e sacudia a cabeça. Parecia que sua cunhada estava fazendo de tudo para esconder seus sentimentos, e, no fim, Gwen decidiu esperar que a tristeza passasse. Embora a infelicidade da cunhada pudesse ser considerada uma espécie de desforra para Gwen, essa "vingança" — se é que se podia dizer assim — estava se mostrando um prato amargo, além de frio, e havia algo no comportamento da jovem que lhe despertava pena.

Além disso, Gwen estava chateada com o que acontecera com Mc-

Gregor, e fazendo de tudo para não interferir nos assuntos dele. Mesmo assim, com a ajuda de Naveena, conseguira entrar em contato com a família do morto. Nas semanas de isolamento e distanciamento em que Laurence esteve fora, ela tratou de cuidar dos deveres da casa, elaborando os cardápios, garantindo que nenhuma roupa desaparecesse na lavagem e acompanhando de perto as contas. No entanto, a morte do empregado ainda representava um tormento para ela, fazendo-a se sentir insegura e culpada.

Nos dias de brisa, quando as tábuas da casa rangiam, ela ouvia os passos de sua filha ausente. Imediatamente ficava imóvel, como se esperasse que o vento trouxesse alguma notícia, ou então, para quebrar o feitiço, elaborava um inventário dos produtos na despensa, mas poderia ser qualquer outra coisa que ocupasse sua mente.

Certa manhã, entrou na cozinha e encontrou apenas McGregor por lá, de cara fechada.

"Sr. McGregor", ela falou e se virou para sair.

"Tome uma xícara de chá comigo, sra. Hooper", ele falou em um tom menos brusco que o habitual.

Ela ficou surpresa e hesitou.

"Não se preocupe, eu não mordo."

"Não era isso que eu estava pensando."

Enquanto ele pegava uma segunda xícara e servia o chá, ela se sentou do outro lado da mesa.

"Durante a vida toda, trabalhei com chá", ele falou, sem olhar para ela.

"Laurence me contou."

"Conheço bem esses trabalhadores. Mas aí a senhora chega e quer mudar tudo. Como é que, sem saber nada, está querendo mudar tudo, sra. Hooper?"

Quando ela começou a responder, ele ergueu a mão, e Gwen sentiu cheiro de uísque em seu hálito.

"Deixe-me terminar. O pior, o pior de tudo, o que está me impedindo de dormir à noite..."

Houve uma longa pausa.

"Sr. McGregor?"

"O pior de tudo é que, no fim das contas, a senhora pode estar certa sobre o açoitamento."

"E isso é uma coisa tão ruim assim?"

"Para a senhora, talvez não..."

Gwen procurou alguma coisa para dizer. "O que está preocupando o senhor de verdade?"

Ele hesitou, balançando a cabeça. Houve mais um instante de silêncio, e o queixo dele ficou tenso enquanto parecia pensativo. Gwen não tinha como imaginar o que poderia passar pela cabeça daquele homem, pois tudo que conhecia dele até então era a fachada rude.

"O que me preocupa, se a senhora quer saber, é que talvez eu não consiga me adaptar. Dediquei minha vida ao chá, estou acostumado com as coisas sempre do mesmo jeito há tanto tempo... está no meu sangue, sabe? No começo, não pensávamos duas vezes antes de açoitar os locais. Nós mal os considerávamos gente, e muito menos gente como nós."

"Mas eles são gente como nós, e um deles perdeu a vida."

Ele balançou a cabeça. "Eu mudei meu ponto de vista muito tempo atrás. Não sou um homem cruel, sra. Hooper. Tento ser justo, e espero que a senhora reconheça isso."

"Acredito que todos são capazes de mudar, caso se empenhem de verdade", ela respondeu.

"Pois é", ele falou. "Caso se empenhem de verdade. Eu fui feliz aqui, mas, gostando ou não, nossos dias estão contados."

"Precisamos nos adaptar aos novos tempos."

Ele suspirou. "Os novos tempos não vão ter lugar para nós. Mesmo depois de tudo que fizemos pelos trabalhadores, vai ser o fim."

"Talvez por causa do que fizemos *com* eles."

"E, quando esse dia chegar, não vou saber o que fazer."

Gwen notou quando a resignação tomou conta do homem, fazendo seus ombros desabarem.

"Como estão as coisas com os trabalhadores agora?"

"Tranquilas. Acho que a morte do homem foi um choque para eles tanto quanto para nós. Ninguém quer perder o emprego."

"E quem foi que começou o incêndio?"

"Ninguém quis falar. Tenho duas opções: fazer uma grande demonstração de poder, envolvendo as autoridades, ou declarar que acredito ter sido um acidente. Não faz muito meu estilo, mas decidi fingir que foi um acidente."

"O senhor acha que pode acontecer de novo?"

"Quem é que sabe? Mas o meu palpite é que os problemas de verdade vão começar em Colombo. Os trabalhadores daqui têm muito a perder."

Ela suspirou. Nenhum dos dois disse nada depois disso, e, concluindo que não havia mais o que ser conversado, Gwen se levantou.

"Obrigada pelo chá, mas agora preciso ver onde está Hugh."


Ela passava a maior parte de seu tempo livre com Hugh. Às vezes brincavam de soldados avançando sobre os inimigos, que em geral eram os cães. Infelizmente, os animais não entendiam o papel que lhes cabia, e ficavam correndo em círculos em vez de caírem mortos. Hugh gritava com eles, batendo os pezinhos no chão.

"Deita, Spew! Você também, Bobbins. Ginger, já era para você estar morto!"

Naquele dia, Hugh estava correndo pela sala de jantar com os braços estendidos, fingindo ser um trimotor inglês e ficando tonto de tanto girar.

"Mamãe, brinque de avião comigo. Você pode ser um Albatros alemão, e nós podemos fazer uma batalha aérea."

Ela estremeceu ao pensar em fogo trocado em pleno céu. "Querido, acho que não gosto muito desse tipo de brincadeira. Por que não pede para a tia Verity ler para você?"

Verity pegou um livro, e Hugh se sentou ao lado dela no sofá.

"Que livro é esse?", Gwen perguntou, franzindo a testa ao olhar por cima do ombro de Verity. Gwen preferia Beatrix Potter, e achava que a escolha de Verity, os contos de fadas de Hans Christian Andersen, poderia deixar o menino assustado. Era uma diferença recorrente entre as duas.

Verity insistiu. "Ele não é mais bebê. Não estava agora mesmo fingindo ser um bombardeiro de guerra?"

"Sim."

"Pois então. As histórias de Andersen às vezes são tristes, mas fazem parte de um mundo imaginário maravilhoso. Não quero que Hugh seja privado disso."

"E eu não quero que ele fique traumatizado pelo resto da vida."

"Mas, Gwen, eles são muito melhores que os contos dos irmãos Grimm."

"Tem razão. Talvez quando ele for um pouco mais velho."

Verity baixou o livro de contos de fadas. "Eu não acerto uma com você, não é mesmo?"

Pega de surpresa, Gwen se sentiu um pouco incomodada. "Por que não *Alice no País das Maravilhas*?"

Verity deu de ombros.

Gwen entregou o livro à cunhada. "Vamos, Verity. Não estrague o momento, por favor."

Verity ficou olhando para o livro sem dizer nada, e, quando Gwen notou as lágrimas em seus olhos, imaginou serem por causa da saudade que sentia do irmão.

"Qual é o problema?", perguntou Gwen.

Verity balançou a cabeça.

"O que pode ser tão ruim assim?"

Notando que Verity baixara a cabeça, Gwen foi até ela e a segurou pelas mãos. "Vamos, menina. Cabeça erguida."

Verity ergueu os olhos. "Você sabe que eu amo Hugh, não é?"

"Claro. Não precisava nem dizer."

Verity suspirou e não disse mais nada.

Um pouco mais tarde, assim que Alice caiu no buraco do coelho, o telefone tocou. Os três ergueram a cabeça, mas Gwen foi a primeira a se levantar. Quando atendeu, uma voz distante informou que era o corretor que representava Laurence em Colombo, avisando que recebera um telegrama contando que o patrão chegaria em uma semana. McGregor poderia buscá-lo no porto? Ela fez uma oração silenciosa e voltou para a sala de estar. Ao ver a cunhada com o filho, desejou manter aquela sensação agradável só para si por mais um tempo.

Verity ergueu a cabeça. "Quem era ao telefone?"

293

Gwen sorriu.

"Ande, me conte. Você ficou toda animada."

Ela não conseguiu se segurar. "Laurence está voltando para casa."

"Quando? Não me diga que ele já está em Colombo!"

Gwen assentiu com a cabeça. "Chega em uma semana. Quer que McGregor vá buscá-lo no porto."

"Não", rebateu Verity. "Vamos nós."

Sem saber ao certo se queria fazer aquela viagem com Verity, Gwen fez uma careta. "Você teria que ir dirigindo até lá."

Hugh começou a pular de alegria, batendo palmas.

Verity se levantou, abraçou Hugh e começou a girá-lo pela sala.

"Eu adoraria dar uma festa de boas-vindas para ele", comentou Gwen. "O clima anda tão pesado, nós bem que merecemos um pouco de diversão."

"Pensei que precisássemos apertar os cintos."

"Não precisa ser nada muito extravagante."

Verity pôs Hugh no chão e deu um passo para trás, e Gwen ficou pensando por um minuto ou dois.

"Podemos servir só canapés para comer, e fazer tigelas grandes de ponche, com mel das abelhas das colmeias e frutas do pomar. Isso vai disfarçar a bebida barata. E não precisamos de um quarteto de cordas, o gramofone já basta."

Verity sorriu, e Gwen se deu conta de que fazia semanas que não via a cunhada feliz daquele jeito.

"Vamos gastar o mínimo possível. Laurence vai ficar furioso se chegar em casa e encontrar uma festança. E precisamos estar aqui para cuidar dos preparativos, então talvez McGregor tenha que ir buscá-lo no fim das contas."

Verity sacudiu a cabeça. "Você não vai querer que McGregor seja o primeiro a contar o que aconteceu. Por causa da menina machucada, ele ainda culpa você pelo incêndio e pela morte do empregado."

"Pensei que ele tivesse decidido ser mais flexível."

"Quem é que sabe? Mas você vai querer que ele converse com Laurence antes de contar o seu lado da história?"

"Acho que posso tentar ir dirigindo."

"Gwen, você até consegue se virar dirigindo por aqui, mas uma viagem até Colombo? A estrada não é nada fácil. E se você sofrer um acidente?"

Ela sabia que Verity estava certa.

"Vamos fazer assim. Os empregados daqui estão acostumados com festas no estilo antigo, em que dinheiro não é problema. Por que você não fica aqui para garantir que tudo seja feito à sua maneira? Cuide dos preparativos, e eu posso ir buscar Laurence sozinha."

"Eu queria muito ir, mas acho que não posso deixar Hugh aqui, com todo mundo tão ocupado." E, para não acabar com a alegria de Verity, Gwen decidiu deixar que ela fosse.

"Muito bem. Agora que está tudo decidido, vamos fazer a lista de compras."


Dois dias depois, Gwen se levantou bem cedo. Saiu do quarto ainda de roupão e viu a névoa envolvendo as árvores do verde mais vivo imaginável. Ela adorava o lago, a vista dos morros ao redor e o som da água se agitando nas margens. O que quer que o futuro lhe reservasse, ela desejava do fundo do coração que não fosse preciso deixar o Ceilão. Aquele lugar se tornara o mais bonito do mundo para ela, e, por mais que sentisse falta dos pais, a Fazenda Hooper era seu lar.

Um pouco mais tarde, foi para a varanda, onde os rapazes já estavam arrumando a mesa para o café da manhã. Ela se sentou em uma cadeira confortável de vime e ficou observando os pássaros saltitarem pelo caminho de cascalho. Verity passou por lá para avisar que iria a Colombo mais cedo que o planejado. Precisava fazer umas compras pessoais antes de ir buscar Laurence no porto. Na verdade, esperava poder ver também uma exposição de Savi Ravasinghe. Ele havia se inserido nos círculos artísticos de Nova York, então não passaria mais tanto tempo no Ceilão. Isso significava que ela ficaria cinco dias fora. Verity perguntou se Gwen se importaria.

Gwen fez que não com a cabeça. Apesar de ter gostado de saber que teria menos chances de encontrar Savi, sentiu um calafrio ao ouvir o nome do pintor. "Pode ir. Só traga seu irmão de volta para casa inteiro."

"Estão falando que pode haver greve no porto, o que é mais um motivo para chegar lá o quanto antes."

Gwen suspirou. A população cada vez maior de Colombo estava enfrentando uma escassez no fornecimento de arroz, o que havia causado uma greve dos trabalhadores dos bondes no começo do ano, e uma greve dos portuários seria ainda pior. Por outro lado, ela também sabia que a partida antecipada de Verity significava que não havia como mudar de ideia e querer ir também, a não ser que quisesse enfrentar uma viagem sozinha com McGregor até Colombo.

"Então já vou indo." Verity se levantou, deu um beijo de leve no rosto de Gwen, acenou para Hugh, que estava brincando na grama com Ginger, e foi embora.


Gwen estava convivendo com seu segredo por tanto tempo que o choque inicial de ser separada da filha acabou se transformando em uma tristeza mais amena, porém persistente. De vez em quando era bom ficar sozinha, pois, sem Verity, estava livre para deixar seu coração se lamentar. Ela se perguntou como a filha estaria àquela altura. Seria robusta como Hugh ou magrinha como a mãe?

Ela queria ir à aldeia de novo, e começou a andar de um lado para o outro, cruzando e descruzando os braços, sacudindo a cabeça e escutando os barulhos da casa enquanto decidia o que fazer. Em sua mente, visualizou a paz do lugarejo e os sons da natureza ao redor. No entanto, apesar da tentação de tentar encontrar o caminho sozinha, a lembrança do que acontecera na última vez a deteve. Ela se acomodou na cadeira junto à janela e, fechando os olhos, imaginou Liyoni nadando no lago. Em seguida pensou em sua menina correndo até ela para ser envolvida por uma toalha macia, sorrindo para a mãe enquanto recebia seus carinhos.

Ela chorou até a tristeza passar e, depois de enxugar os olhos, foi lavar o rosto. Talvez um dia, quando Hugh fosse mais velho e estivesse na escola. Então poderia convencer Naveena a levá-la até lá.

# 26

Gwen mandou dois camareiros subirem ao sótão com instruções para procurar tudo o que pudesse ser usado em uma festa. Enquanto eles estavam por lá, ela foi vasculhar um quarto de hóspedes raramente usado e bastante negligenciado. Debaixo da cama encontrou fogos de artifício e, em um guarda-roupa, uma pilha de lamparinas de papel empoeiradas. Uma ou outra estava rasgada, mas a maioria só precisava de uma boa espanada para tirar o pó.

Quando olhou dentro de uma cômoda antiga, percebeu que um embrulho grande e estreito havia sido empurrado para o fundo do móvel. Ela o retirou, colocou sobre a cama e removeu o barbante e o papel de embrulho. Um sári vermelho lindíssimo estava dobrado dentro do pacote. Era feito de seda, bordado com fios dourados e prateados. Gwen o levantou contra a luz e examinou a estampa intricada de pássaros e flores em um dos lados. Aquele era o sári de Caroline — o que ela estava usando na pintura. Depois de ficar olhando para a peça por um tempo, pensando em Caroline e Thomas, sentiu-se um tanto desconfortável, com lágrimas nos olhos, mas, por não querer revolver o passado, nem complicar o presente, embrulhou a peça e guardou de volta.

Os rapazes desceram com as bandeirolas. Pareciam um tanto encardidas, e Gwen mandou lavá-las e secá-las ao sol. O jardineiro colheu flores dos canteiros das laterais dos jardins e as replantou em vasos no cômodo ao ar livre nos fundos da casa. Naveena trouxe tigelas de madeira cheias de especiarias e incenso para espalhar pelo local.

Gwen então voltou sua atenção para a comida. Seria algo bem simples, usando os pães típicos do Ceilão: pão flor, pão de arroz com coco, *kiri roti* e outros pratos mais comuns.

Quando a casa estava arrumada, começou a pensar no que vestir. Queria estar bonita para Laurence, e se decidiu por um vestido que combinava perfeitamente com o tom de seus olhos: um belíssimo tom de violeta escuro. Algum tempo antes, trouxera a seda de Colombo, e, depois de recortar uma fotografia do modelo na revista *Vogue*, pedira a um costureiro cingalês que fazia roupas para a família reproduzi-lo. O vestido pronto ainda não tinha voltado de Nuwara Eliya, mas ela não conseguiu ir buscar, e precisava torcer para que fosse entregue a tempo.

Em meio à agitação, os dias se passaram depressa, cheios de ajustes de última hora, decisões a tomar, uma pequena crise e uma discórdia entre os empregados a ser contornada. Naveena se encarregou de Hugh, enquanto Gwen supervisionava a distribuição das flores e das velas. Estava torcendo para que a festa elevasse o astral de todos, inclusive de McGregor.

Quando o dia chegou, Gwen cuidou das providências que ainda restavam e tratou de escolher o que Hugh usaria para receber o pai. Quando o levou à janela para cortar a franja do menino com a tesoura de costura, ele não conseguia parar quieto.

"Não se mexa tanto assim", ela falou, "ou vou acabar arrancando seu olho."

Ele deu uma risadinha e fingiu tirar um dos olhinhos da cara.

Ela riu. Era o maior período que a família passara separada, e o entusiasmo de Hugh para rever o pai era contagiante.

No fim da tarde, a pouco mais de uma hora do início da festa, Naveena apareceu com uma caixa grande e estreita. O vestido de Gwen chegara. Ela abriu o pacote, removeu o papel fino e prendeu a respiração ao erguer a linda peça de seda. Era um vestido perfeito. Não muito curto, com pregas e contas peroladas bordadas na parte de cima. Ela usaria seu colar e seus brincos de pérolas para combinar. Por sorte, o vestido estava pago desde antes do início de suas atribulações financeiras, então ela não poderia ser acusada de ter jogado dinheiro fora. Gwen segurou a peça junto ao corpo e deu uma rodadinha.

Naveena sorriu. "Senhora ficar muito bonita."

Gwen foi ver Hugh, que estava brincando com seus barquinhos na banheira. Quando enfim conseguiu convencê-lo a sair, envolveu-o em uma toalha grande e puxou o corpinho quente do menino para junto do seu. Como não era mais um bebê, ele se agitou todo. Depois de vesti-lo com seu terninho, como um perfeito cavalheiro, ela foi até sua penteadeira, sentindo o coração bater acelerado.

Às seis em ponto, quando a noite começou a cair, Gwen estava vestida, perfumada com sua fragrância favorita e com os cabelos presos com grampos. As bandeirolas estavam estendidas, as velas acesas, o ponche servido, e um delicado aroma de canela queimada pairava no ar. Quando os convidados começaram a chegar, o mordomo os conduziu ao terraço dos fundos e ao cômodo ao ar livre na lateral da casa.

Não seria uma festa muito grande. Ela convidara apenas os plantadores de chá da região e suas esposas, alguns amigos de Verity e os colegas de Laurence no Hill Club, em Nuwara Eliya. Às sete horas, a maioria já havia chegado. As pessoas circulavam em grupinhos ao redor da casa e perto do lago. Hugh foi se misturar a elas, oferecendo castanhas de caju em uma tigela de prata, sendo gentil com todos com suas maneiras perfeitas e seu sorriso aberto. A única pessoa que faltava era Laurence — e Verity, obviamente. Eles deveriam ter chegado antes das seis, o que deixou Gwen apreensiva.

Ela fez seu papel de anfitriã, cumprimentando os presentes, ajudando-os a se misturarem, perguntando a Florence como ia sua saúde e batendo papo com Pru. Mas, à medida que o tempo passava, oito horas, e então nove, seu coração começou a disparar, e ela sentiu os nervos abalados. A comida já estava servida, e nem sinal deles. Gwen passou a achar que aquela noite fora um erro terrível, e lutava contra os sentimentos conflitantes que se acumulavam dentro de si: o desejo de ver Laurence, o medo do que Verity pudesse ter falado sobre o incêndio e a morte do empregado e a preocupação quanto à festa ter sido uma boa ideia.

As estradas eram traiçoeiras, principalmente à noite, e Verity tinha mania de correr demais. Gwen passou a temer que algo terrível pudesse ter acontecido. Que estivessem mortos em uma vala depois de bater o carro ou de despencar uma ribanceira. Cada vez mais em pânico, ela se sentou para observar o lago. Alguma coisa na perenidade daquela massa de água amenizava sua ansiedade. E então, quando já estava perdendo as esperanças de que chegassem naquela noite, ela ouviu um carro parando na frente da casa. Só podiam ser eles. Os convidados já estavam todos lá.

Ela correu para a frente da casa com alguns convidados em seu encalço, entre eles o dr. Partridge, Pru e Florence.

"Aí estão eles", comentou Florence.

"Antes tarde do que nunca", disse o médico.

Gwen ficou sem palavras. A visão de Laurence descendo do carro encheu seu rosto de lágrimas. Ele parecia um pouco tenso, e seu coração quase parou. Ela não se moveu por um instante, que pareceu durar uma eternidade. Com todos em silêncio, ela prendeu a respiração. Verity pôs a culpa em mim, contou tudo para ele, meu marido nunca mais vai confiar em mim, pensou. Sua vida inteira passou diante dos olhos, centenas de lembranças, milhares de momentos. Gwen tentou pensar em justificativas para suas atitudes, mas, ao fim e ao cabo, por sua causa um homem havia morrido.

Laurence contornou o carro, e Gwen se sentiu tão pequena que teve vontade de dar meia-volta e sair correndo, torcendo para que o chão se abrisse e a engolisse. Ela limpou as lágrimas dos olhos para vê-lo melhor. O rosto dele estava com uma expressão suave, e os olhos se estreitaram quando abriu um sorriso largo. Ela soltou o ar com força e, em vez de fugir, correu na direção do marido. Ele a envolveu nos braços, ergueu seus pés do chão e começou a girá-la.

"Estava morrendo de saudade", ele murmurou em seu ouvido.

Gwen ainda não conseguia falar.

"Estou vendo que você organizou uma festinha de boas-vindas", ele comentou quando a pôs de volta no chão. "Vou me trocar. Foi uma viagem difícil."

"Ah, não foi nada", ela falou, e o abraçou, apesar da camisa suja e molhada de suor. "Tem mais gente lá nos fundos."

"Ótimo", ele respondeu. "Quanto mais gente, mais alegria."

Parada do outro lado do carro, Verity olhava para a frente com uma expressão vazia, mas mesmo assim Gwen soltou um suspiro de alívio. Ficaria tudo bem.


Mais tarde naquela noite, quando Laurence e Gwen ficaram sozinhos, ele contou sobre a viagem. Embora as ações das minas de cobre não valessem mais nada, um novo sócio se prontificara a investir na nova fazenda. Eles não estavam à beira do abismo, nem de longe, mas os anos seguintes seriam difíceis. Se fizessem os ajustes necessários, porém, sobreviveriam.

"Você não me contou o quanto a situação era grave, não é?", ela questionou.

"Não consegui, Gwen, e para ser bem sincero nem eu sabia."

"Então aquela conversa de nunca vender..."

Ele levou o dedo aos seus lábios.

"Pensei que você tivesse falado que conseguir um investidor seria impossível nessas circunstâncias."

"E era verdade, mas trata-se de uma pessoa que você conhece bem."

Ela ergueu as sobrancelhas. "Com certeza não pode ser meu pai. Ele não tem tanto dinheiro. Teria que vender Owl Tree."

"Não é seu pai."

Ela acariciou o rosto dele, sentindo a aspereza da barba por fazer. "Então quem é? Me conte."

Ele sorriu. "Minha nova sócia é sua prima Fran."

Ela fez uma careta. "Não acredito. Por que Fran faria esse investimento? Ela não entende nada de chá. Não gosta nem de beber chá."

"Um dia o investimento ainda vai dar um bom retorno, mas ela fez isso por você, Gwen. Para que pudéssemos continuar com a fazenda. Mas só está investindo na parte nova, não na que pertencia aos meus pais, e isso significa que não vamos precisar vender esta propriedade, junto com a nossa casa."

O alívio de Gwen era impossível de expressar. "Você pediu ajuda para ela?"

"Não. Fomos almoçar juntos, e, quando contei sobre a nossa situação, ela fez a oferta no ato. Enfim", ele falou, acariciando seus cabelos, "já chega de falar nisso. Como foram as coisas por aqui?"

"Tivemos alguns problemas. Eu..."

Ele passou os dedos por seus cabelos e puxou sua cabeça de leve para que ela pudesse encará-lo. "Se está falando sobre o incêndio, Verity já me contou."

Ela respirou fundo. "Verity não anda muito contente. Estou preocupada com ela."

"Ela parece bem. Um pouco abalada, talvez. Mas na verdade estou orgulhoso de você."

"É mesmo?"

"Gwen, você ajudou uma criança ferida da melhor maneira que era capaz. É uma mulher gentil e generosa."

"Você não acha que eu acabei interferindo em assuntos da força de trabalho?"

"Era uma criança."

"Você ficou sabendo sobre o ajudante de cozinha? O que morreu?"

"Qualquer morte na fazenda deve ser levada muito a sério, e foi realmente lamentável..."

"Foi horrível, Laurence."

"Mas não foi culpa sua. Você agiu de coração aberto, e amanhã vou ter uma conversa com McGregor."

"Acho que ele está abalado também."

"Como eu disse, vamos conversar amanhã. Às vezes as coisas saem do controle de um jeito impossível de prever. A questão principal não é encontrar culpados, e sim ter em mente que qualquer passo em falso pode ter consequências trágicas."

"O meu passo em falso?"

"Não, Gwen, acho que não foi esse o caso."

Ela ficou aliviada ao ver que ele não estava bravo, e os nervos à flor da pele e a ansiedade das últimas semanas enfim se libertaram. Ele a abraçou enquanto ela chorava. Mais tarde, quando olhou nos olhos dele, ela notou que estavam marejados.

"Foi um período difícil para todos nós, e a perda de uma vida é uma coisa muito triste. Acho que minha maior tarefa por aqui vai ser levantar o moral das pessoas, a começar por você."

Ela sorriu quando ele tirou os grampos de seus cabelos e seus cachos caíram sobre os ombros.

"Eu me esforcei bastante, Laurence."

"Eu sei."

Ela tocou a covinha no queixo dele, sentindo a barba pinicar seu dedo.

"Quer que eu faça a barba?"

"Não. Quero você assim mesmo."

"Você está linda hoje", ele comentou, enrolando uma mecha de seus cabelos com o dedo do meio.

A princípio Gwen se retraiu, sentindo-se envergonhada, como na vez em que se conheceram em Londres, tanto tempo antes. Ela sorriu ao pensar nisso, e então se rendeu, permitindo que ele a despisse.

Ele foi gentil e carinhoso, fez tudo bem devagar. Depois ficaram deitados abraçadinhos, e, por fim, ela sentiu seu coração relaxar.

"Você é importante demais para mim, Gwendolyn. Nem sempre sei expressar meus sentimentos, mas espero que você saiba disso."

"Eu sei, Laurence."

"Você é tão delicada, não é? Mesmo depois de tudo, continua miudinha e meiga como uma menina. Sempre vai ser minha menina, não importa o que aconteça."

Ela notou que a voz dele assumira um tom sério, e, encarando-o bem de perto, sentiu-se analisada por ele.

Laurence despertava um amor profundo dentro dela, e isso era mais importante do que tudo. Ela sorriu ao pensar nesses detalhes da vida a dois: a mão dele sobre seu corpo quando se preocupava por algum motivo à noite, a cantoria desafinada dele quando acreditava estar sozinho, a força da confiança que depositava nela. Quando ele tocava seu coração dessa maneira, ela se sentia segura e protegida contra qualquer infortúnio. Se não o tivesse conhecido, poderia nunca ter descoberto o amor, e fora graças ao amor que se transformara na esposa e na pessoa que era. O esforço valera a pena, e agora eles estavam prontos para enfrentar juntos tudo o que viesse pela frente. Seria um novo começo. Ela nem perguntou se ele havia visto Christina enquanto estava fora.

PARTE IV — A VERDADE

# 27

1933

Quando Gwen se agachou para pegar algumas canetas que Hugh deixara espalhadas no chão do vestíbulo, virou a cabeça a fim de olhar pela janela para os homens que erguiam um andaime de bambu do lado de fora de seu antigo galpão de queijo. Apesar de ter demorado três anos para a obra começar, pelo menos agora estava em andamento. A explicação para tanta demora era complicada. Houvera infinitas discussões para usos alternativos do espaço, e em determinado momento até a demolição foi cogitada.

Ela foi para a sala de jantar, onde o sol de agosto, brilhando por entre as persianas horizontais, pintava as paredes com faixas amarelas. Do lado de fora, os pássaros cantavam, mas o pobre Hugh, agora com sete anos, estava sentado à mesa, coçando a cabeça enquanto resolvia contas de somar. Gwen queria que ele estivesse afiado em matemática e gramática quando começasse na escola em Nuwara Eliya em regime de semi-internato.

Laurence abriu a porta. "Como estão indo as coisas?"

Gwen fez uma careta. "A matemática não é o forte dele."

"Também não era o meu, sou obrigado a admitir."

Ela sorriu. "Por outro lado, Laurence, os desenhos dele são incríveis. O que acha de ele fazer aulas particulares?"

"Acho que um professor particular de matemática seria um dinheiro mais bem gasto."

Ela suspirou. Os desenhos de Hugh eram bem mais elaborados que os de Liyoni, que continuava mandando suas reproduções de figuras humanas com cabeças desproporcionais e animais estranhos que não guardavam semelhança com nenhum ser vivo conhecido. Apenas quando estava sozinha à noite ela ousava ver esses desenhos. No entanto, fazia tempo que não chegava nenhum, e, começando a ficar preocupada, Gwen mandou Naveena descobrir se acontecera algum problema. Havia crianças sumindo de aldeias locais e reaparecendo como mão de obra barata nos campos de arroz.

Gwen olhou para Laurence e desejou que pudessem conversar de verdade. Tudo parecia se resumir ao dinheiro desde a festa de boas-vindas que dera para ele, quase quatro anos antes.

Ele sorriu. "As coisas não estão assim tão ruins. Uma vantagem dessa maldita Depressão é que os sindicatos foram forçados a moderar suas demandas. As pessoas estão preocupadas em perder o emprego se tomarem alguma medida radical. Sei que as mudanças são necessárias, mas precisamos encontrar a maneira certa de fazer isso."

Ela esfregou a testa. Apesar de mais de trezentos trabalhadores imigrantes terem voltado para a Índia, a superprodução e a Depressão haviam feito o preço do chá desabar. Gwen ficou horrorizada ao ver tantas pessoas pobres perdendo o emprego e, como isso era tudo que tinham no mundo, ficando na mais terrível miséria.

"Nosso maior problema no momento é o que fazer com os tâmeis da fazenda", continuou Laurence. "Foi um grande erro não conceder o direito ao voto a eles também. Isso os fez se sentir ainda mais injustiçados."

Gwen concordou com um aceno de cabeça. Desde o incêndio, as tensões só haviam aumentado, com pequenos distúrbios espalhados por todo o Ceilão e conflitos mais sérios a partir de 1931, quando o direito ao voto foi estendido a todos, menos aos trabalhadores tâmeis.

"Não sei como eles ainda podem ser considerados habitantes temporários."

"Pois é. Como eu disse, isso só piorou as coisas", acrescentou Laurence.

Ainda que mantivesse um controle rígido sobre as contas da casa e restringisse os gastos de forma rigorosa, em comparação com os trabalhadores, Gwen vivia no luxo. Desde menina, sua única preocupação na vida, o que dominava seus pensamentos e palavras, era se tornar uma ótima esposa e mãe, e ela estava fazendo seu melhor para isso. No entanto, era triste ver as esperanças de crescimento econômico de Laurence se frustrarem repetidas vezes. Ele reclamou quando o pai de Gwen se ofereceu para pagar a escola de Hugh, até eles voltarem a se equilibrar financeiramente, mas ela aceitou de bom grado.

"Alguma notícia de Fran?", perguntou Laurence.

"Ela vem daqui a alguns meses."

"Fico contente. Nós devemos muito à sua prima." Ele bagunçou os cabelos do filho. "E você, trate de se esforçar bastante nos estudos com sua mãe, Hugh. Se fizer isso, levo você à fábrica amanhã. Combinado?"

Os olhos de Hugh brilharam.

"Laurence, por que Verity está aqui de novo? Ela nunca desgruda de nós."

Verity continuava a aparecer o tempo todo por lá, cada vez com uma desculpa, desde um cano quebrado que a impedia de lavar os cabelos até dores de cabeça por causa do cheiro de peixe. Mesmo depois de se casar, continuava apegada demais ao irmão, e agora parecia haver inclusive um toque de desespero nessa relação. Gwen achava que deveria haver algo muito sério por trás desse comportamento.

Laurence franziu a testa. "A verdade é que eu não sei o que pode ser."

"Você não tem como descobrir? Para uma recém-casada, ela passa tempo demais por aqui. Não seria melhor ela tentar resolver seus problemas com Alexander em vez de fugir deles?"

"Vou tentar, mas preciso sair agora... Estou indo para Hatton com o caminhão."

"E o Daimler?"

Ele desviou o olhar. "Ainda está na oficina, esperando conserto."

Depois que Laurence saiu, Gwen se sentou em uma cadeira na frente do filho e começou a pensar em Verity. Apesar de ainda sofrer com as mudanças de humor, sua cunhada afinal aceitara se casar com

Alexander Franklin — um bom sujeito, mas sem nenhum atrativo especial —, e eles viviam na costa, onde ele era dono de uma criação de peixes. O casamento, realizado seis meses antes, pegara todos de surpresa, mas para Gwen foi um alívio, e ela torcia para que o casamento desse um rumo à vida de Verity. Ao que parecia, suas esperanças estavam caindo por terra.

Ela olhou para Hugh, que mordeu a ponta do lápis e apagou a última resposta que dera. A aritmética era uma tortura para ele, e Gwen estava preocupada com o desempenho que o menino teria na escola. Os cabelos de Hugh tinham escurecido, e agora eram idênticos aos de Laurence, com o mesmo redemoinho duplo do pai, mas a pele permanecia bem clarinha, como a da mãe. Ainda falava de Wilf, o amigo imaginário, como se fosse real, e Laurence não gostava nada disso.

Ela estava prestes a apontar um erro de cálculo em uma das contas quando Naveena entrou e ficou parada à porta.

"Poder falar, senhora?"

"Claro, entre."

Naveena, porém, apontou com o queixo para porta, e Gwen, vendo a expressão de preocupação no rosto da velha aia, apressou-se em ir até ela.


Gwen estava sentada no banco de madeira sob o teto curvado do carro de boi, remexendo na aliança de casamento. Fazia sete anos desde que visitara a aldeia cingalesa, mas ainda se lembrava exatamente da sensação. Elas passaram pelo local onde errara o caminho em seu passeio impetuoso no meio da chuva, e logo depois entraram em uma trilha esburacada onde as árvores escuras ficavam o tempo todo envergadas pelo vento.

Na floresta quase silenciosa, a luz era verde e melancólica, mas, quando saíram da mata mais fechada, o mesmo cheiro de carvão com especiarias pairava no ar, assim como da outra vez. Quando chegaram à beira do rio, Naveena não parou e seguiu em frente na direção da aldeia, onde a barranca era um pouco mais alta que o nível da água, e o curso do rio era mais largo. Naquele dia estava escuro e enlameado, e não cristalino e reluzente como antes, e não havia elefantes se banhando por lá. Em vez disso, várias crianças entravam e saíam da água, molhando as cabecinhas com a ajuda de potes de barro.

Gwen desceu e viu as crianças começarem a chamar umas às outras e apontar para o carro de boi. Depois de alguns minutos, perderam o interesse e retomaram a atividade. As mais novinhas tinham barrigas redondas e costelas mais protuberantes que o normal. Era difícil adivinhar qual seria sua idade, mas pareciam variar entre três e onze ou doze anos. Com seu olhar atento, Gwen tentou encontrar uma garotinha de sete.

"Vento forte hoje", Naveena comentou, apontando para as árvores na outra margem, onde uma menina saía da água.

"Liyoni?"

Naveena confirmou com a cabeça.

Incapaz de desviar o olhar, Gwen viu que a menina estava magra demais. Usava um sarongue de algodão, ensopado depois da travessia a nado do rio. Os cabelos estavam presos com algum tipo de fita, e desciam pelas costas.

"Apesar de estar magrinha, ela parece bem", comentou Gwen, virando a cabeça para Naveena.

Tudo que a aia revelara era que havia um problema. Nada mais.

"Então, qual é o problema?"

Quando Naveena começou a explicar, Gwen estava tão distraída vendo a menina entrar na água e começar a travessia de volta que não parou para escutar. No início a cabeça da garota estava acima da linha d'água, mas, um instante depois, seu corpinho submergiu completamente.

"Ela nada como um peixe", Gwen falou, mais para si mesma do que para Naveena.

"Senhora esperar um pouco."

Enquanto acompanhava a trilha que a menina deixava na água, Gwen continuou impressionada com a forma destemida como Liyoni nadava, e a facilidade com que foi de uma margem a outra.

Naveena deu um tapinha em seu braço. "Agora."

Quando a menina saiu da água, Gwen estreitou os olhos para ver melhor, mas foi só quando Liyoni começou a caminhar que ela se deu conta.

"Ela está mancando."

"Sim."

"Qual é o problema com ela?"

Naveena encolheu os ombros. "Esse não ser maior problema. Mãe adotiva não poder mais ficar com menina. Estar doente, e dois filhos de verdade foram viver com avó."

"Então quem está cuidando de Liyoni?"

"Desde semana passada, ninguém."

"Você pode chamá-la para mim?"

Naveena fez que sim com a cabeça e gritou. A princípio a menina continuou andando, e parecia que iria ignorá-las, mas acabou se virando para olhar. Depois de dar alguns passos na direção do carro de boi, parou novamente.

Naveena falou alguma coisa em cingalês, e a menina balançou a cabeça negativamente.

"Que foi?", questionou Gwen. "Por que ela não vem?"

"Senhora esperar um pouco. Ela estar pensando."

Enquanto a observava, Gwen notou a insegurança da menina, e se deu conta de que, com seus instintos apurados de criança nativa, devia ter percebido alguma coisa estranha acontecendo.

"Diga que está tudo bem, que não vamos fazer mal a ela."

Naveena voltou a falar, e dessa vez Liyoni baixou a cabeça e se aproximou um pouco mais.

Gwen fez uma careta ao ver como a perna manca limitava os movimentos da menina. "Você acha que ela está com dor?"

"Sim, acha."

Com os pensamentos inundando sua cabeça, Gwen fechou os olhos por um instante. Quando olhou de novo, viu a menina parar a poucos passos do carro de boi. O sol iluminou o rosto de Liyoni, e Gwen notou que, apesar de castanhos, seus olhos refletiam um brilho arroxeado parecido com o dos seus.

"Não tem ninguém para ficar com ela?"

Naveena sacudiu a cabeça. "Eu já pediu, senhora."

"Tem certeza?"

Em meio ao silêncio, Gwen tentou raciocinar, mas a sensação de pânico em seu peito e sua garganta impedia que seu cérebro funcionasse. Ela procurou soluções, mas, com os pensamentos dispersos, só conseguia formar na mente a imagem de sua casa. Quando fechou os olhos, visualizou a fazenda e tudo aquilo que construíra por lá ao longo dos anos. Não era apenas sua própria ruína que a preocupava, havia também o sofrimento que causaria a Laurence. Ela enterrou a cabeça entre as mãos. Sabia que jamais seria perdoada. Porém, se não conseguisse encontrar um lar para Liyoni...

Quando ergueu os olhos, Gwen sentiu o cheiro de madeira queimada e comida no fogo, mas nenhuma daquelas refeições seria para Liyoni.

"Não tem ninguém mesmo?"

A aia fez que não com a cabeça.

"Nem mesmo por dinheiro?"

"Eles ter medo da criança, por isso. Ela não ser um deles."

Gwen fechou os olhos e escutou o som da natureza com um único pensamento martelando sua mente.

"Não podemos deixá-la abandonada à própria sorte."

Quando se deu conta do que precisaria fazer, o medo arrancou o ar de seus pulmões. Ela limpou as mãos suadas na saia, e, apesar dos pesares, sua decisão estava tomada. Gwen não poderia deixar a filha sozinha na vida. Essa era a questão principal. Com apenas uma escolha possível, ela se preparou para falar, engolindo em seco.

"Muito bem, então. Ela volta conosco."

Naveena franziu o rosto, apreensiva.

"Quando estão secos, os cabelos dela ficam cacheados como os meus?", perguntou Gwen.

Naveena assentiu com a cabeça.

Gwen mordeu a parte de dentro da bochecha, e sentiu gosto de sangue na boca.

"Se mantivermos os cabelos dela presos com tranças, e se ela se vestir de um jeito bem simples, ninguém vai achá-la parecida comigo.

Afinal, é só uma cor de olhos um pouco diferente, e ninguém vai ficar procurando semelhanças, certo?"

Naveena ainda parecia insegura.

Gwen conseguiu se distanciar de seu próprio medo e, por um instante, deu vazão a um desejo mais primitivo: a vontade de ser uma mãe para a filha.

"Então está combinado. Vamos dizer que ela é uma parente sua, que veio aprender o ofício de arrumadeira e de aia. Pode explicar isso para ela, por favor?"

Enquanto Naveena conversava com a menina com um tom de voz suave e tranquilo, Gwen a observava com atenção, como se sua vida dependesse disso. A princípio, a criança sacudiu a cabeça e se afastou, mas Naveena a segurou pela mão e apontou para a perninha manca. A garota fez o mesmo e, quando levantou a cabeça, olhou para Gwen e disse alguma coisa em cingalês.

"O que ela falou?"

"Querer saber se ainda poder nadar se for comigo e com senhora."

"Diga que ela pode nadar todos os dias no lago."

Dessa vez, quando Naveena falou, Liyoni sorriu.

"Eu explicou para ela, senhora. Ela saber que mãe adotiva não ficar mais e que ela estar sozinha. Menina pensar que mulher ser mãe de verdade, e por isso muito triste."

Com um nó na garganta, Gwen assentiu com a cabeça, mas não disse nada. A garotinha perdera sua família. Ela engoliu em seco, e Naveena, percebendo seu estado emocional, permitiu que se recuperasse um pouco enquanto conversava com a menina. Gwen estava se sentindo fisicamente mal de tanta culpa e vergonha. Tentara se convencer de que aquela solução funcionaria, mas era impossível negar a sensação de medo com relação a tudo o que dizia respeito àquela criança.

"Ela tem muita coisa para levar?"

"Pouca coisa. Eu vai até lá com ela. Senhora esperar aqui."

Enquanto Naveena se afastava com a menina, Gwen olhou ao redor da rua de terra batida. Nas árvores mais adiante, uma família de esquilos corria pelos galhos, soltando guinchinhos agudos. Um pouco mais perto, mulheres com camisas brancas e sáris coloridos carregavam balaios equilibrados na cabeça. Uma outra mulher parou ao lado do carro de boi e ficou olhando para Gwen. Tinha lábios grossos, nariz fino e olhos escuros. Gwen se apressou em cobrir o rosto com o xale.

Para ela, o Ceilão era um lugar onde os britânicos haviam construído sonhos e fortunas, onde famílias inglesas se formavam e tinham filhos, e onde sua vida mudara muito mais do que poderia prever. Por outro lado, era também um mundo diferente, onde meninas circulavam com camisas simples de algodão e saias sem babados, onde os bebês engatinhavam no chão de terra e onde as pessoas não tinham o que comer.

Liyoni estava vestida como as outras meninas quando Naveena a trouxe de volta, carregando uma pequena trouxa debaixo do braço.

Gwen olhou para o céu. Nuvens pesadas de chuva se acumulavam no horizonte, e só com muita sorte elas chegariam em casa antes que o tempo virasse.


No longo trajeto de volta, Gwen passou tão mal que Naveena precisou parar a charrete duas vezes para que ela vomitasse nos arbustos. Entre um e outro enjoo, porém, ela e a aia elaboraram um plano.

Quando chegaram, Gwen ajudou a menina a descer do veículo e a envolveu com seu xale para protegê-la da chuva. Ela olhou para a porta da frente e, com o coração na boca, decidiu contornar a casa e entrar pelas portas francesas do quarto. Assim havia menos chances de ser vista, apesar de se molhar na chuva.

Naveena se virou para ir guardar a charrete, e Liyoni tentou ir atrás da aia. Gwen sacudiu a cabeça e segurou a criança pela mão, com medo de enfrentar alguma resistência, mas a menina baixou a cabeça e foi caminhando ao seu lado.

Quando passaram pela sala de estar, Verity estava parada na janela, usando um vestido amarelo florido, observando o trabalho do jardineiro, que cortava a grama. Sua cunhada ergueu a mão para acenar, mas interrompeu o gesto no meio e a encarou, boquiaberta.

Uma lufada mais forte de vento a atingiu, e, com os dentes rangendo de medo, Gwen a cumprimentou com um aceno e correu para o quarto, querendo esconder a menina no antigo quarto de bebê o quanto antes. Droga! Só podia ser Verity mesmo. O mordomo ficara de olho em Hugh durante o dia, e, quando ela ouviu os passos do filho no andar de cima, ficou aliviada ao constatar que estava brincando com seus trenzinhos, como esperado. Era impossível saber como ele reagiria à presença de uma outra criança na casa.

Ela chamou Liyoni com um gesto e as duas entraram, parando apenas para trancar as janelas e a porta do quarto por dentro. Pegou um xale seco, tirou o molhado dos ombros de Liyoni e, passando pelo banheiro e pela porta que dava acesso ao pequeno corredor, entraram no antigo quarto de bebê, um refúgio temporário. Antes que perdesse a coragem, Gwen fechou as cortinas para bloquear a luz do dia e eventuais olhares curiosos de alguém que pudesse ter visto sua chegada, e encostou-se na parede com a cabeça baixa. Como conseguiria lidar com o escrutínio de Verity? Ela acalmou sua respiração e fechou os olhos para segurar as lágrimas. Naveena ainda não estava na casa, mas Gwen sabia que devia estar recolhendo as coisas para trazer ao quarto em que ela e a menina dormiriam.

Em uma tentativa de tirar as roupas molhadas do corpo de Liyoni, Gwen fez uma mímica para explicar o que queria, mas a menina sacudiu a cabeça e ficou olhando para ela.

"Você, Liyoni", disse Gwen, apontando para a criança. "Eu, Gwen. Sou a senhora."

Ainda arriscou algumas palavras em cingalês, mas não obteve resposta. Ela ficou hesitante. Liyoni parecia desconfiada e tristonha. Gwen estava tensa. Não sabia nada sobre aquela criança. Sobre sua personalidade, sobre o que vivera até então. Sobre o que gostava ou não gostava. Ela estendeu a mão para a filha, mas a menina baixou a cabeça e ficou imóvel. Gwen sentiu um nó na garganta outra vez. Em circunstância alguma poderia deixar a filha vê-la chorar.

Depois de mais uma tentativa fracassada de tirar as roupas molhadas de Liyoni, Gwen ficou pensando sobre o quanto a garotinha precisaria ceder para se acostumar à nova vida, e sobre o quanto ela mesma precisaria arriscar para cuidar daquela criança. A sensação de inquietação cresceu ainda mais quando ouviu a voz da cunhada no corredor diante de seu quarto. Gwen estremeceu, ciente do tamanho do risco que estava correndo.

# 28

Ainda de roupão, Gwen pôs todas as suas roupas sobre a cama, além de um ou outro retalho de tecidos usados para fazer sáris que ela considerava particularmente bonitos. Estava cada vez mais difícil encontrar um costureiro que cobrasse pouco, e ela teria que pedir a Naveena para modificar algumas de suas roupas. No mundo inteiro, as coisas ainda estavam difíceis, com alguns tipos de tecidos não só em falta como caríssimos. Pouco tempo antes, Fran escrevera a respeito das novas lojas de roupas prontas que se espalhavam rapidamente por Londres, e Gwen ficou contente por seu relacionamento com a prima ter sido pelo menos em parte reatado, e por não ter encontrado nenhuma menção a Ravasinghe.

Gwen lera que, assim como Laurence precisara enxugar os custos da produção do chá, os estilistas haviam descoberto formas menos custosas de fabricação também, e estavam usando novos tecidos, mais baratos, em substituição aos materiais mais caros. Fran gostava em especial das novas meias finas fabricadas nos Estados Unidos, e mandara uma fotografia sua mostrando as pernas até mais do que deveria, usando um vestido de raiom.

A maior parte das melhores roupas de Gwen era feita de seda, e estava absurdamente fora de moda. Segundo Fran, ninguém em Londres ou Nova York ainda usava aquele tipo de vestido. Ela enviou um exemplar americano da revista *Good Housekeeping* para comprovar o que dizia.

Gwen olhou para a página em que a revista caíra aberta. Algumas moças usavam conjuntinhos femininos de duas peças com camisas simples, ou um cardigã, e saias longas e justas. Era um visual bem limpo, que ela imaginou que Fran estivesse usando, e que cairia muito bem em Verity, acrescentando um toque de elegância a seu corpo alto e magro. Se enrolasse os cabelos e passasse batom, podia ser o estilo ideal para sua cunhada. Gwen, por sua vez, por ser baixinha, preferia as saias curtas dos anos 1920.

O objetivo para aquele dia, porém, não era atualizar seu guarda-roupa, e sim decidir quais vestidos Naveena poderia cortar para fazer roupas para Liyoni. Ela havia separado alguns vestidos de seda, mas esses estavam fora de cogitação. Uma menina que supostamente trabalharia como empregada chamaria atenção demais com uma roupa de seda. Uma coisa era garantir o sustento da filha à distância; tê-la vivendo em sua casa era muito mais desafiador. Ela não pregara os olhos desde que a garotinha chegara e, com o nó que sentia no estômago, não conseguia comer. Assustava-se com qualquer barulho do lado de fora do quarto, e sabia que precisava fazer alguma coisa para amenizar o pânico cada vez maior.

Gwen escolheu alguns vestidos velhos de algodão — o tecido leve e macio cairia bem na criança — e fez uma pilha de outros itens do mesmo tecido: duas ou três saias e um vestido de bordado inglês vermelho que adorava, mas que já estava bem gasto. Ela quase nunca usava vermelho, mas aquela peça em especial era bonita. Ela enfiou as roupas selecionadas debaixo do braço e foi até o quarto anexo.

Naveena estava sentada no chão com um ábaco diante de si, e, enquanto a menina movia as contas e dizia os números em cingalês, a aia repetia as palavras em inglês.

"Que tal apresentá-la ao restante dos empregados?", sugeriu Gwen.

Naveena ergueu a cabeça. "Senhora não precisar quebrar cabeça. Eu cuida disso."

"Eu disse a Laurence que você precisou trazer uma parente órfã para viver aqui", contou Gwen.

Ela precisou fazer força para os joelhos não cederem enquanto mentia para Laurence, e, quando ele franziu a testa e desviou os olhos do jornal, teve que se beliscar com força para não desmaiar.

"Querida, Naveena não tem nenhum parente. Nós somos a família dela."

Gwen respirou fundo. "Bom, ao que parece ela tem família, no fim das contas. Uma prima distante."

Durante o silêncio que se seguiu, Gwen ficou inquieta, ajeitando a saia e os grampos nos cabelos para tentar controlar os nervos.

"Não estou gostando nada disso", ele disse. "Naveena é uma pessoa de bom coração, e alguém pode ter lhe passado um conto do vigário sobre uma parente desconhecida. Vou falar com ela sobre isso."

"Não!"

Ele ficou surpreso com sua reação.

"Quer dizer, você sempre diz que os assuntos da casa são responsabilidade minha. Deixe que eu cuide disso."

Ela abriu um sorrisinho enquanto esperava a resposta do marido. "Muito bem. Mas acho melhor tentarmos encontrar um lugar mais apropriado para ela morar."

Gwen franziu a testa com a lembrança, e olhou de novo para Naveena. "Laurence não ficou nada contente, e Verity está desconfiadíssima."

Naveena sacudiu a cabeça.

"Você acha que eu não posso confiar na minha cunhada, não é?"

"Depois que senhora morreu, moça infeliz. Pessoa infeliz fazer coisas ruins. Pessoa com medo também."

"Verity está com medo?"

Naveena encolheu os ombros.

"Medo de quê?"

"Eu não..."

Naveena se interrompeu, e ficaram ambas em silêncio.

A aia se recusou a dizer mais, pois quase nunca vocalizava seus pensamentos, em especial sobre a família do patrão, por mais que Gwen perguntasse. Ela não conseguia entender do que Verity poderia ter medo, além de perder o irmão. Por outro lado, isso poderia explicar a depressão da cunhada, e por que se apegava tanto a Laurence.

"Eu ainda não disse nada para Hugh, e ele ainda não viu Liyoni."
Naveena baixou a cabeça e continuou a aula.

"Talvez você possa levar a menina para um passeio no jardim mais tarde, depois do cochilo vespertino de Hugh", acrescentou Gwen.



Durante a sobremesa, Laurence abriu a correspondência. Não havia nada do interesse de Gwen, a não ser um envelope de Fran com um bilhete e uma foto de seu novo figurino. Gwen ficou contente porque, a julgar pelo tom da mensagem, as coisas pareciam ter voltado mesmo ao normal.

Laurence abriu um embrulho de formato cilíndrico. Uma revista enrolada caiu do pacote sobre a toalha branca de mesa.

"Mas o que é isso?", ele perguntou enquanto a desenrolava. "Parece uma revista americana."

"Posso sair da mesa, mamãe?", pediu Hugh.

"Sim, mas nada de correr enquanto a comida não tiver descido direito. E não vá para a beira do lago sozinho. Promete?"

Hugh fez que sim com a cabeça, mas Gwen já o havia visto tentando pegar um peixe de cima de uma pedra na beira d'água.

Hugh saiu, e a testa de Laurence se franziu ainda mais.

"Não veio nenhum bilhete junto?", ela questionou.

Ele pegou a revista, e, quando a sacudiu, o envelope caiu.

"Aí está", ela disse. "De quem é?"

"Só um minuto." Ele abriu o envelope e olhou para a mensagem com as sobrancelhas erguidas. "É de Christina."

"Minha nossa! E o que diz?" Ela tentou moderar o tom de voz, mas pela primeira vez em muitos anos voltara a ter o desconforto da menção ao nome de Christina.

Ele deu uma lida no bilhete e ergueu os olhos para Gwen. "Ela disse que tem uma ideia maravilhosa para nós, e que vendo a revista podemos tentar adivinhar."

Gwen limpou a boca e baixou a colher de sobremesa. Com um nó no estômago, com certeza não conseguiria mais comer. "Francamente, Laurence! Já não nos encrencamos demais por causa das ideias de Christina?"

Laurence ergueu os olhos ao ouvir seu tom de voz exaltado, balançou a cabeça e começou a folhear a revista. "Não foi culpa dela, você sabe. Ninguém foi capaz de prever a quebra de Wall Street."

Gwen contorceu os lábios e achou melhor guardar sua opinião para si. "Então, o que tem na revista?"

"Sei lá. Não parece grande coisa. Anúncios e mais anúncios de graxa de sapato, sabão em pó e coisas assim, e no meio uma ou outra reportagem."

"Você acha que ela comprou essa revista?"

"Provavelmente não. Só disse que é uma ideia que vai transformar nossa vida."

"Mas por que uma revista seria de nosso interesse?"

Quando Laurence se levantou e se preparou para sair, Gwen perguntou se podia usar o Daimler para uma visita a Hatton. Com os tecidos já escolhidos, precisava comprar linhas e botões.

Parado na porta com a mão na maçaneta e com a cabeça baixa, Laurence ficou em silêncio.

"E então, posso?", ela perguntou.

Ele hesitou por mais um momento. "Na verdade, ainda não paguei a conta da oficina."

"Por que não?"

Ele ficou vermelho e desviou os olhos. "Eu não queria dizer nada, mas ficamos um pouco apertados no mês passado depois de pagar os trabalhadores. Mas logo tudo se normaliza. Depois do próximo leilão."

"Oh, Laurence."

Ele fez um breve aceno e, quando estava quase saindo, virou-se de volta e falou apressado: "Esqueci de dizer que Christina avisou também que vai fazer uma visita em breve para conversar sobre a ideia que teve. Ela perguntou se pode ficar aqui por alguns dias."

Laurence fechou a porta em silêncio, e Gwen ficou sentada à mesa, sozinha e perplexa. Além de instalar Liyoni na casa sem despertar suspeitas, agora precisava se preocupar com uma visita de Christina. E, acima de tudo, o que ela faria se Laurence se deixasse cair nas garras da americana outra vez? Apesar de tudo o que ele dissera para convencê-la do contrário, Gwen não confiava em Christina, e a ideia de que a viúva ainda tivesse algum interesse em seu marido a deixou ainda mais tensa do que já estava. Ela recostou a cabeça na parede e fechou os olhos.

Naquela tarde, Naveena teve uma febre e não pôde trabalhar. Com o coração aflito, Gwen teria que cuidar de Liyoni sozinha. De início, a coisa não deu muito certo. Em uma batalha interior para controlar seus nervos, Gwen estava tensa e inquieta, e a menina resistiu, chorando e agarrando-se à cama da velha aia. Só depois que Naveena disse algumas palavras e lhe fez um carinho na mão foi que Liyoni cedeu e saiu com Gwen do antigo quarto de bebê. Gwen não tinha ideia do que fora dito, mas a compaixão inata de Naveena parecia ter acalmado a garotinha.

No quarto, Gwen examinou as posses da criança. Suas únicas roupas eram a que tinha no corpo. Fora isso, apenas uma tornozeleira de contas, uma camisa extra e um retalho de tecido puído.

Ela levou Liyoni ao banheiro e apontou para a banheira. Embora Naveena já tivesse limpado a garota, Gwen queria lhe dar um bom banho antes de apresentá-la a Hugh. Um tanto sem jeito e hesitante, ela separou as toalhas, rearranjou os sabonetes e, por não querer que seu nervosismo fosse notado, esforçou-se para se recompor. Esperava que Liyoni fosse resistir, mas, quando a água chegou à metade da banheira, a menina entrou de roupa e tudo. Com as roupas molhadas coladas ao corpo, parecia ainda mais magra, com um pescocinho fino e frágil e a cabeça cheia de cachos compridos e embaraçados em alguns lugares.

Gwen respirou fundo, ainda sem saber como agir. Quando despejou um pouco de xampu nos cabelos de Liyoni e começou a massagear o couro cabeludo da criança, pensou que fosse perder o controle sobre os nervos. Mas a garotinha começou a rir, e o coração de Gwen se acalmou um pouco.

Depois do banho, a menina tirou a roupa, e Gwen lhe entregou uma toalha grande e saiu para o quarto anexo a fim de buscar uma camisa que Hugh não usava mais.

Naveena, a pobrezinha, estava dormindo um sono agitado, e parecia pálida. Era uma coisa difícil de enfrentar na idade dela. Enquanto Gwen a olhava, sentindo-se culpada, ouviu um grito e correu de volta para o quarto.

Verity, com o rosto vermelho, estava apontando o dedo para Liyoni, segurando a toalha com a ponta dos dedos. O medo tomou conta de Gwen.

"Encontrei esta aqui tentando roubar uma toalha", declarou Verity.

A criança sem roupa estava de pé ao lado da cama, parecendo apavorada, com os braços cruzados sobre o peito e os cabelos pingando água sobre o chão.

Gwen sentiu uma pontada de angústia, mas em seguida endireitou os ombros e ficou tão irritada que precisou segurar a vontade de bater em Verity. "Ela não estava roubando. Eu dei um banho nela. Me dê essa toalha aqui."

Verity ficou imóvel. "Quê? Enquanto deixava Hugh brincando sozinho lá fora?"

"Hugh está bem", respondeu Gwen, ignorando as palavras de Verity. Ela andou até a cunhada, pegou a toalha e se agachou para embrulhar Liyoni.

"Você perdeu o juízo? Ela não pode ficar no seu quarto desse jeito, Gwen. Deve estar infestada."

"Como assim?"

"De lêndeas, Gwen. Piolhos."

"Ela está limpinha. Acabou de tomar banho."

"Você disse que a aceitou aqui para ajudar Naveena. Então é uma empregada. Você não pode tratá-la como se fosse da família."

"Eu não estou fazendo nada disso." Quando ficou de pé, Gwen explodiu de vez. "Aliás, Verity, esta casa é minha, e não sua, e eu agradeceria se não interferisse na maneira como faço as coisas. Naveena está doente. Essa menina está sozinha no mundo. Só estou fazendo um ato de caridade, e, se você não consegue entender isso, então é melhor voltar o quanto antes para o seu marido."

Verity ficou vermelha e fechou a cara, mas se manteve em silêncio por alguns instantes.

Gwen se agachou outra vez para secar Liyoni e olhou para a cunhada por cima do ombro da menina. "Por que você ainda está aqui?"

"Você não entende, Gwen", Verity respondeu, falando tão baixo que Gwen mal conseguiu ouvir. "Eu não posso voltar."

Verity ficou ainda mais vermelha, sacudiu a cabeça e saiu do quarto com movimentos bruscos.

Gwen segurou a raiva. O momento da chegada de Liyoni não poderia ser pior. Era muita agitação. A casa estava em polvorosa. Justamente quando precisava de paz e sossego para conhecer sua filha longe de olhares curiosos, haveria gente para fazer perguntas, acompanhá-la nas refeições e perguntar como ela estava. A última coisa que precisava era de Verity por perto de olho nela, ou de Christina por perto de olho em Laurence.

Ela tentou parecer confiante ao estender a mão para Liyoni, mas por dentro estava tremendo. Ainda se sentia desconfortável com a cor da pele da menina, mas seus sentimentos precisavam ficar em segundo plano. O que importava era incorporar Liyoni à rotina da casa, e isso ficaria ameaçado caso ela baixasse a guarda.

O som de Hugh batendo uma bola contra a parede externa ecoava pela casa. Ele devia tê-la ouvido também, pois, quando Gwen apareceu, já tinha parado de jogar a bola e a esperava com uma das mãos na cintura. A postura dele, exatamente como a do pai, fez seu coração se acelerar.

"Esta é Liyoni", Gwen falou, tentando manter um tom de voz natural enquanto atravessava a varanda. "Ela é parente de Naveena, e vai ficar aqui como ajudante dela."

"Por que ela anda desse jeito esquisito?"

"Ela está mancando, só isso. Acho que está com um problema no pé."

Gwen ficou admirada com as pernas robustas de Hugh e os shorts repletos de manchas de grama. Ele adorava rolar pelas encostas inclinadas entre os patamares do jardim, e parava a poucos centímetros do local onde a grama acabava. Hugh abriu um sorriso cheio de dentes,

325

que ela retribuiu observando as bochechas rosadas e o nariz marcante e sujo de lama do menino. Liyoni, a poucos passos de distância, parecia frágil perto dele.

"Ela pode jogar bola?"

Gwen abriu outro sorriso, puxou-o para junto de si e o abraçou. "Bom, ela não está aqui para jogar com você, Hugh."

Ele franziu o rosto. "Por que não? Ela não sabe jogar? Eu posso ensinar."

"Talvez outro dia. Mas ela pode ir nadar com você amanhã. Ela nada como um peixinho."

"Como é que você sabe?"

Gwen bateu com a ponta do dedo no nariz. "Porque eu sou um ser supremo que tudo sabe e tudo vê."

Ele riu. "Que bobagem, mamãe. Esse é Jesus."

"Na verdade, eu tive uma ótima ideia. Que tal você entrar e ajudar Liyoni a aprender um pouco de inglês? Você ia gostar de fazer isso ou não quer, porque tem um rei na barriga?"

"Ah, quero, sim, mamãe. Mas você sabe que na minha barriga só tem lugar para comida."

Ela riu da piadinha e deu outro abraço nele, mas Liyoni, parada ali perto, observava tudo com uma expressão vazia. Ah, puxa, isso pode ser complicado — espero que ela não ache que estamos rindo dela, Gwen pensou.


Apesar de tudo, Gwen era obrigada a admitir que estava sedenta por mais tempo com a filha. Ela a vigiava o tempo todo, mas a distância entre o que a menina era e o que deveria ser era grande demais. Seus sentimentos por Liyoni não eram os mesmos que tinha por Hugh, e isso a magoava. No entanto, quando deixava seu amor pela criança aflorar e tentava confortá-la, não sabia como fazer isso. Ela queria saber como Liyoni estava se sentindo com relação à nova casa, queria saber a opinião dela a respeito de tudo, mas o que mais desejava era que a garotinha se sentisse protegida. Gwen esfregou os olhos com a palma das mãos. Era um tormento lembrar que abandonara a filha quando ainda era um bebê indefeso, e ela sabia que a maior privação na vida daquela menina era de amor.

Quando Naveena se recuperou, Gwen ficou fechada no quarto, entregue aos sentimentos conflitantes e ao medo de que de alguma forma acabasse denunciando a si mesma caso dedicasse muito tempo a Liyoni. As horas se arrastavam, e, sempre que olhava no relógio, ela se surpreendia com o fato de os pássaros ainda estarem cantando. Era assim que a vida seria agora — sempre com a respiração acelerada e entregue a sobressaltos? Por mais que permanecesse no quarto, era impossível se livrar da sensação de que bastava um único golpe do acaso para perder tudo o que tinha.

Ao ouvir a voz de Hugh, Gwen foi até a janela. Ele encontrara um pedaço de corda e estava tentando ensinar Liyoni a pular. Toda vez que tentava, a menina acabava se enroscando toda. Isso não parecia incomodá-la, e ela ria enquanto Hugh a ajudava a se desembaraçar. Para Gwen, era tocante ver Hugh brincando com a irmã gêmea sem saber, parecendo tão feliz.

Quando Naveena saiu, Gwen continuou observando, deu um passo para trás e permaneceu longe das vistas. Apesar dos protestos de Hugh, Naveena levou a menina para dentro, e em seguida Gwen ouviu vozes no quarto anexo. Ela esperou um pouco antes de ir até lá, e viu a aia ensinando Liyoni a dobrar roupas. Gwen ficou observando por um tempo, sentindo-se uma estranha no ninho enquanto Liyoni cantava em cingalês e Naveena cantarolava no mesmo ritmo sem a letra.

"O que é isso?", Gwen perguntou quando terminaram.

"Cantiga infantil, mas criança se cansar muito fácil, senhora, e tossir também."

"Dê um xarope a ela. Deve ser efeito de tantas mudanças repentinas na vida."

Quando ouviu passos no corredor principal da casa, Gwen saiu às pressas, sentindo-se apreensiva.


Na manhã seguinte, o tempo estava ótimo. Gwen estava no patamar inferior do jardim, e sentia como se o próprio ar estivesse cantando, e não só os mosquitos, as abelhas e a água nas margens do lago. Em seguida, porém, enquanto observava os mergulhos dos pássaros em busca de peixes, percebeu que havia de fato alguém cantando. Era um som suave e discreto, quase um murmúrio, e vinha da água. Ela olhou ao redor, mas não viu ninguém por perto.

Hugh apareceu correndo atrás dela e gritou: "Pus minha roupa de banho, mamãe".

Ela se virou e o abraçou quando estava dando o último passo em sua direção.

"Eu vi quando ela foi. Queria vir também, mas ela não me esperou."

"Quem, querido?"

"A menina nova."

"O nome dela é Liyoni, amorzinho."

"Eu sei, mamãe."

"Está me dizendo que ela veio nadar no lago?"

"Sim, mamãe."

Gwen sentiu uma pontada de medo e prendeu a respiração ao se virar para a água. E se Liyoni tivesse nadado até a extremidade do lago e voltado rio acima para a aldeia? Alguma coisa poderia ter acontecido com ela. Esse pensamento fez seu coração disparar, e por uma fração de segundo ela chegou a desejar que o rio tivesse levado a menina. Em seguida, porém, com a cabeça em parafuso e horrorizada consigo mesma, mal conseguia acreditar que fora capaz de pensar em tal coisa.

Ela sentiu um puxão em sua manga.

"Olha, mamãe", Hugh falou. "Ela está lá naquela ilha. Acabou de subir. Ela é boa nadadora, não é, mamãe? Eu não consigo ir tão longe."

Gwen soltou um suspiro de alívio.

"Tudo bem se eu entrar agora?", perguntou Hugh.

Ele aprendera que era preciso sempre pedir permissão, e Gwen se perguntou por quanto tempo seria possível deixar Liyoni nadar livremente e ainda manter as restrições impostas a Hugh. A água era como um ímã para a menina, e Gwen percebeu que, para Liyoni, nadar era tão importante quanto respirar.

Gwen viu o corpinho robusto de Hugh mergulhar ruidosamente na água. Ele não tinha a mesma fluidez para nadar, fazia uma tremen-

328

da barulheira, e seus gritos continuaram até Liyoni nadar de volta até a beirada. Antes de sair, ela se virara dentro da água, girando como um dervixe, com os cabelos flutuando ao redor do corpo. Quando ambos saíram e se secaram, a menina começou a tossir. Hugh ficou olhando para ela, um tanto sem jeito, mas, quando o acesso de tosse acabou, abriu um sorriso radiante, que ela retribuiu.

"Onde está Wilf?", Gwen perguntou.

"Ah, Wilf é um chato. E ele não gosta de nadar, aliás."

"Vamos lá para casa pedir para o *appu* fazer umas panquecas?"

"A menina..."

Gwen fechou a cara.

"Quer dizer, a Liyoni pode ir também?"

"Pode ser, só desta vez."

Quando Hugh estendeu a mão, Liyoni a aceitou de bom grado, e Gwen viu os dois caminharem lado a lado alguns passos à frente, sentindo o coração se acelerar com um sentimento profundo pela menina que ainda não experimentara antes. Seus olhos se encheram de lágrimas, mas nesse momento ela notou que Verity estava vindo em sua direção.

"Laurence me pediu para avisar que quer falar com você na sala de estar."

"Por quê?"

Verity abriu um sorrisinho falso. "Ele não me disse."

Gwen foi às pressas até a sala de estar e encontrou Laurence com um jornal dobrado debaixo do braço. Ele se virou ao ouvi-la entrar, com uma expressão impassível no rosto. Ele sabe, Gwen pensou no breve silêncio que se seguiu, e vai me expulsar daqui. Gwen ficou procurando o que dizer.

"Eu..."

Ele a interrompeu. "Eu vi Hugh lá fora com a menina. Pensei que já tivéssemos decidido."

Com o corpo anestesiado de tensão, ela se esforçou para responder. "Como é?"

Ele se sentou e se recostou no sofá. "Pensei que tivéssemos decidido que a menina não podia ficar."

Gwen teve que se segurar para não demonstrar seu alívio. Ele não sabia. Ela se posicionou atrás do sofá para massagear os ombros dele, mas também para esconder o rosto.

"Não", ela respondeu depois de um tempo. "Concordamos que eu vou cuidar desse assunto. E estou cuidando, mas ela não está muito bem. Está com tosse."

"É contagioso?"

Ela ficou imóvel. "Acho que não, e Hugh é uma criança muito sozinha."

Quando ela interrompeu a massagem e deu um passo atrás, ele se endireitou e se virou para encará-la. "Querida, você sabe que eu não negaria ajuda se a menina fosse da família."

"Eu sei, mas você não pode confiar em mim nesse caso?"

"Ora, Gwen. Como eu disse antes, nós sabemos muito bem que Naveena não tem família. E, além disso, eu não quero que Hugh se apegue demais a ela."

Gwen fez uma pausa antes de responder. "Não entendi."

Ele pareceu intrigado. "Não é óbvio? Se os dois ficarem muito amigos, ele vai sofrer demais quando ela for embora. Então, de verdade, quanto antes melhor. Você não concorda?"

Ela sentiu uma dor se instalar em suas têmporas enquanto o encarava. Como poderia concordar?

Ele estendeu a mão. "Você está bem? Não me parece muito bem."

Gwen sacudiu a cabeça.

"Eu entendo que você está tentando fazer o seu melhor, mas..."

Ela não o deixou terminar. "Não é justo, Laurence. Não mesmo. Para onde você acha que essa menina pode ir?"

Incapaz de conter os próprios sentimentos, seu coração se partiu, e todos os seus esforços para proteger Laurence e seu casamento pareceram cair por terra. Gwen não queria que Liyoni fosse embora, mas ele não fazia ideia do que se passava dentro dela — de tudo o que se acumulara em seu peito durante anos. Ele estava certo — ela estava tentando fazer o seu melhor —, mas não sabia que tentar equilibrar os interesses conflitantes do marido, do filho e da menina era mais do que Gwen era capaz de suportar. Perdendo totalmente o controle sobre si mesma, ela saiu da sala, batendo a porta atrás de si.

330

# 29

Por algum tempo depois disso, Laurence manteve-se calado. Quando Gwen aparecia, ele a encarava como se esperasse que dissesse algo, mas em nenhuma hipótese ela pediria desculpas pela maneira como se comportara. Ciente de que levar Liyoni para sua casa poderia se revelar o pior erro de sua vida, ela vinha buscando alternativas, mas não encontrara nenhuma.

Com o pretexto de comparecer a uma reunião da Liga de Caridade Feminina, ela visitara um orfanato em Colombo, um lugar superlotado com cheiro de urina. Depois disso, passara algumas noites sem dormir. Acima de tudo, queria preservar seu casamento, mas não podia mandar Liyoni para lá.

Durante as semanas seguintes, Laurence perguntou algumas vezes sobre como andavam os planos de encontrar um novo lar para a menina, mas até então Gwen vinha conseguindo evitar o assunto. Seus nervos, porém, estavam à beira de um colapso. Enquanto isso, Hugh estava conseguindo bons progressos com o aprendizado de Liyoni, que já era capaz de entender alguns comandos básicos em inglês e de perguntar o que queria saber. No entanto, a garotinha se cansava facilmente, e, até que as aulas de Hugh começassem, Gwen precisava encontrar uma maneira de separar os dois, pelo menos durante uma parte do tempo. Longe de sentir ciúme de Liyoni, Hugh a adorava, e, quando ela ficava doente de cama, com uma tosse carregada, era preciso forçá-lo a manter distância.

Verity era outra história. Sem oferecer nenhuma explicação para sua relutância em voltar para o marido, ela ainda estava por lá no aniversário de Laurence, e, quando Hugh apareceu para o chá comemorativo com Liyoni a reboque, imediatamente lançou um olhar na direção do irmão. Embora Gwen geralmente não gostasse da maneira como a cunhada se vestia, Verity estava bem chique nesse dia, com uma roupa longa e justa. Gwen ficou se perguntando onde ela conseguia dinheiro para comprar aquelas peças novas e caras. Seu marido não tinha tanto dinheiro assim.

"Desculpe, mas eu preciso falar", disse Verity. "Essa menina não é da família, e isso é uma comemoração familiar. Aliás, Laurence, por que ela está vivendo aqui? Pensei que você fosse falar com Gwen."

"Vamos evitar uma cena desagradável, Verity."

"Mas você falou..."

Gwen se apressou em entrar na conversa e, cerrando os punhos para aliviar a raiva, se dirigiu a Hugh. "Desculpe, querido, mas a tia Verity tem razão. Diga para Liyoni ir ficar com Naveena. Ela deve ter alguma coisa para fazer agora."

Hugh fez uma careta de tristeza, mas acatou o pedido. Durante a conversa, Verity continuou a reclamar da presença de Liyoni na casa.

Irritada com a intrusão constante da cunhada na vida do casal, Gwen a interrompeu outra vez. "Na verdade, Laurence e eu já conversamos, e ele deixou esse assunto nas minhas mãos. Sou obrigada a lembrar mais uma vez, Verity, que eu sou a dona da casa, e que, agora que você se casou, é apenas uma hóspede aqui."

"Calma, Gwen", pediu Laurence.

"Não. Eu não vou me acalmar. Nem por você, nem por ela. Ou eu sou a dona da casa ou não sou. Estou cansada de ter sua irmã interferindo nos meus assuntos. Está na hora de ela voltar para o marido."

Laurence tentou envolver seus ombros em um abraço, mas, sentindo-se abalada, ela se desvencilhou dele.

"Vamos, querida. É meu aniversário."

"Eu não quero que a tia Verity vá embora, mamãe", protestou Hugh.

Gwen olhou ao redor da mesa, posta para os quatro com as melhores porcelanas e talheres de prata, tudo lindamente arranjado sobre uma toalha de mesa estampada. Ela moderou sua raiva.

"Tudo bem, querido. Mamãe e papai podem conversar sobre isso mais tarde. Vamos tomar nosso chá."

Os dias de champanhe em abundância, porém, tinham ficado no passado. Quando o *appu* trouxe o bolo de frutas de Laurence em uma bandeja de prata, a bebida que acompanhou o doce foi o chá. E os presentes, que antes formavam uma grande torre que chegava quase até o teto, mal davam uma pequena pilha.

"Acho que não precisamos esconder os presentes", Laurence comentou.

"Ah, precisamos, sim", respondeu Verity.

Gwen suspirou. Se Verity queria fazer a brincadeira, assim que seria. Ela foi até o armário de canto, remexeu entre as coisas de festa e pegou uma longa tira de tecido grosso com a qual vendou Laurence, amarrando na parte de trás.

"Agora gire o papai três vezes", ordenou Hugh.

A ideia era que a pilha de presentes desaparecesse em um passe de mágica, e Laurence, ainda vendado, teria que encontrar todos antes de abri-los.

Ele cumpriu seu papel, cambaleando pela sala e bancando o desajeitado, o que fez Hugh gargalhar. Laurence caiu de quatro, tateando o chão ao redor da porta aberta. Nesse momento, eles ouviram saltos altos batucando o chão. Todo mundo ficou imóvel.

"Ora, eu esperava que você fosse ficar feliz em me ver, mas se ajoelhar aos meus pés foi uma surpresa. Pensei que esse dia nunca chegaria."

Laurence arrancou a venda e ajeitou os cabelos ao se levantar. "Christina!"

"Eu mesma."

"Mas você disse que só chegaria na semana que vem", comentou Gwen.

Hugh começou a bater os pezinhos no chão, vermelho de raiva. "Ela estragou tudo! O papai ainda nem encontrou os presentes."

"Ah", falou Christina. "Mas acho que eu posso compensar isso. Trouxe presentes também."

Laurence e Gwen trocaram olhares.

"Você sabia que era aniversário de Laurence?", questionou Verity.

"O que você acha? Mas os presentes são para todos vocês, não só para Laurence. Meu empregado está esperando no corredor." Ela se virou e estalou os dedos. Um cingalês com um casaco longo de linho branco apareceu, carregado de sacolas de compras.

"Desculpem, não tive tempo de embrulhar." Ela remexeu em uma das sacolas, pegou algo macio lá dentro e, sem tirar do cabide, entregou para Gwen.

Gwen desenrolou o lindo tecido e ergueu o conjuntinho de duas peças, idêntico ao que vira na revista *Good Housekeeping*.

"Achei que fosse combinar com seus olhos", disse Christina. "É um tom de lilás tão bonito. E, Hugh, este trenzinho é para você."

Ela pôs a caixa sobre a mesa, e os olhos de Hugh brilharam enquanto ele passava os dedos pelas fotos da locomotiva e dos vagões.

"Como é que fala para Christina, filhão?", lembrou Laurence.

Hugh mal conseguiu tirar os olhos da caixa. "Muito obrigado, moça americana."

Todo mundo riu.

"Verity", continuou Christina, "trouxe uma bolsa de pele de crocodilo para você. Pensei que fosse gostar."

"Obrigada. Não precisava."

"Nunca fiz nada por obrigação. Comprei porque queria." Ela fez uma pausa, deu uma piscadinha para Laurence e jogou um beijo para ele. "E agora, o aniversariante. Tenho uma coisa especial para você, querido, mas não dá para entregar em mãos."

"É um carro? Você vai dar um carro novo para o papai? Isso ele não conseguiria segurar nas mãos."

"Não, querido, você acha que deveria ser um carro?"

"Sim, eu acho!"

"Na verdade, se vocês não se importam, eu estou bem cansada. O presente do seu pai vai ter que esperar até a noite."

Hugh começou a reclamar, mas, ainda irritada por causa da chegada repentina de Christina, isso sem contar os presentes caros que precisariam ser retribuídos, Gwen o silenciou com o olhar.

"Está quase na hora do banho de Hugh, Christina, então, se não se importa, Verity vai levá-la ao quarto de hóspedes, e nós nos falamos de novo na hora do jantar. Não precisa vestir nada diferente, estamos mantendo a simplicidade ultimamente."

"Ah, mas vocês precisam. Afinal de contas, é uma ocasião especial."

Gwen fez que sim com a cabeça com um misto de irritação e desconfiança e pegou Hugh pela mão. "Muito bem", concordou ela. "Vamos lá. Você pode tomar banho no meu quarto hoje."

Hugh bateu palmas e foi falando animadamente até o quarto. Enquanto ela enchia a banheira, não conseguia parar de pensar em Liyoni. Apesar de parecer um pouco melhor, mancava mais a cada dia. Se sua condição piorasse, não conseguiria realizar as tarefas domésticas leves de que Gwen lhe incumbira. Era um trabalho apenas de aparências, não fazia diferença de fato, mas era preciso manter a encenação.

Havia uma ferida infeccionada no pé da menina, que Naveena tratara com extrato de ervas e enfaixara. Gwen esperava que Liyoni parasse de mancar quando a ferida sarasse, mas isso não aconteceu. O dr. Partridge viria fazer uma consulta de rotina com Hugh dali a dois dias, e ela decidiu que pediria para que examinasse Liyoni também.

Eles estavam tomando café na sala de estar depois do jantar quando Christina revelou sua grande ideia. Verity estava sentada no sofá com a pele de leopardo, perto do armarinho de bebidas, Laurence estava de pé junto à lareira e Gwen acomodada em uma cadeira do lado do sofá, de olho na garrafa de conhaque. As cortinas foram deixadas abertas, e a noite era iluminada pela lua quase cheia.

"Marcas", disse Christina com um sorriso largo. Ela se recostou na poltrona e pôs o que parecia ser uma pintura embrulhada com papel pardo no chão ao lado do móvel.

"Como é?", perguntou Laurence.

"Marcas. Esse é o caminho a seguir." Ela se levantou e se colocou ao lado de Laurence, pondo a mão em seu ombro e se encostando nele. Em seguida, aproximando o rosto, encarou-o bem nos olhos. "Você não viu a revista que mandei, querido?"

"Laurence deu uma folheada", respondeu Gwen, com vontade de vomitar, mas mantendo uma fachada de tranquilidade. "Nenhum de nós entendeu o que você quis dizer."

Christina, que estava sorrindo para Laurence, virou-se para Gwen. "Mas o que você *notou* naquela revista?"

Gwen olhou ao redor. Junto com os presentes, Christina trouxera também buquês de flores, que estavam dispostos elegantemente em quatro vasos de vidro, espalhando fragrâncias no ar.

"Tinha um monte de anúncios."

Christina bateu palmas. "Isso mesmo!"

"Está sugerindo que façamos anúncios?", Laurence perguntou, afastando-se da americana. "Perdão pela franqueza, mas não me parece uma ideia muito boa."

Christina jogou a cabeça para trás e riu. "Querido, eu sou americana. Não precisa se desculpar por ser franco comigo. Vocês ingleses são muito engraçados."

Laurence franziu o queixo, e Gwen sentiu vontade de desmanchar a careta enchendo-o de beijos. Em vez disso, preferiu se conter e responder a Christina. "Ora, então por que você não explica para nós, ingleses *engraçados*, exatamente o que quis dizer?"

"Querida, não se ofenda. Não falei por mal. Vocês todos são absolutamente adoráveis, e seu marido, bom, já deixei bem claro o que penso dele... Mas, sim, você tem razão, vamos aos negócios."

Gwen, que estava prendendo a respiração, soltou o ar devagar.

"O que está acontecendo nos Estados Unidos é que, apesar da depressão, algumas pessoas estão prosperando. Quanto maior a empresa, e quanto mais simples o produto, melhor."

"Está falando do sabão em pó e da graxa de sapato que vimos na revista?", perguntou Laurence.

Gwen balançou a cabeça. "Mas não tinha nenhum anúncio de chá."

"Exatamente, *chérie*. Minha ideia é desenvolver a marca Hooper's.

Você deixaria de ser um produtor e fabricante para o atacado e teria sua própria marca de chá."

Laurence assentiu. "As pessoas estão em dificuldade por causa da depressão, mas ainda precisam lavar as roupas e engraxar os sapatos. É essa sua ideia."

"Sim. E ainda precisam comprar chá, semana após semana. Mas isso só funciona se você for um peso-pesado no mercado."

Laurence fez um gesto de negativo com a cabeça. "Nós não temos capacidade produtiva suficiente. Nem mesmo com as três fazendas a todo vapor. Não sei como isso poderia dar certo."

"Laurence." Ela deu uma olhada ao redor. "Meu caríssimo e *engraçadíssimo* inglês, homem que eu respeito, admiro e amo... é para isso que estou aqui."

Gwen engoliu em seco sua irritação.

"As margens podem não ser das maiores, mas seu produto é o tipo de coisa que as pessoas compram com frequência e sem o qual não conseguem viver." Christina fez uma pausa. "Diga, como você está se saindo na depressão?"

Laurence tossiu e olhou para os próprios pés.

"Pois então. Precisamos pensar em algo novo. Em toda casa existe uma lata de chá, e eu quero que esse chá seja Hooper's. Se conseguirmos um pedaço do mercado da companhia Lipton, já seria um sucesso."

O ressentimento de Gwen pela mulher parecia prestes a explodir em sua garganta. O que Christina realmente queria? Estava brincando com eles, só porque tinha o poder de fazer isso? Havia voltado para mais uma tentativa de investida sobre Laurence? Gwen a queria fora de sua vida, e já tentara se livrar dela antes, mas não queria envergonhar Laurence com um acesso de ciúme. Seu primeiro instinto foi manter uma expressão de rigidez e falar com firmeza.

"Não", ela disse. "Vamos encerrar a conversa e descartar sua ideia maluca. Laurence já disse que não temos como produzir chá nessa quantidade."

Christina não se deixou abater. "Não vocês, querida. Vocês vão comprar de todos os lugares do Ceilão. Vão fechar acordos com outras fazendas. Nós vamos embalar o chá com nossa marca e investir pesado na divulgação. A margem não precisa ser muito grande se vocês se concentrarem na quantidade."

"Eu não tenho dinheiro para um investimento como esse", rebateu Laurence.

"Não, você não tem, mas eu tenho. O que estou sugerindo é comprar uma participação na marca Hooper's e usar esse dinheiro para pôr o negócio em andamento."

Gwen se levantou, sentindo as pernas bambas, e foi se colocar ao lado de Laurence. Quando falou, sua voz também estava trêmula. "E se não der certo? E então? Nós não podemos nos arriscar ainda mais."

"O risco vai ser todo meu, não de vocês. Escreva o que estou dizendo, querida, esse é o futuro. A publicidade está decolando nos Estados Unidos. Você viu a revista, não?"

"Não sei se estou muito contente com esse futuro", comentou Gwen.

"Gostando ou não, vocês têm uma chance de ganhar milhões. E é realmente simples assim."

"Você pode ter razão. Podemos pensar a respeito?", perguntou Laurence, dando o braço para Gwen.

Gwen suspirou. A mulher estava ganhando Laurence na conversa, e não havia nada que ela pudesse fazer a respeito.

"Vocês têm dois dias. Depois disso vou embora. Precisamos agir rápido, antes que alguém faça isso."

Ela ajeitou o vestido de aparência caríssima e se virou para Gwen com um sorriso persuasivo. "Gostou do meu vestido?"

Gwen murmurou uma resposta.

"Comprei pronto, paguei baratíssimo, não é nem de seda. O mundo está mudando, pessoal. Ou vocês acompanham o ritmo ou ficam para trás. Enfim, hoje foi um dia muito longo, e estou mais do que pronta para ir dormir."

Verity, que se mantivera calada, levantou-se também, mas parecia instável sobre as próprias pernas, e quando falou as palavras saíram arrastadas. "Acho uma ideia maravilhosa, Christina."

Gwen teve vontade de dizer que Verity não tinha nada a ver com o assunto, mas manteve a boca fechada.

"Obrigada. E me esqueci de dizer, Laurence, que você e Gwen precisariam ir a Nova York. Isso ajudaria a tornar a marca mais respeitada e conhecida."

"Isso é mesmo necessário? Por quanto tempo?"

"Absolutamente necessário, mas não por muito tempo. E todas as suas despesas seriam pagas por mim, claro."

"E quanto a Hugh?"

"Ele vai para a escola em breve, não?"

Gwen franziu a testa. "Por que você está fazendo isso, Christina, se o prejuízo é todo seu?"

"Porque não vai haver prejuízo. Tenho *certeza*... E também porque gosto de vocês dois. Estão em dificuldades, e fiquei me sentindo muito mal pelo dinheiro que Laurence perdeu no Chile. Mesmo assim, estou certa de que, quando a depressão passar, vocês vão recuperar o que investiram lá também, e ainda ter lucro."

Gwen balançou a cabeça devagar. Não havia escolha a não ser deixar as coisas acontecerem.

"A campanha vai ser feita a partir de Nova York, e vocês vão precisar dar as caras. E, por falar em caras, quase me esqueci. Verity, você se importaria de desembrulhar a pintura que deixei encostada no sofá?"

"Por um momento, pensei que esse seria meu presente", comentou Laurence.

"E em certo sentido é", disse Christina enquanto Verity rasgava o papel pardo.

"Bom, então vamos ver", respondeu Laurence.

Verity olhou para Laurence. "É uma pintura de Savi Ravasinghe."

O coração de Gwen gelou. Ela nunca confrontara Savi Ravasinghe a respeito do que acontecera naquela noite, e com o tempo fora se tornando mais fácil enterrar tudo no fundo de sua mente. Mas, como se não bastasse a presença de Liyoni na casa para lembrá-la constantemente, agora ele também precisava voltar à tona?

Laurence franziu a testa, e Verity virou e ergueu a pintura para que pudessem ver.

"É uma colhedora de chá tâmil", comentou Laurence.

Gwen observou o tom de vermelho belíssimo do sári da mulher, que parecia brilhar contra o verde luminoso dos arbustos de chá, e foi obrigada a admitir que a imagem era linda. Enquanto olhava, sentiu um ardor subir pelo pescoço até o rosto, e torceu para que ninguém tivesse reparado, mas, obviamente, Verity percebeu.

"Gwen, tudo bem com você?", perguntou sua cunhada.

"É só o calor", ela respondeu, abanando a mão na frente do rosto.

Laurence ficou em silêncio, e Christina explicou que considerava aquela a imagem perfeita para a marca Hooper's. Seria estampada em todas as embalagens, além de outdoors gigantes e anúncios de revistas.

Quando Christina terminou, Laurence apertou a mão da mulher. "Você realmente nos deu muito em que pensar. Conversamos de novo amanhã. Espero que tenha uma boa noite."

Depois que foram cada um para seu quarto, Gwen ficou pensando a respeito. Não havia muito lugar para a razão em sua mente quando o assunto era Christina, e naquele momento ela sentiu que a americana poderia ser o vendaval que faria sua casa ruir.

# 30

Nos dois dias seguintes, Gwen ouviu os barulhos de Laurence andando pela casa à noite. Com uma apreensão ainda maior depois que o nome de Ravasinghe fora acrescentado à irritante presença de Christina, ela torceu para que Laurence fosse dormir em seu quarto, para que os dois ficassem mais próximos. Mas isso não aconteceu. E, para a irritação de Gwen, Verity ficou por lá, e ainda tomou o partido de Christina. A discussão sobre a marca monopolizou as conversas na casa, e a permanência de Verity continuou sem explicações.

Enquanto todos se preocupavam com o assunto, Gwen permitiu que Liyoni e Hugh brincassem juntos em seu quarto. A luz do sol entrava pela janela do quarto, e Gwen, sentada à mesa com Naveena, sentia o calor sobre o pescoço. Ela ficou observando enquanto os gêmeos pulavam na cama, cantando uma canção que parecia ser uma versão em cingalês de uma cantiga infantil inglesa. Gwen estava pensando em Christina, e no efeito que a chegada da americana havia tido em Laurence, cada vez mais distante.

Pela janela, ela viu os dois caminhando de braços dados no jardim, e tentou convencer a si mesma de que estavam só falando sobre o novo empreendimento. Mas, quando um vazio começou a invadi-la, sentiu-se deslocada e excluída pelo próprio marido em sua própria casa. Compreendeu que um lar não era apenas um lugar. Era sua relação diária com tudo o que tocava, via e ouvia. Era a certeza da familiaridade, a tranquilidade de saber exatamente por onde andava. Os tecidos, os fios, os cheiros: a cor exata de sua xícara de chá de manhã, Laurence baixando o jornal antes de sair para trabalhar e Hugh subindo e descendo a escada mil vezes por dia. Mas agora havia algo extraordinário acontecendo, o chão estava se movendo, e tudo estava diferente.

Gwen sentiu um calor subindo pelo corpo, e por um momento odiou Christina quase tanto quanto odiava Savi Ravasinghe. Acima de tudo, porém, detestava ter se tornado uma mulher tão ciumenta e medrosa. O que mais queria era algum tipo de escape. No entanto, ao olhar para as crianças, sentiu vergonha de seus pensamentos, e a raiva passou.

"Cuidado, Hugh", ela avisou. "Não se esqueça do probleminha na perna de Liyoni."

"Sim, mamãe. É por isso que ela está pulando de bumbum."

Houve uma batida na porta, e Verity entrou. "Achei que você ia querer saber que Laurence aceitou a proposta de Christina."

Gwen esfregou a nuca. "Ai, meu Deus, é mesmo?"

"Eles querem sua assinatura em um formulário. Depois ainda vão chegar outros papéis." Ela fez uma pausa e olhou para as duas crianças, agora sentadas tranquilamente na cama. "Eu me livraria da escurinha, se fosse você."

"Não entendi o que você quis dizer."

Verity inclinou a cabeça, abriu um meio sorriso e continuou. "Os empregados estão comentando. Não entendem por que a menina tem esse tratamento especial. Você sabe como eles são."

Gwen fechou a cara. "Pensei que você já estivesse arrumando as malas."

Verity sorriu outra vez. "Ah, não. Você pode até ser a mulher dele, segunda mulher, aliás, mas eu sou a *única* irmã que Laurence tem. Estou indo jogar tênis com Pru Bertram no clube. Até loguinho."

"E o seu marido? Você acha certo o que está fazendo com ele?"

Verity deu de ombros. "Isso não é da sua conta."

"É verdade mesmo?", Gwen perguntou a Naveena quando Verity saiu. "Sobre a fofoca?"

A velha senhora suspirou. "Não ser nada."

"Tem certeza?"

"Eu dizer a eles que Hugh precisar de companhia."

Houve um ruído no corredor, seguido de som de passos. Gwen olhou ao redor, alarmada.

Naveena estalou a língua. "Só camareiro, senhora."

Quando Hugh e Liyoni começaram a pular de novo, Gwen se distraiu. O aviso de Verity fazia sentido. Desde que trouxera Liyoni para casa, sua vida perdera a consistência habitual. Aprisionada em seu próprio medo, tinha sobressaltos com ruídos inesperados e, toda vez que ouvia as tábuas da casa rangerem, ficava esperando pelo pior, torturando-se com cenários imaginários terríveis até suas vistas se turvarem.

Gwen precisava do apoio de Laurence para se afirmar, mas, em vez disso, eles estavam ficando mais distantes. Ela se sentia despedaçada, com medo de acabar se denunciando na frente dele, embora precisasse mais do que nunca da presença do marido. Quando Laurence se mostrava carinhoso, ela ficava irritada e mal-humorada; quando ele se distanciava, temia que Christina o roubasse.

De repente, houve um baque surdo. Gwen se virou e viu que Liyoni caíra da cama e estava deitada no chão, imóvel. Ela pulou da cadeira.

"Você a empurrou, não foi mesmo, Hugh?"

Hugh ficou vermelho e começou a chorar. "Não, mamãe. Não empurrei!"

Quando Gwen se aproximou, ele desceu da cama. Ela pegou a menina e a abraçou. Hugh se agachou ao seu lado.

"Desculpe, Hugh. Sei que não foi culpa sua. Eu me distraí e parei de olhar vocês."

Ela acariciou o rosto de Liyoni e viu seus olhinhos assustados. A menina piscou, e uma lágrima caiu. O coração de Gwen quase parou. Estava olhando para sua filha sem reparar na cor da pele — pensava nela apenas como sangue de seu sangue pela primeira vez. Nesse momento de absoluta clareza, o tempo pareceu parar. Aquela era sua garotinha, e Gwen a abandonara como se fosse um cachorrinho indesejado. A culpa pelo que fizera e a dor de saber que jamais poderia assumi-la como filha eram de cortar o coração. Ela soltou um ruído estrangulado enquanto tentava conter as lágrimas, estendeu o braço para Hugh e abraçou os dois. Com a pulsação absurdamente acelerada, sentiu o amor tomar conta de si outra vez, e beijou Liyoni dos dois lados do rosto. Quando ergueu a cabeça, sorriu para Naveena, mas a aia parecia tensa. Estava com os olhos fixos na porta, e com os lábios entreabertos.

De costas para a entrada, e com sua atenção voltada para as crianças, Gwen não ouvira a porta se abrir, e só notou a presença de Laurence ao ouvi-lo tossir.

"Menina caiu", Naveena se apressou em dizer.

Gwen ergueu Liyoni e a deitou cuidadosamente na cama, consumida pela culpa. Se Laurence tinha visto a queda, então testemunhara também tudo o que acontecera depois.

Laurence permaneceu em silêncio, apenas observando.

Gwen tentou raciocinar, sem saber se tinha dito alguma coisa em voz alta ou se estava só pensando. O medo bloqueou sua boca e sua garganta, e ela engoliu em seco para tentar formular alguma sequência de sons inteligíveis.

Laurence limpou a garganta e se dirigiu diretamente a Naveena. "Ligue para o dr. Partridge. Peça para ele vir aqui."

Ele se aproximou para olhar a menina, e Hugh segurou a mão do pai. "Ela é minha melhor amiga, papai."

"Foi só um tombo. Ela deve ter caído de mau jeito. Só isso."

Gwen tentou disfarçar o medo em seus olhos. O que Laurence tinha visto? O que tinha ouvido? Sua pele se arrepiou. Ela coçou a cabeça, depois a nuca, depois os ombros. Não ajudou em nada. O arrepio continuou percorrendo seu corpo, e ela sentiu vontade de gritar.

"Partridge já a examinou por causa do problema na perna?", perguntou Laurence, provocando um sobressalto nela.

Gwen fez que sim com a cabeça.

"E?", questionou Laurence.

Ela conseguiu recuperar a voz. "Ele acha que não é nada. Mas disse que acompanharia o caso. Mas como você sabe? Não estava aqui em casa no dia."

"McGregor contou."

Embora a expressão de Laurence permanecesse impassível, havia alguma coisa em seus olhos. Enquanto era encarada pelo marido, ela sentiu um aperto no estômago. Depois de uma longa pausa, ele voltou a falar.

"Ele disse que você parecia bem preocupada com a menina."

Gwen engoliu em seco. Por que ela acreditara que não estava sendo vigiada por McGregor? "A menina é um doce, e eu fiquei com pena dela por ter vindo morar com desconhecidos assim tão novinha."

"Eu fui para o internato na Inglaterra com essa idade."

"E você sabe qual é a minha opinião sobre isso."

Por alguns momentos, Laurence continuou olhando para ela sem dizer nada. Gwen não fazia ideia do que poderia estar passando pela cabeça dele. Era como se estivesse prestes a perdê-lo.

Em uma tentativa de acalmar os nervos em meio ao silêncio carregado de tensão, ela se concentrou na própria respiração.

"Hugh logo mais vai para a escola", ele disse por fim. "Depois disso, nós decidimos o que fazer com a menina."

Gwen virou a cabeça para o outro lado, para que Laurence não visse as lágrimas em seus olhos.

"Temos alguns papéis para assinar na sala de jantar. Passe por lá depois da visita do médico. E, por falar nisso, vamos viajar para os Estados Unidos sem Christina. Ela precisou ir antes, hoje mesmo."


Durante a hora que passou esperando pelo médico, Gwen bebeu chá e jogou paciência com Hugh. Liyoni dormiu e, quando acordou, ficou em silêncio, recusando as frutas e a água oferecidas. O coração de Gwen disparava toda vez que ela ouvia passos no corredor, com medo de que fosse Laurence. Quando o médico apareceu no quarto, Liyoni parecia bem fraca.

O médico se preparou para abrir a bolsa de couro. "Acho que seria bom a aia tirar Hugh do quarto, Gwen."

"Não", reclamou Hugh, batendo o pé. "Eu quero ficar. Ela é minha amiga, não sua, nem da mamãe."

"Tenho pirulitos aqui. Se você se comportar direitinho e sair com Naveena, pode ganhar um."

345

"São amarelos?"

"Sim, e cor-de-rosa."

"Só se Liyoni puder ganhar um também, e da mesma cor que o meu."

"Combinado, amiguinho."

"E você promete que ela não vai sentir dor?"

"Prometido."

"E nós podemos nadar mais tarde? Ela gosta de voar."

"Voar?"

Hugh confirmou com a cabeça. "É a palavra que ela usa para nadar."

Depois que Naveena levou Hugh para jogar bola lá fora, o médico puxou uma cadeira e examinou Liyoni com todo o cuidado, apertando-a bem de leve.

Gwen se colocou atrás dele e sorriu quando a garotinha abriu os olhos. Gwen notou que a confiança aos poucos brotava nos olhos da filha, que retribuiu o sorriso. O gesto não passou despercebido do médico, que olhou para Liyoni e depois para Gwen. Ela rezou para que ele não tivesse notado a cor dos olhos da criança, que ficava entre o castanho e o violeta, nem os cachos escuros espalhados sobre o travesseiro.

"Tem alguma coisa que você queira me contar, Gwen?"

Ela prendeu a respiração. Se ele soubesse o quanto Gwen tinha para desabafar depois de tantos anos...

"Sobre o tombo."

Gwen soltou o ar com força. "Ela rolou para fora da cama. Eles estavam pulando. Foi culpa minha. Eu devia saber que ela é mais frágil que Hugh. Fiquei distraída."

"Muito bem. Deve ser uma fraqueza causada por alguma deficiência de vitamina. Alimente bem a menina, é esse meu conselho."

"Ah, que alívio. Mais alguma coisa? Alguma doença contagiosa?"

"De jeito nenhum. Foi só o susto do tombo."


Um mês depois, Gwen estava no quarto arrumando as últimas roupas que Hugh levaria para a escola. Ela tivera o cuidado de pensar em tudo de que ele poderia precisar fora dos horários de aula, e levara em conta também as mudanças do tempo. O uniforme do colégio chegara de Nuwara Eliya no dia anterior. Dois conjuntos completos, era o que a carta estipulava, e a lista de peças não era curta. Ela ficou contente que seu pai estivesse pagando a conta, mas uma parte de si ainda resistia à ideia de que Hugh iria embora.

Com um ar melancólico, ele estava sentado em seu velho cavalinho de madeira, que Gwen agora deixava em seu quarto. "Eu não posso ir para o velho oeste com vocês?"

"Nós não vamos para o velho oeste. Vamos para Nova York."

"Mas tem caubóis por lá também, não é?"

Ela fez que não com a cabeça. "Acho mais fácil você encontrar caubóis em Nuwara Eliya do que em Nova York."

"Isso não é justo. Você pode me ensinar a escrever e fazer contas, não?"

"Querido, você precisa ter uma boa educação para poder ser inteligente igual o papai quando crescer."

"Ele não é inteligente."

"Claro que é."

"Bom, ele disse que eu não posso ir até a cachoeira com Liyoni, e isso não foi uma ideia muito inteligente."

Gwen sabia da existência de uma cachoeira na propriedade, mas ouvira dizer que era uma caminhada bem longa morro acima até lá, então nunca se aventurara. "O papai deve achar muito perigoso."

"Liyoni adora água. Ela ia gostar. Eu já vi esse lugar. Dá para ir de carro também. Verity me levou."

"Até o alto?"

"Sim, bem no alto. Mas eu não cheguei perto da beirada."

"Bom, fico contente de ouvir isso. Agora venha me ajudar a fechar o baú. Preciso de um homem forte para isso."

Ele riu. "Certo, mamãe."

Mais tarde, enquanto Gwen tentava arrumar sua própria bagagem, Laurence entrou com um sorriso largo no rosto. Desde que Christina partira para dar início aos trabalhos em Nova York, ele andava ocupado se reunindo com outros plantadores e fechando acordos. Gwen quase não o via, e se sentia grata por isso. Quando estava por perto, ele não dava indicação alguma de saber algo sobre o motivo para a presença de Liyoni na casa, embora Gwen o observasse atentamente em busca de algum indício.

"Olá", ele falou. "Estava com saudade das minhas duas pessoas favoritas no mundo."

"Papai!", gritou Hugh, pulando do cavalinho para abraçá-lo.

"Cuidado, garotão, o papai está cansado. Você não quer me derrubar no chão, não é?"

Hugh riu. "Quero, sim, papai."

Ele sorriu e olhou para Gwen por cima da cabeça de Hugh. "Consegui fazer com que Hugh ficasse em regime de internato nos primeiros meses."

"Sem vir para casa aos fins de semana? Laurence, não. Ele vai odiar."

"Só enquanto estamos fora. Uma viagem de ida e volta para Nova York não é uma coisa rápida. Aliás, está tudo confirmado. Christina comprou as passagens."

"Hugh, vá brincar lá fora um pouquinho", ela falou. "Por que não vai testar o novo balanço do jardim?"

Hugh fez uma careta, mas obedeceu. Como todas as crianças pequenas, tinha um instinto apurado para detectar desentendimentos entre os pais.

Laurence estava parado de costas para a luz. Gwen protegeu os olhos com a mão do sol forte que entrava pela janela. "Naveena não pode cuidar dele nos fins de semana?"

"Acho que ela já vai estar ocupada demais com a menina." Ele soltou um suspiro profundo. "Eu esperava de verdade que já tivéssemos resolvido essa questão a esta altura."

"Eu tentei."

"Ah, sim, claro que sim."

"O que você quer dizer com isso?"

"Nada além do que eu disse. Por que você está tão sensível? Sou obrigado a dizer que você anda cada vez mais tensa desde que essa criança veio morar aqui. Qual é o problema, afinal?"

Gwen sacudiu a cabeça.

"Muito bem", ele falou. "Quero conversar com você sobre Verity. Eu disse a ela que não pode ficar aqui enquanto estamos fora. Ela precisa voltar para Alexander."

Contente com a notícia, Gwen começou a respirar mais livremente. "Que bom. Parece que você já pensou em tudo mesmo. Ela contou qual foi o problema com Alexander?"

"Ela mencionou certas dificuldades."

"Que dificuldades?"

"Não dá para imaginar?"

"É mesmo?"

"Eu disse que isso precisava ser resolvido com ele. A verdade é que esse comportamento já foi longe demais. Sem contar que ela está bebendo demais outra vez. Verity é responsabilidade do marido agora, não minha."

Aleluia, pensou Gwen, e teve que se esforçar para não bater palmas.

"Podemos decidir o que fazer com a menina quando voltarmos. Sei que eu falei que cuidaria de Naveena quando a idade chegasse, mas não sabia que isso incluiria parentes distantes até então desconhecidas, se essa história for verdade mesmo."

"Oh, Laurence, claro que é verdade."

"Tem alguma coisa estranha nisso tudo. Eu consultei os papéis antigos da minha mãe, com árvores genealógicas e tudo, para ver se encontrava alguma coisa sobre a origem da menina. Talvez um parente que a ligasse de alguma forma a Naveena."

"Duvido que você encontre alguma explicação nesses papéis. Nem a própria Naveena sabia da existência da menina."

"Eu sei. Conversei com ela."

O coração de Gwen foi parar na boca. "O que ela falou?"

"Nada que eu já não soubesse." Ele fez uma pausa. "Gwen, você está pálida."

"Eu estou bem, só um pouco cansada."

Ela viu a preocupação estampada no rosto dele, mas ficou aliviada quando o olhar do marido se voltou para os vestidos estendidos sobre a cama.

"São todos muito bonitos, mas não precisa pôr tanta coisa. Christina vai levar você para fazer compras na Quinta Avenida. Ela acha que você vai gostar de dar uma renovada no guarda-roupa."

Ela endireitou o corpo e, com as mãos na cintura, olhou feio para ele. "Quem essa Christina pensa que é? Eu não preciso de caridade, e com certeza não preciso que ela *me leve* para fazer compras."

Ele franziu o queixo. "Pensei que você fosse gostar."

"Bom, não gostei. Estou cansada de ser tratada como criança por ela. E por você."

"Querida, me desculpe. Eu sei que você está chateada com a partida de Hugh."

"Eu não estou chateada", ela respondeu.

"Querida..."

"Não me venha com essa conversa. Eu não estou chateada mesmo." Em seguida, porém, ela caiu no choro.

Ele se aproximou para abraçá-la. Ela resistiu, mas foi abraçada com tanta força que não conseguiu se desvencilhar. Gwen não podia contar a verdade sobre o que sentia por Liyoni e, apesar de saber que ficaria com muita saudade de Hugh, achava que o filho provavelmente iria gostar da escola. Era a ideia de deixar tudo por conta do acaso por tanto tempo que espalhava espasmos de medo por seu corpo, e nem o fato de achar que tinha se livrado de Verity parecia ajudar.

"Vamos estar de volta em breve, meu amor." Ele puxou seu queixo para cima e a beijou na boca. Ela o desejava naquele momento, tanto que nem conseguia falar.

"É melhor trancar a porta?", ele perguntou com um sorriso.

"E as janelas. O som chega longe." Ela olhou para a cama repleta de roupas.

"Não se preocupe com isso", ele falou, juntando todas com os braços e jogando no chão antes de ir fechar a porta.

"Laurence! Essas roupas estavam passadas."

Ele ignorou, pegou-a no colo, colocou-a sobre o ombro e a carregou até a cama. Ela riu quando foi jogada sobre o colchão, e o ajudou quando ele começou a despi-la.

# 31

Gwen puxou a cortina pesada de brocado para o lado. Da janela de seu quarto no Hotel Savoy-Plaza, em sua primeira manhã na grande cidade, ela ficou surpresa ao deparar com árvores e com a margem pedregosa de um lago reluzindo sob o sol de setembro. Ela não sabia o que esperar, mas certamente não era uma manhã gloriosa e ensolarada, nem um parque gigantesco bem no meio de Nova York.

Ela se virou para observar o quarto. Os tons de preto, prata e verde escuro não a conquistaram logo de cara, mas depois de um tempo Gwen concluiu que gostava das formas geométricas e dos ângulos retos. Uma pintura enorme dominava uma das paredes. Ela não sabia ao certo como interpretar as manchas pretas em um fundo bege, que aparentemente não representavam nada em particular, mas o quadro a fez pensar em Savi Ravasinghe. Christina propusera uma visita à nova exposição do artista em uma galeria no Greenwich Village em algum momento, e Gwen não estava nem um pouco interessada em ir. Era uma série de telas retratando a população nativa do Ceilão no ambiente de trabalho, e não os retratos habituais de mulheres lindas e ricas. Foi de uma delas que Christina tirou a imagem que escolheu para representar a marca de chá Hooper's, mas Gwen decidiu que usaria uma dor de cabeça como pretexto para não ir, e torcia para que Laurence preferisse ficar ao seu lado.

Livre do nó no estômago constante que a afligia em casa, Gwen sentiu-se animada. "Mantenha-se jovem e linda", ela ouviu no rádio. Parecia apropriado — Nova York era esse tipo de lugar. Laurence saíra para uma reunião com Christina, e Gwen estava tentando pensar no que fazer enquanto ele estava fora. Para não ficar o tempo todo pensando em seu marido na companhia de Christina, ela pegou um gordo exemplar da revista *Vogue* para dar uma olhada nas novas roupas da moda, apanhou sua bolsa, vestiu um casaco e saiu. Laurence prometera voltar ao meio-dia, o que lhe daria duas horas sozinha.

Da rua, ela deu uma olhada no hotel. Christina os hospedara no Savoy-Plaza por ser um local mais animado que o estabelecimento mais antigo do outro lado da Quinta Avenida. Ali era possível ouvir música ao vivo no bar até de madrugada. No entanto, quando chegaram, na noite anterior, estavam cansados demais para ouvir o que quer que fosse. Gwen se sentiu um tanto intimidada pelo prédio: a série de janelas com arcadas no térreo, o telhado em estilo Tudor com duas chaminés e o aspecto masculino do edifício em si, muito mais imponente que as construções do Ceilão, que pareciam amenas e discretas em comparação.

Era um lugar barulhento, preenchido pelas buzinas dos carros que circulavam em meio aos trólebus, os ônibus de dois andares movidos a gasolina e os ônibus convencionais, que pareciam mais modernos e práticos. Ela viu uma placa que parecia um pirulito gigante na calçada, e ao se aproximar percebeu que se tratava de um ponto de ônibus. Gwen se juntou aos batalhões de homens de chapéu de feltro que circulavam por ali enquanto pensava no que fazer, e decidiu que um passeio de táxi seria mais seguro. Era impossível saber para onde um ônibus a levaria. Antes que estendesse a mão para chamar o táxi, porém, viu um ônibus bege com teto de vidro e um letreiro com as palavras PASSEIO TURÍSTICO POR MANHATTAN na lateral. Sem hesitar nem por um segundo, entrou na fila para comprar seu ingresso.

Do local onde estava sentada junto à janela do ônibus, ouvia a conversa do casal no assento da frente, enquanto observava as ruas passando do outro lado do vidro. O homem estava comentando sobre um advogado indiciado sob a acusação de desrespeitar a proibição de acumular dinheiro em ouro. "Duzentos mil dólares", comentou o homem. "Era só o que faltava." Uma mulher que parecia ser sua esposa limitava-se a responder "Sim, querido" de tempos em tempos, mas Gwen notou que ela, encantada com a cidade, assim como a própria Gwen, não estava dando muita atenção ao discurso.

O assunto do ouro, porém, fez com que se lembrasse do motivo da visita de Laurence a Nova York. Por mais que a ideia lhe agradasse, ela e Laurence não estavam na cidade como turistas. Além da reunião com Christina no banco, eles iriam a uma agência de publicidade no dia seguinte, e depois a um escritório de advocacia. Depois, para comemorar, teriam uma noite de diversão. Só de pensar nisso, Gwen já ficou sem fôlego. Laurence queria ir a um clube de jazz, mas ela preferia o cinema. Eles passaram por uma série de cartazes anunciando o filme *Rua 42* no Strand. Seria o programa ideal, pensou.

Essa não fora a única diferença de opinião ocorrida durante a viagem. Laurence e Christina não conseguiam concordar sobre qual agência de publicidade seria mais adequada para eles, e discutiam tanto que pareciam um casal de velhinhos. No fim, a escolha ficou entre a James Walter Thompson e a Masefield, Moore e Clements, na avenida Madison. A primeira havia praticamente inventado o sanduíche de queijo quente para um de seus clientes, o que deixara Christina impressionadíssima, mas havia rumores de que a segunda estava planejando criar um programa de rádio patrocinado, o que era ainda melhor. Acostumado com o ritmo lento da fazenda de chá no Ceilão, Laurence não sabia o que fazer.

Mesmo maravilhada com a sucessão incessante de ruas movimentadas e prédios altos, Gwen continuava acossada por suas preocupações, e ficou surpresa quando o passeio acabou. Ela estava de novo perto do parque. Quando desceu do ônibus, viu Laurence conduzindo Christina pelo braço para a entrada do hotel. Para Gwen, era um gesto absolutamente desnecessário, pois se tratava de uma mulher que estava longe de precisar ser conduzida.

"Laurence!", ela gritou e, determinada a não parecer magoada, engoliu em seco sua irritação. O barulho da rua abafou sua voz, e ele não se virou.

Ela correu e os alcançou pouco depois.

"Como foram as coisas?", perguntou, um pouco ofegante.

Laurence sorriu e a beijou no rosto. "Temos um plano genial em andamento."

"E vamos visitar a agência de publicidade amanhã, às dez", acrescentou Christina, dando os braços para os dois como se não houvesse absolutamente nada de errado. "Nós poderíamos almoçar agora. Gwen e eu temos uma tarde de muitas compras pela frente, Laurence. E um novo terno para você cairia bem."


Mais tarde naquele dia, Gwen voltou das compras na Saks e na House of Hawes. Do lado de fora, a luz do dia estava se esvaindo, e, à medida que as lâmpadas eram acesas, pequenos retângulos amarelos iam pontuando os edifícios com fachadas cada vez mais escuras. Na sala de estar de sua suíte, Laurence fumava um cachimbo e relaxava em uma das duas poltronas de couro quadradas. O carregador do hotel levou as compras de Gwen até perto da porta. Depois de dar uma gorjeta ao jovem, ela se acomodou na poltrona em frente à de Laurence.

Foi a tarde de compras mais exaustiva que já tivera, mas terminou com três novos modelos que deixariam seu guarda-roupas atualizadíssimo. Para ser sincera, na verdade Gwen tinha gostado. Comprara um vestido de noite bege clarinho de manga borboleta com um toque de roxo na gola, um conjuntinho verde-claro com um corte belíssimo e um terninho feminino. Todas as peças chegavam até a metade da panturrilha, e tinham um caimento mais justo. Christina insistira para que ela levasse um chapéu e luvas combinando com o terninho. O chapéu com aba combinava melhor com o rosto de Gwen que seus antigos modelos de cloche. Ela ficou contentíssima quando escolheu uma estola de pele de raposa para dar um toque de classe às roupas pré-prontas.

"Laurence, você reparou que quase nenhum dos carregadores e dos ascensoristas é branco?" Ela esfregou os tornozelos e hesitou por um instante. "Alguns são bem escuros, mas outros têm uma cor de caramelo."

"Pois é, reparei, sim", ele respondeu de trás do jornal. "Acho que talvez sejam descendentes dos antigos proprietários de escravos."

"Isso era comum?"

Ele fez que sim com a cabeça e continuou lendo.

"Você está lendo sobre o advogado que foi acusado de violar a proibição de guardar dinheiro em ouro?"

"Sim, e aqui tem um artigo interessante sobre o tal Hitler na Alemanha. A inflação por lá está galopante. Ele pode ser aquele que finalmente vai dar um jeito nisso."

"Acha mesmo? Ouvi dizer que ele está pondo a culpa de tudo nos banqueiros judeus."

"É, talvez você tenha razão. Onde foi que ouviu isso?"

"Eu escuto as pessoas quando saio por aí."

Houve um breve silêncio enquanto Laurence continuava sua leitura e Gwen se perguntava o que fazer.

"Quer que eu peça um chá?", ela ofereceu.

Ele não respondeu, então ela foi em frente e decidiu abordar o assunto que vinha concentrando suas preocupações no momento.

"Laurence, eu andei pensando."

"Sim, querida", ele falou, sorrindo para ela e fechando o jornal.

"Como eu sou uma das diretoras da nova empresa, ainda que só no papel, você precisa de mim para assinar os contratos, não?"

Ele fez que sim com a cabeça.

"Eu vou assinar tudo o que for preciso, claro."

"Eu nunca duvidei disso."

"E vou dar meu total apoio, mas com uma condição." Laurence ergueu as sobrancelhas, mas se manteve em silêncio enquanto ela continuava. "Se nós ganharmos muito dinheiro..."

"É *quando*, e não *se*!"

"Pois é, de acordo com Christina."

"Acho que ela está certa."

"Bom, se tudo der certo, eu gostaria de melhorar as condições de vida dos nossos trabalhadores. Queria que as crianças tivessem mais acesso ao atendimento médico, por exemplo."

"Só isso?"

Ela respirou fundo. "Não. Quero melhorar as condições de habitação deles também."

"Muito bem", ele falou. "Só que as coisas já melhoraram bastante desde a época do meu pai. É uma coisa inconcebível hoje, mas sabia que, antigamente, nas caçadas aos crocodilos, eles usavam uma criança nativa como isca?"

Ela levou a mão à boca.

"Os caçadores pagavam um dinheiro qualquer pela criança e a amarravam em uma árvore para atrair o crocodilo para fora da água."

"Não acredito."

"Infelizmente, é verdade. Quando o crocodilo ia atrás da criança, o caçador, escondido na mata, atirava. A criança era desamarrada e todo mundo ficava feliz."

"E se o caçador errasse o alvo?"

"Acho que nesse caso o crocodilo teria um bom almoço. Ultrajante, não?"

Gwen olhou para os próprios pés, trêmula e incrédula. Laurence suspirou e ergueu o jornal outra vez, mas não o desdobrou.

Ela respirou fundo. "O que estou querendo dizer é que uma escola sem que as crianças tenham atendimento médico e um lugar decente para morar não resolve nada. Precisamos melhorar essas três coisas para mudar a vida delas. Imagine como deve ser viver em tamanha privação."

Ele ficou pensativo por um momento. "Meu pai achava que eles estavam contentes por terem um trabalho e um patrão."

"Ele acreditava nisso porque era conveniente."

"Por que você nunca tocou nesse assunto?"

"Comecei a pensar nisso aqui. Queria fazer alguma coisa pelo nosso pessoal se for possível, só isso."

Ela esperou que ele abrisse e alisasse o jornal.

"Em teoria, eu concordo", Laurence falou. "Mas seria um gasto tremendo, o que só vai ser possível se os lucros permitirem. Agora, querida, posso ler meu jornal, por favor?"

"É nesse que nós vamos anunciar?"

"Isso nós vamos descobrir amanhã."

"É muito empolgante, não?", ela falou, recostando-se na poltrona.

Gwen pegou uma revista e começou a folhear, mas, quando deparou com uma matéria em especial, dobrou-a e enfiou debaixo do braço. Era uma coisa que precisaria ler sozinha.

"Vou ao banheiro", avisou.

No banheiro, ela roía a unha enquanto lia. Em seguida, abriu o armarinho, pegou sua tesoura de unha e, com muito cuidado, recortou a matéria antes de dobrar a revista e jogar no cesto de lixo.


Na Masefield, Moore e Clements, no dia seguinte, Laurence, Christina e Gwen foram conduzidos a uma sala de reuniões envidraçada com vista para a rua movimentada.

William Moore era o diretor criativo. Ele acenou e sorriu para todos, apontando para alguns desenhos presos a dois cavaletes grandes. Enquanto as apresentações eram feitas, Gwen observou a transformação operada na imagem criada por Savi Ravasinghe. Ela se segurava para não revelar seu incômodo quando o nome dele era mencionado, mas não reagir ao trabalho do pintor era mais difícil. A pintura já era belíssima antes, mas agora, com as cores realçadas e levemente ajustadas, a imagem da mulher com o sári vermelho contra o verde luminoso dos arbustos de chá estava ainda mais cheia de vida.

"Com certeza vai se destacar", o sr. Moore comentou com um sorriso largo, mostrando os dentes branquíssimos.

"Está lindo", comentou Gwen.

"Bom, só temos a agradecer a Christina pela ideia. O artista também viu as imagens finalizadas, aliás, e também gostou."

"Então é assim que vai ser a embalagem do chá. E quanto aos anúncios?", Laurence perguntou enquanto puxava uma cadeira junto à mesa oval.

Eles se sentaram, e Moore distribuiu uma planilha datilografada enquanto uma moça trazia café e bolinhos.

"É uma lista das revistas e dos jornais que estamos visando. E das estações de rádio também. Vamos fazer o lançamento no Ano-Novo."

Laurence balançou a cabeça. "Bem impressionante."

Moore se levantou e virou as folhas nos cavaletes, revelando os desenhos dos outdoors, e uma versão ampliada de um típico anúncio de revista, sem tirar o sorriso do rosto.

"A ideia é colocar a imagem em toda parte. Queremos que fique implantada profundamente na mente dos americanos, e as cores são com certeza o melhor caminho a seguir para o chá Hooper's. A cor do sári da mulher, a cor dos arbustos de chá e por aí vai, apesar de funcionar muito bem em tons de sépia também."

"E a data exata de lançamento?", Christina perguntou enquanto acendia um cigarro.

"Logo depois do Ano-Novo. Só preciso acertar uns detalhes. Queremos enfatizar a proveniência."

"Como é?"

Ele se virou para Gwen. "A origem é tudo. Nesse caso, temos um chá puro e cheio de sabor vindo diretamente do Ceilão."

Enquanto tomavam café, uma ironia que fez com que Gwen abrisse um sorriso, Moore mostrou outros anúncios estampados em outdoors e revistas. Enquanto via as imagens, ela ouviu Christina contando a Laurence sobre os novos investidores que conseguira. Gwen olhou para o rosto perfeitamente maquiado e as unhas pintadas da mulher, e também para os cabelos presos em um penteado elegante. Estava de preto, como sempre, mas com um lenço vermelho amarrado no pescoço, com sapatos da mesma cor. Christina conhecia todas as famílias ricas, e não tinha pudor em usar esses contatos.

Durante uma pausa na conversa, o interfone tocou.

"Com licença um minutinho", disse Moore antes de sair da sala.

"O que você acha, Gwen?", perguntou Christina. "É empolgante, não?"

O sorriso de Gwen se alargou. "Estou maravilhada, para dizer a verdade."

"E isso é só o começo. Espere só até sermos a primeira marca a ter um programa de rádio patrocinado."

"Isso é possível?"

"Ainda não, mas pode apostar que vai ser."

Moore voltou para a sala, acompanhado de um jovem de aparência impecável, com cabelos bem penteados e terno alinhadíssimo. No entanto, ele puxava a gravata e remexia os pés o tempo todo. Moore respirou fundo e dessa vez não sorriu. Foi um momento um tanto constrangedor, e Laurence se levantou como quem pede uma explicação, pressentindo que algo mudara. Quando a atmosfera passou de um otimismo ruidoso para um hiato de silêncio, Gwen e Christina trocaram olhares.

"Infelizmente, houve um problema." Moore ergueu a mão quando eles se inquietaram. "Nada muito sério, e espero que possamos contornar isso."

Gwen olhou para Laurence, que estava com o queixo franzido.

"Como eu disse, espero que possamos seguir em frente."

A tensão só cresceu. Gwen percebeu que Laurence estava nervoso, então não ficou surpresa ao notar que a voz dele saiu mais aguda que o habitual quando voltou a falar.

"Você espera? Como assim? Diga logo que problema é esse, homem", ele pediu.

Olhando para cada um deles, Moore fez uma série de caretas, como se estivesse repassando mentalmente o que ia dizer. "Bom, é o seguinte: recebemos a informação de um contato nosso em outra agência. Infelizmente, uma outra marca comprou todos os espaços que íamos sugerir para vocês."

"Uma marca de quê?", Christina quis saber.

O homem olhou para o chão e estalou os dedos antes de falar. "De chá... Infelizmente."

Os ombros de Gwen despencaram. Ela sabia que era bom demais para ser verdade.

"Ainda existe espaço para a Hooper's no mercado. Acredito sinceramente. Afinal, existem muitas companhias menores que vendem chá. Mas isso significa que vamos ter que adiar o lançamento."

"E permitir que eles tenham essa vantagem sobre nós?", questionou Laurence, coçando o queixo.

O homem não sorriu, só engoliu em seco.

"Se queremos concorrer com a companhia Lipton, é fundamental chegarmos primeiro", argumentou Christina. "Pensei que tivesse deixado isso bem claro desde o início."

"Eu entendo", concordou Moore, arriscando um sorriso amarelo. "Infelizmente, não temos controle sobre tudo o que as outras agências estão fazendo. Só fazemos o nosso melhor."

"Espero que não tenha sido um dos seus funcionários quem informou a outra agência sobre os nossos planos", disse Christina, falando duro.

Gwen se levantou. "Isso não importa. Quem quer que tenha sido, nós não vamos chegar ao mercado como retardatários."

Christina tentou interrompê-la.

Gwen ergueu a mão para impedi-la. "Deixe-me terminar. Nós não vamos ser os segundos a chegar. Vamos ser os primeiros. Se o senhor conseguir publicar nossos anúncios em dezembro, e não no Ano-Novo, o negócio está de pé. Caso contrário, nosso acordo está desfeito."

Laurence sorriu para ela, e Christina se limitou a encará-la, boquiaberta.

Na breve pausa que se seguiu, Moore olhou para cada um deles.

"E então?", questionou Gwen, tentando ignorar o frio na barriga.

"Posso responder até hoje à noite? Onde vocês vão estar?"


O clima naquela noite não foi de comemoração, como esperavam. Christina adiara a reunião com o advogado, que não ficou nem um pouco contente. Todos os contratos tinham sido preparados em regime de urgência, e agora estavam parados sobre a mesa, esperando pelas assinaturas. Christina fizera de tudo para minimizar as consequências do atraso. A última coisa que queriam naquele momento era que os investidores ficassem receosos. No entanto, todos sabiam que, se Moore não conseguisse antecipar os anúncios e a campanha de lançamento precisasse ser adiada, eles perderiam uma vantagem importante sobre a concorrência.

Gwen, usando seu vestido novo, manteve-se calada enquanto Christina os conduzia até o Stork Club, na rua 51 Leste. Cab Calloway tocaria lá mais tarde, e, como fã neófito de jazz, Laurence ficou com os olhos brilhando ao entrar no estabelecimento lotado. A caminho das mesas, Christina acenou para uma mulher de vestido de cetim florido.

"Quem era?", Gwen perguntou depois que passaram.

"Ah, é só uma Vanderbilt. Tudo aqui gira em torno do dinheiro e do glamour, querida."

Era hora do intervalo, e Christina, com um vestido de cetim preto realçando os cabelos loiros reluzentes, foi até um dos três músicos sentados a uma mesa e o beijou, deixando uma marca de batom vermelho no rosto do homem.

"Cheguem mais para lá, pessoal", ela falou. "Esses são dois amigos meus do Ceilão."

Um garçom se aproximou com uma bandeja com vários copos de cerveja.

"É bem fraquinha, tem pouco mais de três por cento de álcool", avisou Christina, dando uma piscadinha para o garçom. "Alguma chance de darmos uma melhoradinha nisso?"

Enquanto Christina conversava com seus amigos, a cerveja voltou discretamente acrescida de vodca. Gwen tossiu ao dar o primeiro gole.

"A Lei Seca vai acabar em breve", murmurou Christina. "Essa cerveja aguada é só uma medida intermediária."

Quando Gwen deu mais um gole, seu frio na barriga não se aliviou. Christina, porém, continuava aparentando alegria e vivacidade, independentemente do que estivesse enfrentando na vida, e Gwen sentiu que não a conhecia nem um pouco. Em Nova York, ela parecia ainda mais americana que no Ceilão. No início, Gwen ficara perplexa, e depois enciumada com a maneira como aquela mulher tentava cativar Laurence. Mais tarde, com a perda do valor das ações do marido, ficara furiosa. Agora que a raiva passara um pouco, foi uma surpresa para Gwen descobrir que admirava sinceramente o astral e a determinação de Christina. Era preciso coragem para reaparecer com uma ideia nova depois de tudo ter dado tão errado.

Um membro da banda se levantou, e Christina foi se sentar ao lado de Gwen.

"Que bom que você superou a picuinha", ela falou, apertando a mão de Gwen.

"Picuinha?"

"Ora, você deve saber que eu fiquei morrendo de inveja quando Laurence voltou da Inglaterra dizendo que tinha se casado com você."

"Você ficou com inveja de mim?"

"Quem não ficaria? Você é linda, Gwen, e de um jeito natural que os homens adoram."

Gwen balançou a cabeça.

"Obviamente, pensei que Laurence fosse ficar feliz tendo você como a mãe de seus filhos e a mim como amante."

"Pensou mesmo?" O coração de Gwen foi parar na boca. "Foi isso que ele deu a entender?"

Christina riu. "De jeito nenhum, mas não por falta de tentativas da minha parte."

"Ele já... Quer dizer, vocês dois já..."

"Depois que vocês se casaram?"

Gwen fez que sim com a cabeça.

"Na verdade não, mas uma vez chegamos perto. Naquele primeiro baile em Nuwara Eliya."

Gwen mordeu o lábio e cravou as unhas na palma da mão. Ela não podia chorar.

Christina estendeu a mão. "Querida. Não foi assim tão perto. Só um beijo."

"E agora?"

"Já acabou faz tempo. Prometo. Você nunca mais vai ter que se preocupar com isso. Mas admito que por muito tempo eu quis que acreditasse justamente no contrário."

"Por quê?"

"Por diversão, acho, e porque não gosto de perder. Mas, acredite em mim, gosto de vocês dois agora."

Gwen franziu a testa de leve.

"É verdade. Enfim, agora estou tendo um casinho com aquele baixista delicioso ali." Ela apontou com o queixo na direção do homem que beijara no rosto.

Gwen riu, e Christina também. Envergonhada por ter duvidado de Laurence, mas feliz por ouvir que ele não se deixara tentar, Gwen ficou relaxada como não se sentia fazia tempo.

Enquanto os músicos voltavam ao palco e empunhavam os instrumentos para continuar o show, o baixista foi até Christina. Ela sorriu e se inclinou para beijá-lo na boca. Em seguida, em meio às brincadeiras do restante da banda, Gwen viu que o sr. Moore estava a caminho, mas ainda distante demais para ela saber se estava sorrindo. Christina notou o recém-chegado também, e estendeu a mão. Gwen a segurou, surpresa com a força do apertão de Christina. Era claramente uma questão tão importante para ela quanto para Gwen e Laurence. Ambas mantiveram os olhos fixos em Moore, que se esquivava e se agachava por entre a massa humana de dançarinos e beberrões.

Naquela noite, o amor que fizeram foi intenso e na maior parte do tempo silencioso. Depois, Laurence ficou olhando para Gwen com tanta admiração nos olhos que ela se perguntou como fora capaz de acreditar que o marido ainda tinha algo com Christina. Quando tentou somar as pequenas e grandes provas de amor que recebera ao longo dos anos — o colar de jade em seu aniversário, a linda seda indiana e as dezenas de presentinhos atenciosos —, ela viu que a soma ainda estava em andamento. Sentindo-se grata por cada momento, ela o beijou várias vezes.

"De onde veio isso?"

"Eu sou uma mulher de sorte, só isso."

"A sorte é toda minha."

Ela sorriu. "Nós dois temos muita sorte", disse, antes de se levantar para ir ao banheiro.

No fim, a noite fora boa. Graças a Deus as notícias foram positivas, ela pensou ao lavar o rosto. Moore conseguira adiar a campanha de outros clientes que anunciariam em dezembro, e, embora o impacto da campanha fosse um pouco menor, ainda seria relevante o suficiente. E eles repetiriam tudo em fevereiro, deixando a concorrência ensanduichada entre suas duas investidas.

Depois de fechar a torneira, ela começou a enxugar o rosto, e nesse momento o telefone tocou no quarto. A porta do banheiro estava entreaberta, e ela ouviu Laurence atender.

363

"Eu sei muito bem o que disse." Ele falava baixo, mas em um tom ainda audível. "Por que falar sobre isso agora? Pensei que já estivéssemos conversados."

Houve um silêncio enquanto a pessoa do outro lado da linha falava, e em seguida a voz de Laurence outra vez.

"Minha querida, claro que eu amo você. Por favor, não chore. Claro que eu me importo. Mas isso não vai acontecer. Esse tempo ficou no passado. Eu já expliquei como as coisas vão ser."

Durante mais um breve silêncio, Gwen conseguiu ouvir o som de seu coração batendo.

"Muito bem, vou ver o que posso fazer. Claro que amo você. Mas você precisa parar com isso."

Gwen passou os braços em torno do corpo.

"Sim, o mais rápido possível. Eu prometo."

As pernas de Gwen fraquejaram. Ela se deixara enganar completamente por Christina.

# 32

A bordo do navio, Gwen enfim tomou coragem para falar com Laurence sobre o telefonema, mas ele murmurou qualquer coisa sobre o trabalho e mudou de assunto. Ela queria muito que Laurence admitisse que Christina ainda era obcecada por ele, e ficou amargurada com o fato de não colocarem o assunto em pratos limpos, mas uma embarcação no meio do oceano não era o melhor lugar para uma briga de casal. E, quando chegaram, quase imediatamente Verity apareceu, cheirando a tabaco, álcool e suor, e tudo o mais foi deixado de lado.

O mordomo foi abrir a porta e não conseguiu impedir que Verity entrasse cambaleando na sala de estar, onde Laurence e Gwen estavam descansando depois da longa viagem. McGregor já contara que ela desobedecera às instruções de Laurence e aparecera várias vezes por lá, dormindo na casa uma noite ou duas de cada vez. Afinal, Verity tinha a chave e, quando McGregor descobria, não estava mais lá.

Ao ver a irmã em um estado tão lamentável, Laurence ficou de pé. Cerrando os dentes para tentar controlar o descontentamento, ele perguntou o que estava acontecendo. Verity despencou sobre uma cadeira e, agarrando os joelhos com os braços e baixando a cabeça, começou a chorar.

Gwen se aproximou e se ajoelhou ao lado dela. "Diga qual é o problema."

"Não posso", ela grunhiu. "Eu estraguei tudo."

Gwen estendeu a mão para confortá-la, mas Verity a afastou.

"É alguma coisa com Alexander? Talvez nós possamos ajudar."

"Ninguém pode ajudar."

Laurence parecia desconfortável. "Eu não entendo. Se ele não faz você feliz, por que se casaram? Ele é um sujeito decente."

Ela grunhiu de novo, dessa vez com um tom de desolação. "Não é ele... Não é nada com ele... Vocês não entendem."

Ele franziu a testa. "Então o que é? Qual é o problema?"

"Por favor, conte, Verity", pediu Gwen. "Como podemos ajudar se você não falar?"

Verity murmurou alguma coisa e começou a soluçar de novo. Gwen e Laurence trocaram olhares de preocupação. Laurence parecia hesitante, então Gwen decidiu tomar a frente e se esforçar para fazer a cunhada falar. "Vamos, querida, o que pode ser assim tão ruim?"

No longo silêncio que se seguiu, não houve resposta.

Gwen se levantou para observar o lago pela janela, e ficou pensando na cunhada. Verity perdera os pais, era verdade, mas Fran também, e as duas não poderiam ser mais diferentes. Fran era cheia de vida e tinha disposição de sobra para encarar o mundo, enquanto Verity era instável e insegura demais. Agora parecia que, qualquer que fosse o problema, tornara-se incontornável. Ela se virou quando ouviu Verity falar com a voz embargada de emoção.

"O que foi?", questionou Laurence. "O que você disse sobre Hugh?"

Verity ergueu a cabeça e mordeu o lábio. "Eu sinto muito."

Ao notar como a cunhada ficara pálida, Gwen sentiu pena dela, mas não tinha ouvido as palavras de Verity, ao contrário do marido, a julgar pela expressão no rosto dele. Laurence foi até a irmã e a pôs de pé, segurando-a pelos dois braços.

"Repita o que você falou, Verity, para que Gwen também possa ouvir."

Ele a soltou, e Verity despencou na cadeira de novo com a cabeça entre as mãos. Diante do silêncio da irmã, Laurence a pôs de pé de novo.

"Repita. Repita", ele grunhiu, ficando vermelho.

Verity o encarou por um instante e, com a mão trêmula, tentou esconder o rosto.

"Deus do céu, fale de uma vez, ou eu arranco essas palavras de você!"

"Eu sinto muito. Muito mesmo."

Gwen deu um passo à frente. "Pelo quê?"

Verity baixou a cabeça. "Isso está me deixando maluca. Não consigo me perdoar. Eu o amo muito, sabe. Você precisa acreditar em mim."

"Eu não estou entendendo", disse Gwen. "Está falando de Savi Ravasinghe? Você fez alguma coisa com ele?"

Verity a encarou.

"O que foi, Verity? Você está me deixando assustada."

"Conte para ela", ordenou Laurence.

Houve uma pausa, e então Verity murmurou alguma coisa.

"Mais alto."

"Muito bem", Verity falou, elevando o tom de voz e enfatizando cada palavra. "Eu não levei Hugh para tomar a vacina contra difteria!"

Gwen franziu a testa. "Claro que levou. Não está lembrada? Eu estava com uma dor de cabeça terrível, então você foi no meu lugar."

Verity sacudiu a cabeça. "Você não está entendendo."

"Mas, Verity..."

"Eu não o levei. Você não entende? Eu não o levei. Simplesmente não fui."

Verity começou a chorar, e Gwen ficou pálida. "Mas você disse que foi", ela argumentou com a voz baixa.

"Eu fui até a casa de Pru Bertram, e levei Hugh comigo. Alguns amigos estavam por lá. Nós bebemos um pouco, e eu acabei esquecendo."

Laurence largou a irmã e, com um empurrão, afastou-se dela, como se estivesse se segurando para não agredi-la. Em seguida, cerrou o punho e esmurrou o encosto do sofá.

Ela se pendurou no braço dele.

Ele a empurrou de novo. "Me solte. Não consigo nem olhar para você agora."

"Por favor, não diga isso. Por favor, Laurence."

Gwen sentiu sua respiração se acelerar. Seria mesmo verdade? A sala começou a oscilar, sua visão ficou borrada, e as formas indistintas de Laurence e da irmã pareceram se fundir com o ambiente. Ela sacudiu a cabeça.

"Por que você não contou nada? Ele poderia ter ido outro dia", Laurence questionou.

Verity começou a roer as unhas. "Fiquei com medo. Você teria ficado bravo comigo. Vocês dois."

Gwen permaneceu imóvel, engasgada com a própria raiva. Durante um instante de perplexidade, ninguém disse nada. Ela sabia que precisava se segurar, para não se arrepender mais tarde. Mas, mesmo com o turbilhão que rugia dentro de sua cabeça, conseguia ver o olhar transtornado no rosto de Laurence.

"Está me dizendo que meu filho quase morreu porque você se embebedou?", ele disse com um tom de voz gelado.

Verity começou a chorar, e ele a encarou.

"Então, em vez de nos contar a verdade, você preferiu arriscar a vida de Hugh. Você sabe como essas doenças são perigosas."

"Eu sei. Eu sei. Pensei que ele fosse ficar bem. Estava tudo bem com ele, não? Eu lamento muito. De verdade."

"Por que está nos contando isso agora?"

"Eu nunca consegui tirar esse assunto da cabeça. Não conseguia mais dormir à noite. E então, quando vi a menininha nativa doente, isso me lembrou tanto a doença de Hugh... Não consegui suportar."

Gwen a encarou. "*Você* não conseguiu suportar? Você!? Você tem alguma ideia de como é perder um filho?"

Com a raiva superando a razão, ela deixou de lado os esforços para se controlar e partiu para cima da cunhada. Com os punhos cerrados, começou a golpear as costas de Verity com murros desesperados. Em seguida, deixou os braços caírem para a lateral do corpo e, com a respiração ofegante, manteve-se imóvel até os soluços enfim virem à tona. Laurence foi correndo até ela, que se permitiu ser conduzida por ele. Quando Gwen começou a se balançar para a frente e para trás no sofá, ele tocou a sineta para pedir ajuda.

Um outro pensamento passou a dominar Gwen até o fundo de seu ser. Depois de alguns instantes, ela ergueu a cabeça. "A receita do meu remédio, Verity. Foi você que alterou?"

Nesse momento, Verity começou a gritar e chorar ao mesmo tempo. "Seu lugar não era aqui. Esta era a minha casa. Eu não queria você aqui."

Laurence ficou imóvel, e seu rosto era a imagem perfeita da angústia. "Ela poderia ter morrido por sua causa", ele falou, quase em um sussurro. Gwen fechou os olhos com força enquanto ouvia Laurence dizer para a irmã ir embora e nunca mais esperar um centavo dele.

O segundo baque veio uma semana mais tarde, depois de sete dias dificílimos. Era quase fim de outubro, e as chuvas logo chegariam. Laurence passava horas e horas passeando com os cachorros, voltando para dentro só bem tarde, e Gwen se incomodou com essa atitude dele de fugir do clima pesado que pairava na casa. Por um lado, ela queria que Verity fosse embora, mas não daquela maneira, e estava chateada demais para ficar dizendo "eu avisei". Apesar da raiva, sentia pena da cunhada, e, em meio à preocupação com o que aconteceria com Verity, não teve coragem de confrontar Laurence a respeito do telefonema recebido em Nova York. Consolou-se com o fato de que demoraria um bom tempo para verem Christina outra vez.

O dr. Partridge estava em silêncio junto à janela do antigo quarto de bebê, olhando para o lago.

"É uma bela vista", ele comentou, caminhando até ela, que estava sentada na cadeira ao lado da cama, segurando a mão de Liyoni à espera do diagnóstico. Ela o chamara assim que percebeu que a postura da menina havia mudado, mas o médico não estava em casa, e não pudera vir antes.

Ele ergueu ambos os braços de Liyoni, que, depois de soltos, despencaram sobre a cama. O mesmo aconteceu com as pernas. O médico examinou os reflexos dos joelhos e tornozelos da criança. Houve pouca ou quase nenhuma resposta. Ele tossiu, virou-se para Gwen e fez um sinal para que fossem até a janela. Gwen se levantou, virando-se para observar Liyoni, que continuava olhando para o teto.

"A notícia não é boa", ele falou em voz baixa. "Infelizmente, o problema não é o que eu pensava ser inicialmente."

Gwen olhou para o lago e forçou um sorriso amarelo. "Mas, da última vez que veio, você falou que ela ia ficar bem."

"Não é uma deficiência nutricional."

O sorriso em seu rosto ainda persistia. "Mas ela vai ficar bem?"

"Acredito que a garotinha tenha uma doença degenerativa. Ela tem dificuldades para respirar, ou já teve alguma infecção respiratória?"

Gwen confirmou com um aceno.

"E você disse que a postura dela piorou?"

Gwen mordeu o lábio e não conseguiu falar.

"É difícil ter certeza absoluta, mas acho que um problema degenerativo na coluna está causando o atrofiamento dos músculos."

Ela levou a mão à boca.

"Eu lamento."

"Mas existe tratamento? Alguma coisa que você possa fazer?"

Ele sacudiu a cabeça em negativa. "Se eu estiver certo, se for mesmo algum tipo de atrofia muscular, isso só deve piorar. Infelizmente, uma parada cardíaca é o prognóstico mais provável."

Gwen, que até então conseguira manter seus sentimentos sob controle, dobrou-se como se tivesse levado um soco no estômago.

Ele estendeu a mão para ajudá-la, mas Gwen recusou a ajuda. Caso aceitasse um gesto de compaixão, tudo o que vinha guardando dentro de si transbordaria, e seu controle cairia por terra. Ela respirou fundo.

"Tem alguma coisa que possamos fazer pela pobre criança?", ela perguntou, mantendo o tom de voz baixo enquanto buscava apoio em uma cadeira. "Liyoni não tem ninguém no mundo, sabe. Só Naveena... e nós."

"Eu vou mandar uma cadeira de rodas para ela."

Os lábios de Gwen se abriram, e ela estremeceu. "Não!"

"Se quiser uma segunda opinião..."

"Ela ainda vai poder nadar, não?"

Ele sorriu. "Por um tempo. A flutuação natural proporcionada pela água vai aliviar a dor e a pressão sobre a coluna e as pernas."

"Mas e depois?"

"Vou ensinar a aia a massagear as pernas dela." Ele franziu o queixo de leve. "Agora já vou indo."

Gwen hesitou. "John, eu fiquei pensando, se tivesse trazido a menina para cá mais cedo..."

"Se a doença teria sido evitada? É isso que está me perguntando?"

Ela fez que sim com a cabeça, prendendo a respiração.

Ele encolheu os ombros. "É difícil saber. É um problema de nascença. Nos adultos, é uma coisa mais lenta e crônica. Não sei muito a respeito. Em uma criança assim tão nova, o desenvolvimento tende a ser mais rápido."

"E então?"

"Bom, respondendo à sua pergunta, não acredito que tivesse feito muita diferença."

Assim que ele saiu, Gwen foi se deitar na cama. "Está tudo bem", ela falou, acariciando a testa de Liyoni. "Vai ficar tudo bem."


Na manhã seguinte, Naveena fez questão de ficar com Liyoni no antigo quarto de bebê, para vigiá-la constantemente. A aia estava certa. Gwen tinha outras responsabilidades a zelar, e não poderia passar o tempo todo com a menina.

Sozinha no quarto, Gwen se voltou em sua mente àquela noite no Stork Club. Era impossível não pensar em Nova York como um sonho; um interlúdio ensolarado e, a não ser por aquele telefonema, um sonho maravilhoso. Qualquer que tenha sido a intenção de Christina com aquela ligação em Nova York, no momento não fazia a menor diferença para Gwen.

Ela olhou para o lago, na esperança de que a tranquilidade da água a acalmasse. Em vez disso, viu a silhueta de Laurence contra a superfície cristalina, e demorou um instante para se dar conta de que ele estava carregando Liyoni, com Hugh e os cães seguindo em seu encalço. A visão de Laurence com a menina despertou um sentimento profundo, que aplacou seu medo. Ela apanhou o robe de seda e, enrolando-o em torno do corpo, saiu pelas janelas francesas para a varanda.

O ar parecia vivo com o canto dos pássaros e o zumbido dos mosquitos. Ela ficou imóvel por um momento, escutando e observando as aves entrando e saindo dos ninhos. Uma névoa espessa fazia o jardim parecer felpudo, com as cores se fundindo como em uma pintura expressionista. Uma águia atravessou o horizonte, e ela notou que era um dia lindo. Sua família estava indo para o lago, prateado em meio ao verde, com os reflexos das árvores escurecendo a superfície em alguns pontos.

Spew saiu da água e correu na direção de Gwen, enquanto Ginger perseguia o próprio rabo. Gwen se agachou para acariciar o cão, que pulou sobre ela mesmo assim. A cada vez que tocava o focinho do animal, uma língua rosada se espichava e lambia sua mão. Sua camisa de algodão estava molhada, e ela ficaria com cheiro de cachorro também.

O braço de Liyoni envolvia o pescoço de Laurence. Depois de dar os últimos passos até a beira do lago, ele desenrolou cuidadosamente a toalha que a envolvia. Um bando de cormorões levantou voo quando ele a pôs na água, mas por um instante nada aconteceu. O coração de Gwen quase parou. O lago era raso na borda, então a menina não corria o risco de se afogar, mas Gwen observou aquela imobilidade com apreensão.

Laurence permaneceu por perto, e Hugh entrou na água ao lado de Liyoni, pronto para ajudar caso algo desse errado. A menina permaneceu imóvel por alguns segundos, então de repente se virou e começou a agitar os braços. Depois de se debater por mais um tempo, pareceu encontrar o equilíbrio e, com um movimento fluido, passou a nadar. Um alívio profundo a invadiu, e Gwen desceu até o lago. Ao ouvir sua aproximação, Laurence olhou para trás.

"Foi muita gentileza sua", ela comentou com um sorriso, sentindo-se emocionada.

A expressão no rosto de Laurence a deixou confusa, e a voz dele parecia embargada quando respondeu. "Partridge me contou sobre a doença dela. Sei que você gosta da menina. Para ser sincero, estou me acostumando à presença dela também."

Gwen engoliu em seco, sentindo-se incapaz de falar. Não havia nenhuma razão que explicasse a mudança de atitude de Laurence em relação à menina, e, apesar de contente, ela também estava confusa. Ele se aproximou e lhe deu o braço, e juntos os dois acompanharam o progresso de Liyoni na água.

"Não podemos deixá-la se afastar muito", ela comentou.

"Não se preocupe. Qualquer problema, estou por aqui. Depois de perder entes queridos, a pessoa passa a entender o quanto a família é importante."

"Você se incomodaria de me dizer o que aconteceu naquele dia? Com Caroline?"

A voz dele soou mais tensa quando respondeu. "Você já sabe."

"Sim, mas fiquei pensando... Desculpe perguntar, mas você falou que não foi no lago. Não sei onde ela se afogou. Você não me contou."

"Porque eu odeio aquele lugar. Ela entrou na piscina natural embaixo da cachoeira, segurando Thomas nos braços. Seria impossível para ela nadar e segurar o bebê ao mesmo tempo. Naveena viu o que aconteceu."

Ela tentou imaginar como Laurence devia ter se sentido, mas era uma tristeza sombria demais para ser nomeada.

"Naveena percebeu instintivamente que havia alguma coisa errada. Por isso seguiu Caroline. Se ela não tivesse feito isso, acho que nunca saberíamos o que aconteceu. Às vezes eu me pergunto se não seria melhor não saber."

Gwen pensou a respeito do que ele falou, e hesitou um pouco antes de responder. "Sua mente teria inventado uma série de coisas."

Ele assentiu. "Acho que você tem razão."

"Naveena não conseguiu impedi-la?"

Laurence olhou para o chão e fez um gesto negativo com a cabeça. "Foi tudo muito rápido."

"Quem foi que os encontrou? Foi Naveena?"

Ele pôs a mão sobre o peito, respirou fundo e olhou para ela. Por um momento, pareceu mais velho. Gwen não tinha reparado antes que os cabelos dele estavam mais grisalhos.

"Desculpe. Não deveria ter perguntado. Não precisa me contar."

Ele a encarou, e, protegendo os olhos do sol, ela retribuiu o olhar.

"Não é isso..."

373

"Então o que é?"

Ele balançou a cabeça. "Naveena foi pedir ajuda. McGregor encontrou Thomas, e eu encontrei Caroline. O mais estranho era que ela estava usando seu vestido favorito. Uma peça de seda oriental de um verde-água bem vivo. Estava vestida para uma festa. Foi como se assim estivesse dando um recado."

O coração de Gwen se apertou só de pensar, mas ela não disse nada, e, por um momento, ele também não. Laurence parecia aflito. Ela sentiu que ele tinha mais a dizer, e ficou à espera.

"A correnteza separou os dois imediatamente. Thomas foi encontrado a menos de vinte metros de distância, mas já estava morto." Laurence limpou a testa com a lateral da mão. "Pouco antes de sair de casa, ela guardou todas as roupas dele no baú que você encontrou naquele dia."

"Eu sinto muito, muito mesmo", disse Gwen, juntando seu corpo ao dele.

E não só por isso, ela pensou, pois havia muito mais coisas que gostaria de dizer. Ela queria contar toda a verdade: queria dizer que o ouvira falando ao telefone e que sabia que era com Christina, mas ficou em silêncio. Procurou controlar a respiração e guardou as palavras para si. Não era o momento certo.


No fim da tarde de domingo, Hugh voltou para a escola, e, na quarta-feira de manhã, McGregor levou o casal de carro a Colombo para irem receber Fran. Quando chegaram, Laurence recomendou a Gwen que não saísse do centro, pois estava havendo tumultos nas periferias mais pobres da cidade.

Ela franziu a testa. "Eu não tenho medo de gente."

"É sério, Gwen. Faça suas compras e volte para o hotel. Nada de ficar circulando pelas feiras."

Enquanto Laurence cuidava dos carregamentos cada vez maiores destinados à costa oeste americana, onde o chá seria embalado em um novo galpão de beneficiamento montado por Christina, Gwen tratou de fazer algumas compras essenciais. A última pessoa que esperava encontrar no fim daquela tarde era Verity, com um perfume carregado e circulando com passos trôpegos pela varanda do Galle Face, brandindo um cigarro no ar.

"Querida, aí está você", disse Verity, abrindo um sorriso torto e arrastando as palavras. "Fiquei sabendo que você vinha, mas acho que aconteceu um desencontro com sua prima. Ela foi embora com o marido ontem."

"Do que você está falando?", Gwen rebateu, caminhando com passos relutantes até a cunhada. "Fran não tem marido."

"Agora tem", respondeu Verity, e despencou em uma cadeira ali perto. "Ufa, fiquei sem fôlego!"

Verity estava com um aspecto desleixado: os cabelos finos e castanhos, grudados na cabeça, pareciam precisar de uma boa lavagem, e as roupas estavam amarrotadas.

Gwen estendeu a mão. "Levante-se. Vou levar você para o seu quarto. As pessoas estão olhando. Você não pode ficar aqui embaixo nesse estado."

"Eu não tenho um quarto."

"Então onde você dormiu?"

"Com um sujeito que conheci. Bem bonitão, na verdade. De olhos azuis." Ela fez uma pausa deliberada, como se quisesse causar um efeito dramático. "Ou talvez castanhos."

Gwen se irritou, e sabia que era exatamente essa a intenção de Verity. Sua cunhada não estava nem um pouco arrependida, e preferiu fingir que a conversa terrível ocorrida na fazenda nunca acontecera.

"Não quero saber de sujeito nenhum, nem se os olhos dele eram azuis ou castanhos", respondeu Gwen. "Você vai subir comigo agora."

Ela conseguiu levar Verity até a escadaria à esquerda sem maiores incidentes, mas, quando estavam no meio do caminho, a jovem parou e ficou imóvel.

"Vamos", disse Gwen, empurrando-a. "Nós ainda não chegamos."

Do degrau de cima, Verity olhou para Gwen e encostou o indicador em seu peito. "Você se acha tão esperta."

Gwen olhou para o relógio e suspirou. "Não me acho esperta coisa nenhuma. Agora vamos, que você precisa ficar sóbria até Laurence voltar. Como você sabe, ele não quer nem vê-la pela frente, e aparecer nesse estado não vai ajudar em nada. Acho que só tomando um litro de café para resolver."

"Não. Você precisa me ouvir primeiro."

Quando as duas se encararam, Gwen ficou desanimada. Aquilo não seria fácil. Ela estava ansiosa para ver Fran, mas, antes disso, depois de uma tarde em Colombo, com os cabelos molhados de suor e as roupas cobertas de sujeira, precisava de um banho. Enquanto pensava na prima, ela se perguntou se Verity poderia estar dizendo a verdade, e, se fosse esse o caso, com quem Fran teria se casado sem lhe dizer palavra.

"Então, vai me escutar?", questionou Verity, interrompendo seus pensamentos e arqueando as sobrancelhas.

Da distância que estava, Gwen sentiu o mau cheiro no hálito de Verity e suspirou, incapaz de esconder o sarcasmo na voz. "Então diga. Qual é a revelação trepidante que você tem a fazer?"

"Você não vai achar graça nenhuma quando ouvir." Verity deu um passo cambaleante.

"Ande, vamos subir logo essas escadas. Vamos. Rápido, rápido, antes que você caia daqui de cima."

Verity olhou para Gwen e resmungou algo.

"Você não está sendo nada clara. O que foi?", perguntou Gwen.

"Eu sei." Verity estreitou os olhos e sorriu.

"Verity, isso está perdendo a graça. Você já me falou sobre Fran. Agora vamos, antes que eu perca a paciência."

Gwen tentou empurrá-la escada acima, mas Verity sacudiu a cabeça devagar e, encarando-a com um olhar de intensa determinação, agarrou-se ao corrimão e fincou o pé no chão.

"Eu sei que Liyoni é sua filha."

No silêncio que se seguiu, Gwen ficou absolutamente imóvel. A lucidez em sua mente parecia sobrenatural. Foi a reação de seu corpo que a entregou. A onda de calor, quando chegou, fez sua cabeça zumbir e girar. De um instante para o outro, entendeu o que significava ser possuída por um desejo de matar. Com dois passos e um empurrãozinho, Verity estaria morta. Uma queda provocada pela bebedeira, um acidente lamentável. Seria isso que os jornais publicariam. Sentindo as forças de seus sentimentos a dominarem, ela estendeu a mão. Dois passos e um empurrãozinho. Esse pensamento, porém, desapareceu com a mesma rapidez com que surgiu.

"Isso calou a sua boca, não?", Verity falou e começou a subir os degraus.

Sem fôlego, Gwen tentou respirar fundo, mas, com o choque expulsando o ar de seus pulmões, não teve sucesso. Agarrou-se ao corrimão, abrindo e fechando a boca, em pânico. Em sua mente, ofegante como estava, ela se viu como um peixe agonizando fora d'água. A imagem patética pareceu reativar seus pulmões, e ela conseguiu recuperar o controle.

Gwen foi atrás de Verity até o alto da escada, deu um passo à frente e apontou para a porta do quarto, não confiando em si mesma o suficiente para falar. Verity passou por ela, com passos ainda instáveis, e se esparramou em uma poltrona no quarto, olhando para o chão de tacos de madeira com a cara fechada. O olhar dela então se dirigiu para Gwen, que tentava se distrair dobrando e desdobrando as camisas de Laurence, em uma tentativa de acalmar as batidas de seu coração, disparado dentro do peito.

"Você já dobrou essa aí três vezes. Eu falei que você não ia achar graça nenhuma."

"Quê?"

"Ouvi você falando com Naveena. Um pouco antes de levar aquela menina mestiça para morar na casa de Laurence."

"Pois deve ter ouvido errado. Eu pedi para trazerem café, e você vai beber e parar com essa bobagem."

Verity sacudiu a cabeça, remexeu na bolsa, sacou uma pilha de desenhos feitos a carvão e os sacudiu no ar. "Foi isto aqui que me disse tudo o que eu precisava saber."

O coração de Gwen palpitou, e, ciente de que sua voz sairia trêmula, denunciando o quanto estava assustada, ela tentou arrancar os desenhos de Liyoni da mão de Verity.

"Não, nada disso", disse Verity, afastando a mão. "Eu vou ficar com eles."

Uma das folhas de papel se rasgou, e Gwen se agachou para apanhar o fragmento, o que lhe deu alguns segundos antes de se levantar e encarar Verity. "Como você ousa mexer nas minhas coisas? E, em todo caso, não sei o que você imagina ter encontrado."

Verity riu. "Eu li uma matéria fascinante sobre uma mulher nas Índias Ocidentais que teve gêmeos de cores diferentes. Ela dormiu com o marido, claro, mas também com o patrão. Achei que Laurence ficaria interessado, você não?"

Houve um longo silêncio, durante o qual Gwen mal conseguia entender o que estava sentindo. Era raiva, sim, e medo também, no entanto havia algo mais. Uma sensação terrível de vazio que nunca experimentara antes. Pelos desenhos, Verity pôde descobrir que Liyoni aprendera a escrever na escolinha da aldeia, e que em seus mais recentes desenhos escrevera sobre uma mulher branca da qual sua mãe adotiva falara. Uma mulher branca que um dia iria buscá-la. Naveena precisara traduzir a mensagem para Gwen, mas Verity entendia o idioma cingalês.

"Se ele pressionar Naveena, ela vai contar, e você sabe", disse Verity.

"Já chega disso", falou Gwen, mais para si mesma que para a cunhada, e abriu a janela. Ela tentou se acalmar olhando para o gramado, que se estendia do hotel até a rua, e para as plantas que cresciam nas frestas do paredão diante do mar. Quando ouviu o som de crianças rindo enquanto empinavam pipa, porém, seus olhos se encheram de lágrimas.

Houve uma batida na porta.

"É o café. Você poderia fazer o favor de receber?", pediu Verity. "Não seria bom você me desagradar, e estou cansada demais para me mover."

Quando o garçom saiu, Gwen serviu o café.

Verity deu um gole. "Eu tenho uma proposta para você. Uma saída, se preferir."

Gwen fez que não com a cabeça.

"Se você prometer que minha mesada vai ser restabelecida, eu não conto para Laurence."

"Isso é chantagem."

Verity inclinou a cabeça. "É você quem sabe."

Gwen se sentou e procurou por alguma resposta que pudesse pôr um fim naquela conversa. Ela deu um gole grande demais no café quente, e queimou os lábios.

"Agora, mudando de assunto, você não quer saber com quem Fran se casou? Pelo visto, você não foi informada."

"Se isso for mais uma de suas mentiras..."

"Não é mentira nenhuma. Eu vi os dois juntos, e a aliança no dedo dela. Não havia como negar. Com um diamante enorme, rodeado de safiras, e aro de ouro. Ele também tinha uma, apesar de ter tentado esconder a mão às costas."

Gwen cruzou os braços e se recostou, perguntando-se sobre o que viria a seguir. "E quem era?"

Verity sorriu. "Savi Ravasinghe."

Gwen notou os raios de sol brilhando no rosto de Verity enquanto se segurava para suprimir o desejo de esganar a cunhada.

Verity riu. "O pai da sua menina... Porque ele é o pai, não, Gwen? Só pode ser. Você não conhece nenhum outro homem de cor. Além dos empregados, claro, mas acho que nem mesmo você desceria tão baixo. Você pode enganar todo mundo, Gwen, mas não a mim."

Gwen sentiu vontade de gritar, mas as únicas palavras que ouvia com clareza em sua mente eram: *por favor, por favor... Não conte para Laurence.*

"Florence contou que viu você subindo para o quarto com Savi no baile, e depois surpreendeu vocês dois sozinhos quando Fran estava doente. Agora ele é o coproprietário da parte de Fran na fazenda. Laurence não vai ficar muito contente com isso, e, se eu contar sobre sua filha também, bom... Com certeza vai me receber de volta em casa."

Gwen ficou de pé. "Muito bem. Vou conversar com ele sobre sua mesada."

"Então é verdade? Liyoni é sua filha."

"Não foi isso que eu falei. Você está distorcendo minhas palavras. Só estou tentando ajudá-la."

Ela sabia que sua voz soara falsa, o que se confirmou quando Verity jogou a cabeça para trás e caiu na gargalhada.

"Você é transparente demais, Gwen. Não ouvi você falando com Naveena coisa nenhuma. Um dia, quando a menina estava ao seu lado e o sol bateu em um determinado ângulo no rosto de vocês, eu vi tudo. O rosto dela tem a mesma estrutura do seu, Gwen. E então reparei nos cabelos dela. Normalmente está preso e com tranças, mas eu já a vi saindo da água e reparei que fica todo cacheado, como o seu."

Gwen tentou interromper.

"Ainda não terminei. Depois que vi vocês duas juntas, os seus sentimentos ficaram bem óbvios. Vasculhei seu quarto quando você estava em Nova York, e encontrei a caixa e a chave. Por que alguém esconderia os desenhos de uma criança nativa, Gwen? Por que dar tanto valor a isso? A ponto de mantê-los trancados a chave?"

Gwen sentiu o rosto ficar vermelho quando se agachou para pegar um cisco do chão.

"Eu tive certeza quando vi os desenhos, mas sua reação agora me confirmou tudo. Foi Savi Ravasinghe, não? Ele é o pai da menina mestiça. O que será que sua prima vai achar disso?"

Quando Gwen se levantou, prendeu um cacho de cabelos atrás da orelha e tentou manter a voz firme. "Não sei por que você quer tanto me atingir. Não sabe o quanto isso vai magoar seu irmão?"

Houve um silêncio.

"E então?"

"Eu me importo com Laurence."

Gwen ficou com medo de não conseguir se controlar. "Então por que está fazendo isso?"

"Preciso da minha mesada."

"Mas por quê? Você tem marido."

Verity fechou os olhos e respirou fundo. "Eu não quero acabar como você."

"Como assim?"

"Esqueça. Só quero que você fale com meu irmão."

"E, se eu não falar, você está disposta a arruinar nossa vida?"

Verity ergueu as sobrancelhas. "Espero que minha mesada chegue à minha conta a partir do mês que vem. Caso contrário, Laurence vai ficar sabendo de tudo."

"Você sabe muito bem que, até a marca de chá começar a dar lucro, Laurence não está em condições de fazer isso."

"Nesse caso, acho que você tem um dilema a resolver."

"Eu sei que você roubava dinheiro das despesas da casa. O que acha que Laurence vai pensar disso? Eu descobri quando estava doente. Os mantimentos desapareceram do armário e então reapareceram do nada. Você ficou com a chave enquanto eu estava doente, e antes da minha chegada era quem cuidava de tudo. Só podia ser você."

"Foi bom enquanto durou. O *appu* e eu vendíamos as coisas e dividíamos os lucros. Foi muito engraçado quando você tentou entender as contas da casa! Mas isso seria bem difícil de provar. E eu posso dizer para Laurence que estava só pegando emprestado. Enfim, se eu contar sobre sua filha, você acha que ele vai se importar com isso?"

"Me diga por que você precisa tanto de dinheiro. E Alexander?"

Verity fechou a cara. "Eu já falei. Essa opção está fora de cogitação."

"Eu poderia tentar convencer Laurence a deixar você morar conosco de novo."

Ela olhou para Verity, mas a cunhada tinha dormido.

Gwen sabia que precisava tirar Verity do hotel antes que Laurence chegasse, e se sentiu em uma espécie de limiar entre a vida real e o pesadelo que sua existência se tornara. Ela se apegou à esperança de que a ameaça de Verity fosse só um excesso causado pela bebedeira, mas no fundo sabia que a cunhada era capaz de quase tudo.

Para monitorar a chegada de Laurence, Gwen ia até a janela a cada minuto, olhando no relógio e fumando vários dos cigarros horrorosos de Verity, o que só intensificou a náusea que tomava conta de seu corpo. Sufocada pelo medo, ela queria chorar para se aliviar, porém se obrigou a segurar as lágrimas e a não alimentar nenhuma esperança de que aquela história terminasse bem. Gwen ainda não sabia se acreditava de fato na história do casamento de Fran, mas, se fosse verdade, sua prima deixara de ser a única pessoa no mundo com quem sentia vontade de conversar.

# 33

Quando Laurence voltou ao Galle Face, Verity não estava mais lá, e Fran ainda não tinha aparecido. Gwen passou a noite em claro, ouvindo o som do mar e repassando na mente o que Verity dissera até que, pouco antes de amanhecer, conseguiu cochilar por mais ou menos uma hora.

Mais tarde, quando foram embora sem Fran, Gwen pôde se acomodar sozinha no banco de trás, enquanto McGregor e Laurence conversavam sobre negócios nos assentos da frente. Laurence ficara irritado por não receberem nenhuma notícia de Fran, mas, conhecendo a personalidade da prima da esposa, não quis perder mais tempo esperando. Gwen não mencionou seu encontro com Verity, nem comentou sobre o suposto casamento de Fran. Ela só queria dormir, nem que fosse apenas para esquecer, mas a pouco menos de dois quilômetros do hotel o trânsito parou por causa de alguma confusão mais adiante. Os puxadores de riquixá ainda conseguiam passar, mas os carros estavam totalmente bloqueados.

"Mas que diabos...?", esbravejou McGregor, estacionando e se debruçando pelo vidro da janela do motorista.

O som de gritos e assobios os alcançou, assim como os cheiros e ruídos costumeiros das ruas. Não parecia ser nada de mais. Só algumas pessoas cantando em coro. As lojas ainda estavam abertas, e os pedestres faziam suas compras normalmente.

"Está vendo alguma coisa?", perguntou Gwen.

Ele fez que não com a cabeça.

Quando Laurence abriu a porta do passageiro, o barulho veio com toda a força.

"É mais sério do que eu pensava. Parece ser algum tipo de protesto. Vou sair para dar uma olhada. Nick, fique no carro. Para o caso de surgir alguma brecha para passar."

"Ah, Laurence", disse Gwen. "Depois de tudo que você falou! E se acontecer um tumulto?"

Ele deu de ombros. "Eu vou ficar bem."

Laurence desapareceu de vista, e Gwen e McGregor esperaram. Ela estava tensa, presa dentro de um carro no meio do calor com um monte de coisas passando pela cabeça, e pediu para McGregor destravar a porta para que pudesse ir atrás de Laurence. McGregor se recusou a permitir, e o som dos dedos dele batucando o volante só fazia aumentar sua sensação de claustrofobia. Quando o nível de ruído ao redor se intensificou, Gwen ouviu o som de um tambor vindo de trás do carro. Ela se virou para olhar, e viu um grupo de pessoas gritando uma espécie de palavra de ordem enquanto marchava na rua na direção deles. Ao dar uma espiada pelo vidro da frente na esperança de ver Laurence, notou que o outro grupo se virara e estava vindo na mesma direção, brandindo pedaços de pau. Em choque ao ver crianças de uniforme escolar gritando atrás da turba, ela se encolheu no assento, ciente de que o carro estava na rota de colisão entre os dois grupos.

"Feche bem a sua janela", McGregor avisou quando um homem bateu no capô e riu. "Depressa. Acho que não é nada contra nós, mas é melhor não correr o risco de sermos pegos no fogo cruzado."

"E quanto a Laurence?"

"Ele vai ficar bem."

Definitivamente presa no carro, não lhe restava alternativa a não ser assistir ao confronto entre os dois grupos. Quando ouviu o som de vidro se quebrando, Gwen olhou pelo vidro traseiro.

"Meu Deus, estão atirando garrafas. Espero que tirem as crianças da rua."

Pedras e pedaços de concreto voavam pelos ares. Algumas mulheres gritaram, e ela ouviu vozes que pareciam vir de um megafone. Um sinalizador foi aceso, e depois outro, e em seguida veio o barulho das portas de aço das lojas sendo baixadas e das pessoas gritando umas para as outras enquanto fugiam para os becos e para as vias secundárias. A fumaça preencheu o ar quando acenderam uma fogueira no meio da rua.

Gwen sentiu a tensão se instalando em seus ombros e seu pescoço. "Estou assustada por causa de Laurence."

"Se ele tiver algum juízo, já deve ter se escondido."

Enquanto ela procurava por Laurence em meio à rua em polvorosa, três homens apareceram correndo, se apoiaram contra o carro e começaram a sacudi-lo usando o peso do corpo.

Gwen mal conseguiu falar, sentindo o medo sufocá-la. "McGregor!"

"Eu mato esses filhos da puta! Estão tentando virar o carro."

Chocada com aquele linguajar, Gwen ficou só observando quando McGregor sacou a arma e apontou para os homens. Isso bastou. Um deles puxou os outros dois na direção do restante da turba, que se afastava cada vez mais. Enfim, a rua diante deles foi ficando mais livre, e McGregor conseguiu avançar com o carro. Havia gente caída no chão, com cortes e hematomas, e a situação mais atrás estava ficando feia.

"Onde está a polícia, pelo amor de Deus?", disse Gwen.

Ela esquadrinhou a rua à procura de Laurence, mas foi só quando estavam quase na frente da escola onde tudo começara que o localizou, parado diante de uma porta com uma mulher que parecia ferida. O carro chegou mais perto, e Gwen notou que a mulher sangrava por um corte na testa. Ela abriu a janela e começou a gesticular freneticamente. Laurence veio em sua direção, conduzindo a mulher pelo cotovelo. A essa altura, a polícia montada já chegara, e ameaçava a turba com seus cassetetes. Gwen soltou um suspiro de alívio ao ver que as crianças estavam sendo recolhidas para dentro da escola.

Enquanto Laurence ajudou a mulher a se acomodar no banco traseiro do carro, onde ela se sentou com a cabeça entre as mãos, um tiro foi disparado.

"Vamos sair daqui, Nick", disse Laurence. "Gwen, você tem alguma coisa para estancar o sangue?"

Gwen segurou a mão da mulher. "Tenho isto", ela falou, limpando a testa dela com o xale.

A mulher soltou um grunhido antes de olhar para Gwen. "Eu sou professora. Era para ser uma profissão sem riscos."

Laurence pediu que McGregor fosse até o hospital, e então se virou para falar com Gwen. "A disputa é sobre qual idioma deve ser usado na sala de aula."

"É mesmo?"

"Os tâmeis bem instruídos ficam com os melhores cargos públicos, e os cingaleses consideram isso injusto. Eles querem que seu idioma seja a língua oficial do ensino."

Gwen estava abaladíssima, e não conseguiu esconder o fato. Primeiro Verity, e depois isso. "Por quê?", ela questionou. "E por que essa violência? Isso é tão importante assim?"

A professora cingalesa a encarou. "Quando formos independentes, o idioma a ser ensinado na escola vai fazer toda a diferença."

"E não podem ser os dois idiomas?"

A mulher fez que não com a cabeça.

"Bom, qualquer que seja, espero que tudo seja resolvido sem que mais sangue seja derramado."

A mulher soltou um risinho de deboche. "Isso não é nada. Alguém como você, que nunca precisou lutar por nada, não faz ideia do que essas coisas representam."


Quando chegaram em casa, Laurence falou que, em virtude das manifestações, teria que mandar uma série de cartas e, para não incomodar a esposa, dormiria em seu próprio quarto. Depois de uma noite de sonhos intensos e perturbadores provocados pela ameaça de Verity, Gwen se sentou diante da penteadeira e observou seu reflexo. Com os cabelos despenteados e sem batom ou ruge, parecia bem pálida. Pegou a escova e começou a se pentear furiosamente, e em seguida passou um pouco de ruge nas faces. Seus cabelos escuros estavam armados como uma juba, e o vermelho do ruge formava um contraste agudo demais com a pele branca. Ela limpou o rosto, fez uma trança e ficou esfregando as bochechas, como se com isso fosse se livrar também do medo. A professora estava enganada. Gwen não precisara se esforçar para conquistar a vida privilegiada que levava, mas teria que lutar para mantê-la. Agora que Verity sabia sobre Liyoni, ela estava diante do maior desafio que já enfrentara.

Gwen pegou a caixa onde os desenhos de Liyoni ficavam escondidos e, de fato, quando procurou a chave, não a encontrou. Sacudiu a caixa. Estava vazia. Ela procurou nas gavetas, retirando seus conteúdos e jogando no chão até se ver no meio de uma pilha de grampos, pentes e cartas. Depois procurou na escrivaninha, nos criados-mudos e nas bolsas de mão. Não que fizesse diferença àquela altura, mas Verity ficara com a chave. Piscando para se livrar das lágrimas, Gwen se agarrou aos braços da cadeira e se sentiu tão invadida que desejou ter de fato empurrado Verity escada abaixo.


No dia seguinte, Fran ligou. Pediu mil desculpas por não ter aparecido, avisou que estava em Hatton e que chegaria em breve, mas não deu muitas explicações além de dizer que havia sido grosseira. Era um comportamento típico de Fran, pensou Gwen. Sua prima também dissera que tinha uma grande surpresa, e Gwen rezou para que não fosse a companhia de Savi Ravasinghe.

Enquanto Laurence estava no andar de baixo, com o rosto enfiado no jornal, lendo sobre os tumultos, Gwen foi até o quarto dele. O lugar tinha o cheiro de Laurence, de sabonete e limão. Ela acendeu a luz e sentiu uma pontada de tristeza ao encontrar a fotografia de Caroline ainda sobre a escrivaninha. Para Gwen, era como se Caroline ainda estivesse presente, como se tivesse apenas saído de cena e perdido a deixa para voltar ao palco.

Ela abriu o guarda-roupa de mogno de Laurence e tateou as roupas penduradas lá dentro. Calças, paletós, roupas de noite, camisas. Gwen pegou uma das camisas brancas engomadas. Não havia nenhum vestígio dele ali, então ela abriu uma gaveta, onde encontrou um lenço azul de seda com alguns cabelos grudados. Ela o cheirou. Aquilo era melhor. Como seria forçada a contar a verdade para Laurence, queria ter alguma lembrança dele para se apegar à noite.

A luz oscilou e apagou. Ela enfiou o lenço no bolso, saiu do quarto, atravessou o corredor e desceu se segurando no corrimão. Quando chegou ao patamar inferior, foi impossível não olhar para a cadeira de rodas de Liyoni no corredor. Invadida por uma mistura de incredulidade e culpa, Gwen não conseguia nem chegar perto da cadeira. Não conseguia admitir a ideia de que o corpinho da criança estivesse se tornando inválido por causa da doença, e ainda rezava por um milagre.

Sentindo-se inquieta, Gwen não conseguia ficar parada, mas foi se juntar a Laurence. Tudo estava muito confuso. Uma parte de si desejava ver Fran, mas ela não queria ter a confirmação do boato sobre a prima e o pintor. Gwen pegou uma revista da mesa de centro. Era fim de semana, e Laurence estava tão concentrado no jornal que nem notara a presença de Hugh.

Gwen sentiu uma pontada de irritação. "Laurence, você não pode levar Hugh para trabalhar no aviãozinho de brinquedo ou coisa do tipo?"

Ele ergueu os olhos e bateu com os dedos no jornal. "Virou um tumulto generalizado lá em Colombo, sabe. Pessoas foram mortas. Espero que não seja um prenúncio do que está por vir."

Ela fechou os olhos e se lembrou do que presenciara em Colombo. Fora horrível, mas no momento havia outras preocupações em sua mente.

"Mudando de assunto, acho que em breve vamos ver nosso anúncio aqui."

"O aviãozinho, Laurence. Por que eu sempre tenho que me preocupar com tudo? Hugh está entediado. Não está vendo?"

Hugh já tinha três aviões Hubley de ferro fundido, mas, enquanto estavam em Nova York, Laurence comprara um modelo mais novo, além de um feito em aço. Gwen sabia que ele e Hugh estavam tentando fazer uma réplica em bálsamo, uma madeira resistente, porém flexível.

Laurence dobrou o jornal. "Estou vendo que você está bem nervosa, Gwen. Algum problema? Se for por causa dos tumultos..."

"Não", ela esbravejou. "Não é nada que não se resolva com vocês dois me deixando em paz. Só estou ansiosa pela chegada de Fran."

Laurence a encarou e balançou a cabeça, mas ela notou que ele não tinha acreditado. "Muito bem. Se é assim. Venha, Hugh. Nós dois vamos ficar lá no vestíbulo, amiguinho."

Ela abriu um meio sorriso.

Depois que eles saíram, ela continuou folheando uma revista atrás da outra, mas não conseguiu se concentrar nas palavras. Sem saber o que fazer, sentindo o tempo se arrastar, Gwen decidiu examinar a cadeira de rodas. Quanto mais ela adiasse isso, mais assustador se tornaria o espectro representado pelo objeto. No corredor, ela passou a mão pelos braços revestidos em couro, o encosto de cabeça e o sistema metálico de freio.

Só de pensar no que Laurence diria se soubesse que Fran estava de fato casada com Savi Ravasinghe fez a tensão nos ombros iniciada em meio aos tumultos se espalhar para as têmporas. Ela virou o pescoço em uma tentativa de dissipá-la, mas era como se estivesse sentada sobre um vulcão prestes a entrar em erupção, deixando em seu rastro uma família destruída.

Seus pensamentos foram interrompidos pela campainha da porta, e, como já estava no corredor, Gwen foi abrir pessoalmente e deu de cara com Fran com uma maleta na mão. Estava usando uma capa lindíssima, feita de uma espécie de tecido de tapeçaria, bem vermelho, mas sem luvas. Gwen olhou para o dedo dela. Um diamante rodeado de safiras em uma aliança de ouro. Verity estava certa.

Gwen não conseguiu fingir a surpresa ao olhar para a prima, e notou que a expressão de Fran mudara sutilmente. Ela parecia mais amena, como se estivesse exalando amor por todos os poros.

O sorriso de Fran se desfez. "A imbecil contou, não foi?"

Gwen fez que sim com a cabeça.

"Eu pedi para ela não falar nada. Queria contar pessoalmente."

Gwen inclinou a cabeça para o lado e observou atentamente o rosto de Fran. "Ah, sim, até porque não existem coisas como cartas, telefones e telégrafos!"

"Desculpe."

"Ora, Fran, eu só estou confusa. Por que você não me falou nada antes de se casar?"

"Eu sabia que você não ia gostar. E não ia suportar ouvir seu tom de desaprovação enquanto estava tão assustadoramente feliz."

Gwen abriu os braços. "Venha cá."

Depois que as duas se abraçaram, Gwen se afastou para dar uma boa olhada na prima. "Você está feliz?"

"Absurdamente."

"E não se importa com..." Ela hesitou, sem saber ao certo o que gostaria de dizer. "Você não se importa com..."

"O passado libertino dele? Claro que não. Estamos vivendo novos tempos. Enfim, eu também aprontei das minhas, e pode tirar essa expressão de choque do rosto, Gwendolyn Hooper. Nós combinamos muito bem, Savi e eu."

Gwen riu. "Ah, Fran, que saudade eu senti de você." Ela olhou ao redor. "Onde está ele, por falar nisso?"

"Está em Nuwara. Queria ver como Laurence reagiria primeiro."

Houve uma pausa.

"Você não tem medo de que Savi se sinta atraído por outras irmãs por aí?"

"Nem um pouco. Nós dois tivemos um passado dos mais agitados, mas agora só queremos ficar juntos."

"Christina já sabe?"

Fran riu. "Christina não quer saber de Savi."

"Pois é. Ela está com aquele músico agora, mas era Laurence quem realmente queria. Sabia que agora ela também faz parte do negócio?"

"Sim, eu a encontrei em Nova York, na exposição de Savi."

"Christina não me disse nada."

"Eu pedi para ela não contar. Queria falar com você sobre Savi pessoalmente."

Elas caminharam até o fim do corredor, onde Gwen abriu a porta do quarto.

Fran jogou sua capa de tapeçaria sobre a cama e olhou ao redor. "Frésias frescas. Humm! E janelas dos dois lados. Que lindo."

"Você tem vista para o lago e para o jardim." Gwen foi até a cômoda, pegou um objeto e estendeu a mão.

Fran sorriu, pegou o bracelete e prendeu no pulso. "Você é um amor, merece um beijo. Onde foi que você encontrou? Atrás do sofá, aposto."

Gwen ergueu as sobrancelhas e os ombros. "Em uma loja em Colombo, acredite se quiser. Não tenho como provar, mas acho que foi Verity que pegou."

"Mas por quê?"

"Não sei. Pelo prazer de criar um incômodo, talvez. Quem é que sabe por que Verity faz as coisas?"

"Bom, não importa. Estou felicíssima de ter o bracelete de volta. Obrigada. Obrigada. Mas por que você não foi à exposição de Savi?"

"Estava com dor de cabeça. No fim, Laurence acabou ficando comigo."

"Savi acha que você está evitando a presença dele. Aconteceu alguma coisa entre vocês, Gwennie?"

Gwen engoliu em seco e foi abrir a janela, mas não respondeu.


Na manhã seguinte, um pacote grande embrulhado com papel pardo chegou para Laurence e foi colocado sobre a mesa do corredor, perto das samambaias ornamentais, à espera que ele abrisse. Gwen imaginou que o marido não tivesse visto, então o apanhou e observou os selos postais ingleses. No entanto, como havia carimbos de Colombo e de vários outros lugares pelo qual a encomenda poderia ter passado, não era possível ter certeza da origem. Curiosa, ela levou o embrulho até a sala de estar e entregou a Laurence.

Ele se levantou da poltrona, pegou o pacote com um aceno de cabeça e se virou para a porta.

"O que é isso, Laurence? Está bem pesado."

Ele olhou para trás, mas continuou andando. "Ainda não abri."

"Mas você sabe de quem é?"

"Não faço ideia."

"Por que não abre agora?"

Ele tossiu. "Gwen, eu estou ocupado. Tenho coisas para fazer no escritório. Deve ser alguma coisa relacionada ao chá."

Talvez tenha sido por causa do tom seco na voz dele, mas de repente Gwen não conseguiu mais se segurar. "Por que não me contou que Christina ainda é apaixonada por você?"

Ele franziu a testa, com uma das mãos já na maçaneta. O silêncio durou só um instante, porém pareceu muito mais.

"Gwen, meu amor, já disse uma porção de vezes. Christina e eu não temos mais nada."

Ela mordeu a bochecha por dentro da boca quando ele saiu da sala e virou-se para o lago. Seria necessário muito mais que isso para reconfortá-la.

Fran saíra para uma caminhada e não voltou para o almoço, então, quando Hugh foi tirar seu cochilo, Gwen decidiu que era hora de contar a Laurence sobre o casamento de Fran com Savi Ravasinghe. Seu marido passara a manhã inteira trancado no escritório, e na noite anterior estivera fora, então era a primeira oportunidade que teria. Ela ficou surpresa, pois ele recebeu a notícia de uma forma mais tranquila que a esperada. Por outro lado, parecia bem preocupado, e Gwen se perguntou se não haveria outra coisa a incomodá-lo.

Não importava que Savi não fosse um hóspede bem-vindo em sua casa. Na verdade, Gwen preferia que as coisas continuassem assim. Fran havia dito que o apartamento ensolarado e arejado do pintor em Cinnamon Gardens, em Colombo, fora o local onde ela ficara durante sua primeira viagem ao Ceilão, em 1925. Desde então, o caso dos dois fora rompido e reatado várias vezes ao longo do tempo, enquanto ambos continuavam saindo com outras pessoas. Gwen adoraria que Fran fosse morar no Ceilão, mas não tinha como não achar melhor manter a maior distância possível.

Ela estava deitada na cama, pensando sobre isso, quando Naveena entrou no quarto, empurrando Liyoni na cadeira de rodas. Já se tornara um hábito de Naveena levar a menina até ela enquanto todos na casa descansavam depois do almoço. A aia tirou Liyoni da cadeira, deitou-a ao lado de Gwen e saiu. Era uma hora muito desejada do dia, quando as duas ficavam sozinhas, e Gwen adorava esses momentos.

Ela começou a ler histórias para Liyoni. Estava revisitando todos os contos de fadas que havia na casa. Apesar de Liyoni não falar muito, entendia quase tudo e, quando Gwen pegou o livro de contos de Andersen que Verity certa vez sugerira a Hugh, Liyoni pediu para ela deixá-lo de lado.

"Eu gosta quando senhora falar história."

"Era uma vez", ela falou, tentando relembrar uma história para o dia, "uma madrasta malvada."

A menina deu uma risadinha e chegou mais perto. Gwen afastou os cabelos do rosto da filha e a olhou. Ela precisou engolir em seco antes de continuar.

Nessas horas, Gwen costumava trancar a porta e se esforçar para não dormir. Naquele dia, porém, estava tão cansada por causa da tensão provocada pela ameaça de Verity que nem se lembrou disso. Até pensou em se levantar quando Liyoni dormiu, mas acabou cochilando também.

Ela acordou com uma batida na porta, e, antes que pudesse responder, Fran entrou. Sua prima se deteve logo depois de passar pela porta, com uma expressão de surpresa.

Gwen a encarou.

"Gwennie, essa que está com você na cama é a parente da aia?"

A voz de Fran soou um pouco estranha, e Gwen, lutando para conter suas emoções, sentiu os olhos cheios de lágrimas, mas não conseguiu falar. Ela não seria capaz de mentir para a prima.

Fran se aproximou e, com a confusão estampada no rosto, olhou para a menina. "Ela é muito linda."

Gwen balançou a cabeça.

Fran se sentou na beirada da cama e se inclinou para mais perto de Gwen. "O que está acontecendo, querida? Por que não me conta?"

Gwen sentiu um nó na garganta e baixou a cabeça, olhando para o lençol de cetim até suas vistas se borrarem.

"É tão terrível assim?"

Houve um momento de silêncio que se estendeu por tempo demais.

"Eu vou contar", Gwen disse por fim, erguendo a cabeça e abraçando os joelhos. "Mas você precisa prometer que não vai dizer nada para ninguém, ninguém mesmo."

Fran fez que sim com a cabeça.

"Liyoni não é parente da aia."

Por um instante, Gwen lutou contra os próprios pensamentos, mas a urgência de desabafar logo se mostrou mais forte, e as palavras enfim saíram.

"Ela é minha filha."

Fran a encarou. "Quando vi como a menina é linda, percebi uma semelhança. Mas quem é o pai, Gwen? Não pode ser Laurence."

Gwen sacudiu a cabeça. "Não, mas ela é irmã gêmea de Hugh."

"Como, querida?"

Gwen sentiu a garganta se fechar.

"Eu não entendo", disse Fran.

"Não posso contar mais nada. Teria falado antes, mas agora que você..."

Houve um momento de silêncio constrangido.

Então, com uma expressão horrorizada no rosto, Fran arregalou os olhos. "Ai, meu Deus. É de Savi? Não pode ser isso que você está me escondendo."

Gwen mordeu o lábio, e Fran ficou pálida, esfregando a testa, chocada.

"Não acredito que você dormiu com Savi."

Elas se olharam por um momento, e, quando Gwen sentiu que estava sendo julgada pela prima, sua voz ficou embargada. "Não é o que você está pensando."

"Savi ficou sabendo da existência da menina?"

"Claro que não. Mas, por favor, Fran, aconteceu antes de vocês ficarem juntos."

Fran sacudiu a cabeça, incrédula. "Mas e Laurence? Como você pôde fazer isso com ele?"

Gwen sentiu mais lágrimas nos olhos. "Seria melhor nem ter dito nada. Sei que vai parecer ridículo, mas não sei o que aconteceu. Simplesmente não me lembro."

Fran franziu a testa e começou a andar de um lado para o outro pelo quarto, esfregando os punhos. Durante alguns momentos, nenhuma das duas disse nada.

"Fran? Sei que você está com raiva, mas, por favor, fale alguma coisa."

"Eu não consigo acreditar."

"Eu não me lembro de nada." Gwen baixou a cabeça por um instante, mas logo em seguida ergueu os olhos para falar com Fran. "Foi naquele primeiro baile, depois que dançamos o charleston. Eu estava totalmente bêbada. Savi me ajudou a ir para o quarto, e sei que ficou por lá comigo durante um tempo, mas o que fez depois disso não me lembro."

Fran levou a mão ao peito e ficou paralisada, com o rosto rígido e imóvel. "Deus do céu, Gwen! Você percebe a gravidade da acusação que está fazendo contra ele?"

"Eu sinto muito."

Os olhos de Fran se estreitaram, e seu rosto ficou todo vermelho enquanto ela caminhava até a porta. "Você está enganada. Totalmente enganada. Savi jamais faria uma coisa dessas."

Gwen estendeu a mão. "Não vá. Por favor, não vá."

"Como eu posso ficar aqui? Ele é meu marido. Como você pôde fazer isso?!"

"Eu preciso de você."

Fran sacudiu a cabeça, mas permaneceu de pé junto à porta.

"Eu nem sei se é possível existirem gêmeos de pais diferentes", falou Gwen.

Houve mais um longo silêncio.

"É possível, sim", Fran respondeu com um tom baixo e tenso.

"Como você sabe?"

"Eu já li a respeito."

Gwen a encarou.

"Era o caso de uma mulher que teve gêmeos de dois pais diferentes, nas Índias Ocidentais ou na África. Saiu em todos os jornais."

As lágrimas começaram a rolar pelo rosto de Gwen.

"Você não conversou com Savi?", questionou Fran. "Na época, é o que eu quero dizer. Não quis tirar a limpo o que aconteceu?"

Gwen limpou os olhos e fungou. "Na época, achei que não tivesse acontecido *nada*. Só descobri quando os gêmeos nasceram e vi que Liyoni não é branca. Tive que decidir o que fazer com ela no calor do momento. Como poderia confrontar Savi depois de tanto tempo?"

"Eu teria feito isso."

"Eu não sou você."

"Então você passou todos esses anos acreditando que um homem decente fez uma coisa terrível, sendo que claramente deve haver outra explicação?"

"Eu escondi a criança. Que diferença teria feito? Na verdade, só teria piorado as coisas. Se eu tivesse conversado com Savi, ele teria falado para Christina, e Laurence logo saberia."

"Você teria paz de espírito."

"Enfim, mesmo que eu tivesse ido tirar satisfações, ele poderia ter mentido."

O rosto de Fran se contorceu de raiva. "Então agora ele é um mentiroso também?"

Gwen estremeceu e baixou a cabeça. "Eu sinto muito."

Fran esfregou as mãos e deu alguns passos na direção de Gwen, com os olhos marejados. "Veja, eu conheço Savi. Dormir com uma mulher bêbada ou desmaiada não é uma coisa que ele faria. Ele pode ter tido muitos casos por aí, mas não é um imoral."

Gwen abriu a boca para falar.

Fran ergueu a mão. "Escute o que eu vou dizer. Sei que o conceito de moralidade de Savi não é o mesmo que o seu, mas ele é um homem digno. Enfim, passei a maior parte daquela noite conversando com ele, Gwen, na noite do baile, depois que você foi dormir. Acha mesmo que, se tivesse feito isso com você, ele ainda ia ficar falando comigo? Não. Acredite em mim, não pode ter sido Savi. Ele é um homem sensível, e é por isso que gosto dele."

"Então quem pode ter sido?"

"Se nós excluirmos Savi... e é isso que precisamos fazer, Gwen, com certeza absoluta... O que pode ter acontecido?"

Liyoni tossiu, e Gwen levou o indicador aos lábios. "Não vamos acordá-la."

395

Fran continuou, num sussurro. "Deve haver alguma coisa na linhagem sanguínea. É a única resposta."

Gwen sentiu seu coração disparar, e deu uma risada tensa. "Você acha mesmo? Isso é possível?"

"Sim."

Gwen refletiu a respeito por um momento. "Eu li em uma revista em Nova York sobre a mistura de raças entre escravos africanos e fazendeiros brancos nos Estados Unidos."

"Bom, a miscigenação pode não ser visível em uma geração ou outra. As pessoas não gostam de admitir isso. Os britânicos tentam disfarçar o fato dizendo que têm ancestrais do continente, ou isolando um determinado membro da família."

Gwen abriu um sorrisinho para a prima. "Ah, Fran, espero que você esteja certa. Mas eu saberia se isso fosse verdade, não?"

"Talvez sim, talvez não... Mas seria melhor se você tivesse confiado em mim antes, ou então contado para alguém."

"Todo mundo pensaria que tive um caso, assim como você, a princípio. As pessoas jamais teriam aceitado a menina."

"Eu tirei uma conclusão precipitada. Me desculpe."

"Exatamente, e todo mundo teria pensado a mesma coisa. Laurence ficaria arrasado se achasse que dormi com outro homem, principalmente depois de tão pouco tempo de casada."

"Enfim, alguma coisa na linhagem sanguínea da menina deve esconder a resposta. Nós duas sabemos que não existe nada na *nossa* família que possa explicar isso."

Gwen suspirou. "Ah, não?"

Fran inclinou a cabeça para o lado, e uma expressão cheia de consideração surgiu no rosto dela. "Quando eu voltar para a Inglaterra, vou fazer de tudo para descobrir."

Gwen procurou por algum sinal de dúvida no rosto da prima. "Mas você acha que pode ser alguém do lado de Laurence?"

"Não sei. Tudo que eu acho é que você precisa falar com ele."

"Não posso. Não sem ter nenhuma prova para apresentar. Ele ia achar que eu tive um caso. Nunca ia me perdoar."

"Você não acredita muito no amor que ele sente, não é mesmo?"

Gwen pensou um pouco a respeito. "Sei que ele me ama. Mas é assim que as coisas são por aqui. A vergonha. A humilhação. Seria nosso fim como família. Eu perderia meu marido, perderia minha casa e perderia meu filho."

Ela engoliu em seco, e Fran se inclinou para abraçá-la.

"E ainda tem mais."

"Pode me contar o que quiser."

Ela precisou sufocar as lágrimas. "Verity descobriu, e está ameaçando contar tudo para Laurence se eu não convencê-lo a restabelecer a mesada dela."

"Deus do céu, isso é chantagem. Assim ela vai ter você onde sempre quis. Se você ceder, vai começar a exigir ainda mais. Isso nunca vai acabar, Gwennie. Você vai viver com medo daquela mulher horrorosa pelo resto da vida." Fran se levantou e abriu a janela. "Meu Deus, eu preciso de ar."

"Já começou a chover?"

"Está ventando bastante. Mas você ficou trancada em casa por tempo demais. Está terrivelmente pálida. Nós duas precisamos de ar fresco. Esqueça isso por enquanto. Vamos fazer alguma coisa. Uma caminhada. Eu, você, Hugh e a irmãzinha na cadeira. Hugh e Liyoni não sabem, não é?"

A menina começou a tossir de novo, e dessa vez acordou. Gwen murmurou alguma coisa e, enquanto sentia a temperatura da testa dela, ficou pensando no que Fran dissera. Sua prima estava certa: a única opção viável era contar a Laurence antes que Verity fizesse isso. Mas, sem nenhuma evidência para basear sua argumentação, só a ideia de fazer isso já a deixava desnorteada.


Alguns dias depois, quando estavam terminando o café da manhã, o primeiro lote de chá chegou. Laurence desembrulhou o pacote e mostrou para todos. A embalagem estava ainda mais bonita que na fase de projeto.

"Acho que a arte do seu marido resistiu bem à transferência para a embalagem", ele falou, olhando para Fran. "Espero encontrá-lo em breve para um jantar."

Gwen e Fran trocaram olhares de surpresa.

"Obrigada, Laurence", disse Fran. "Eu agradeço muito. Sei que…"

Laurence ergueu a mão. "Eu fico contente em receber o sr. Ravasinghe em nossa casa. Lamento ter perdido a exposição dele em Nova York. Vamos fazer de tudo para comparecer à próxima, seja onde for, não é mesmo, Gwen?"

Ela abriu um sorriso, mas estava confusa. Por que a atitude dele em relação a Savi mudara de forma tão inesperada, ainda mais em um momento em que se mostrava tão afastado?

Depois do café da manhã, Laurence sugeriu uma caminhada, pois logo a chuva chegaria. "Encontro você na frente da casa", ele disse para Gwen.

Primeiro Gwen foi se arrumar, depois passou no antigo quarto de bebê, onde encontrou Liyoni sentada na cama, desenhando uma cachoeira.

"Ela não aguentar desenhar muito tempo", disse Naveena. "Mas ficar de pé dez minutos para olhar lago."

"Que bom. Você me ajuda a colocá-la na cadeira? Ela precisa tomar um pouco de ar fresco antes que chova."

"Ela querer ver cachoeira."

Desde que Hugh mencionara a existência da cachoeira, Liyoni estava ansiosa para ir até lá.

"Acho que isso está fora de questão."

Quando Liyoni estava acomodada na cadeira de rodas, com um cobertor enrolado nas pernas, Gwen se preparou para sair com ela. Ao ouvir o som de um carro arrancando, Gwen olhou pela janela, e seu coração disparou. Era Verity. Devia ter vindo mais cedo cumprir sua ameaça. Gwen continuou olhando, e viu Laurence andando de um lado para o outro no terraço da frente da casa, passando as mãos nos cabelos. Ela sentiu a palma das mãos começarem a suar, mas então uma estranha sensação tomou conta de seu corpo, um sentimento de alívio. Era o fim, não haveria mais mentiras.

Laurence franziu a testa quando a viu chegando, e falou com um tom carregado de tensão. "Deixe a menina no terraço. Naveena pode levá-la de volta para dentro. Vamos pegar muita subida."

Enquanto caminhavam morro acima, ele se manteve em silêncio. Quando chegaram ao cume e se viraram para olhar, a vista a deixou sem fôlego, assim como acontecera em sua primeira manhã na fazenda e todas as vezes desde então. Tudo parecia brilhar. Ela inalou o ar perfumado e admirou o verde luminoso dos morros ocupados pela plantação, que agora era ainda maior. Gwen reparou no formato em L da casa, com os fundos voltados para o lago, o cômodo aberto à direita e, do outro lado, o pátio e o caminho que desaparecia por entre as árvores.

"Foi Verity que eu vi indo embora?", ela perguntou, por fim.

Ele não falou, apenas assentiu com a cabeça.

"O que ela queria?"

"A mesada de volta, claro."

"Laurence, eu..."

"Se não se importa", ele interrompeu, "prefiro não falar sobre minha irmã."

Houve um instante de silêncio. Ela respirou fundo ao se virar para contemplar a vista outra vez.

"É lindo, não?", comentou ele. "O lugar mais bonito do mundo. Mas você está feliz, Gwendolyn?"

"Feliz?"

"Com McGregor encarregado das coisas por aqui, e comigo passando tanto tempo em Colombo."

"Claro que estou feliz."

"Mas tem alguma coisa incomodando você, não? Parece que eu nem a conheço mais."

Gwen soltou um suspiro, revelando todo seu cansaço. Aquela poderia ser sua chance de contar a verdade, mas, quando estreitou os olhos para encará-lo, a tristeza no rosto dele a desencorajou. E a verdade era que, apesar da visita de Verity à casa, Gwen não sabia o que havia sido dito.

"Não é por causa de Christina, é?", ele perguntou baixinho e a puxou para junto de si. "Se for, não existe a menor necessidade."

Ela o encarou, sentindo-se insegura.

Ele passou os dedos por seus cabelos enquanto a olhava, com um braço em torno de sua cintura. "Querida, de verdade..."

Gwen o interrompeu. "Em Nova York, ela me disse que estava tudo terminado antes mesmo de eu chegar aqui."

"Foi exatamente o que eu falei."

"E eu acreditei, mas na verdade ela ainda queria você, não?"

"Quando?"

"Quando nós conversamos. Em Nova York. Aquele telefonema não foi sobre isso?"

Ele pareceu confuso. "Que telefonema?"

"O que você recebeu antes de irmos dormir, na última noite."

"Querida, não era Christina. Era Verity."

Gwen deu um passo para trás. "Mas Christina me falou que queria continuar sendo sua amante depois que nos casamos."

Ele fez uma careta. "Eu nunca cogitei isso. Sei que ela fez de tudo para parecer que ainda existia alguma coisa entre nós, e que adora provocar, mas juro que, depois que nos casamos, isso nunca esteve em questão."

Gwen sentiu as lágrimas queimando suas pálpebras.

"Foi por isso que, depois do casamento, eu quis vir antes de você ao Ceilão. Para pôr um fim nessa história."

"Então não foi por causa dos negócios?"

"Ela foi muito boa comigo depois da morte de Caroline. Eu estava em farrapos. Ela me reergueu. Não podia terminar tudo de forma abrupta."

"Você não era apaixonado por ela?"

"Eu gostava dela, mas não era amor."

"Mas por que você ficou tão distante de mim quando chegamos aqui?"

"Porque eu amava você, e fiquei com medo."

"De quê?"

"Eu já tinha perdido Caroline. Sentia que não merecia uma segunda chance. Acho que estava com medo de perder você."

Ela limpou as lágrimas de alívio que lhe escorriam pelo rosto e apertou as têmporas, sentindo mais uma dor de cabeça se instalar. Era chegada a hora. Era sua vez. Ele limpou as lágrimas de seu rosto. Gwen segurou a mão dele e abriu a boca para falar, mas hesitou e, nesse momento, a uma fração de segundo de mudar sua vida, soube que não conseguiria fazer isso.

O mundo ao redor permanecia em silêncio, a não ser pelo grasnar de um corvo. Desolada com a própria covardia, ela inalou o cheiro das árvores e tentou raciocinar. Não era razoável simplesmente contar e permitir que tudo desmoronasse. Laurence confiava nela, tanto que abrira o coração, expusera os medos e as tristezas que sentia. Nesse momento, porém, ela se lembrou de algo mais.

"Por que você mudou de ideia sobre a presença de Savi aqui?"

Ele respirou fundo. "Acho que estava equivocado sobre ele, só isso."

Gwen viu algo na expressão no rosto dele que a perturbou. Um olhar que sugeria que estava realmente magoado.

"Você está bem?", ela perguntou.

Ele engoliu em seco e desviou o olhar.

Ela pensou a respeito do que sua prima dissera. Se Fran estivesse certa e Liyoni não fosse mesmo filha de Savi, Gwen poderia dizer a verdade para Laurence, mas ainda não era hora. Depois de tantos anos, desejava profundamente gritar para os quatro ventos que era uma mulher honesta, que jamais fizera a coisa terrível que imaginava ter feito. Mas era preciso esperar um pouco mais, até conseguir encontrar uma forma de comprovar o que ia dizer.

Ela o tocou no ombro, sentindo-se cada vez mais segura de que Verity não cumprira a ameaça. Afinal, Laurence não a trataria com tanto carinho nesse caso. "Na verdade", Gwen falou, "acho que seria uma boa ideia restabelecer a mesada da sua irmã. Já ficou claro que esse casamento acabou, e ela precisa ter algum sustento."

Ele abriu um sorriso torto. "Você aceitaria? Depois de tudo o que ela fez..."

"Ela ainda é sua irmã. Podemos deixar que volte a viver na casa na Inglaterra como condição para a mesada."

Um trovão espocou, e ela olhou para cima.

Ele balançou a cabeça. "Quando a marca de chá ficar conhecida, pode ser possível. Mas você sabe que a casa de Yorkshire está alugada, não?"

"Sim, mas, quando o contrato vencer, ela pode voltar."

Gwen olhou para as nuvens de chuva de novo, e então para os pés. Era quase novembro, e a temporada das monções estava atrasada. Ela enfiou a ponta do sapato no chão seco. Em breve estaria um lamaçal.

"Recebi uma carta ontem. Os inquilinos avisaram que querem renovar o contrato."

Ela decidiu se concentrar no assunto da fonte de renda de Verity. "Podemos arrumar um jeito de dar a mesada para Verity antes de a marca começar a dar lucro?"

Ele a encarou com uma expressão intrigada. "Acho que posso conseguir um empréstimo, se você acredita que é mesmo necessário."

Gwen hesitou. Ela não queria que Laurence se endividasse antes de ter certeza de que ganharia dinheiro com o novo negócio, mas era uma forma de tirar Verity de seu pé, e pelo menos lhe renderia algum tempo a mais.

Laurence olhou para cima. "Vamos, precisamos ir para casa. A chuva está chegando. Podemos conversar sobre Verity mais tarde."

# 34

MARÇO DE 1934

Com o fim da estação das chuvas, os dias estavam ensolarados. Laurence passara a maior parte dos últimos meses viajando, deixando McGregor no comando, e Gwen preferia não ter muito contato com o homem. Quando esteve em casa, Laurence parecia um pouco distante, como se estivesse incomodado com alguma coisa. Ao ser questionado, ele mudava de assunto, dizendo que havia muitas plantações abandonadas por causa da queda nos preços do chá e que, além dos tumultos que vinham ocorrendo, a maior preocupação no momento era a disseminação da praga do mosquito anófele.

Fran e Savi estavam temporariamente instalados em Colombo enquanto não decidiam onde morar, e Verity, feliz por ter a mesada de volta, estava ficando com amigas em Kandy enquanto aguardava pelo fim do contrato de aluguel da casa na Inglaterra. Gwen impusera como condição para o restabelecimento da mesada que sua cunhada voltasse para Yorkshire. Isso não significava que Verity não fosse reaparecer com mais exigências, mas pelo menos Gwen teria um tempo para respirar.

Fran conversara com Savi, e, enquanto Laurence estava fora, Gwen concordara em se encontrar com os dois em Nuwara Eliya. Savi queria conversar com Gwen em particular, então eles decidiram dar uma caminhada em torno do lago que havia por lá. Ela não queria vê-lo de forma nenhuma, mas sabia que era necessário.

Savi foi até ela e estendeu a mão.

Ela olhou para o chão e não aceitou o cumprimento.

"Como estão as coisas em Colombo?", perguntou sem olhar para ele. "Ficamos sabendo que houve tumultos."

Houve uma pausa, e ela o ouviu suspirar, mantendo-se imóvel por mais um tempo. Quando o encarou, viu que a expressão dele estava tensa.

"Eu sinto muito", ela falou.

As narinas dele se alargaram, e Gwen conseguiu notar a raiva contida do homem.

"Quando Fran me contou, fiquei horrorizado. Pensei que fôssemos amigos, Gwen. Como pôde pensar que eu violentaria você?"

Ela sentiu uma onda de calor subir pelo corpo e baixou a cabeça de novo. "Fiquei sem saber o que pensar."

"Mas mesmo assim pensou isso de mim. Céus, Gwen. Você não consegue nem me olhar nos olhos?"

Ela ergueu os olhos e, arrasada pelo olhar de tristeza que viu no rosto dele, balançou a cabeça.

Ele estalou as juntas dos dedos, mas não disse nada.

Em meio à atmosfera tensa, ela tentou pensar no que dizer, revivendo na mente tudo por que passara, e alguns momentos depois encontrou as palavras certas.

"Eu não queria pensar isso de você", ela afirmou. "Era um pensamento repulsivo, mas não consegui ver outra explicação. Me desculpe."

"Oh, Gwen."

Ela sentiu uma pontada de raiva, porém mais de si mesma do que dele. "Estou começando a amar Liyoni só agora. Sabia disso? Tudo que fiz até hoje foi me afastar dela. Você consegue imaginar o que é passar por isso? Consegue pelo menos tentar entender?"

"Mas, se ela fosse branca, mesmo que eu tivesse feito essa coisa terrível, você não teria pensado duas vezes em ficar com a menina."

"Você não está sendo justo comigo. Se Liyoni fosse branca, eu jamais teria motivo para achar que não era filha de Laurence."

Savi suspirou. "Ele nunca gostou de mim. Nunca entendi por quê."

"Ele é um homem sensato."

"Não quando o assunto sou eu."

Ela estendeu a mão. Ele não a pegou, e foi andando até a beira d'água. Gwen engoliu em seco e observou os pássaros pousados ao redor. Ele se virou abruptamente, e as aves levantaram voo.

"Durante todos esses anos, sua vida deve ter virado um inferno. Por que não conversou comigo?"

"Na época eu era muito jovem, e estava morrendo de medo. Não soube o que fazer. Estava aqui fazia pouco tempo, e não conhecia você direito."

Ela viu uma veia saltar no pescoço dele, e esperou que se manifestasse. Ele se manteve em silêncio, então Gwen continuou.

"Eu achava você charmoso. Mais do que charmoso, para ser bem sincera. Laurence estava sendo muito frio comigo. Fiquei me sentindo muito sozinha. Mas então, quando Liyoni nasceu, passei a odiar você."

"Sinto muito se dei algum motivo para isso", ele falou, com a tristeza evidente na voz.

Ela olhou para ele. Estava falando com uma sinceridade cativante, mas Gwen ainda não sabia como lidar com seus sentimentos contraditórios. Sentia um alívio tremendo por acreditar de verdade que Savi não era o pai de Liyoni, mas também uma culpa terrível por ter pensado tão mal dele.

Ele estava com lágrimas nos olhos, mas abriu um sorriso quando voltou a falar. "Podemos pôr uma pedra em cima desse assunto? Eu estou casado com sua prima, sou praticamente seu cunhado. Podemos voltar a ser amigos?"

"Eu adoraria."

Ele estendeu os braços, e eles se abraçaram. Gwen estremeceu de alívio, sentindo as lágrimas caírem. Quando se afastaram, ela ainda estava limpando os olhos. Savi beijou sua mão em um gesto carinhoso.

"Se eu puder fazer alguma coisa para ajudar... Vasculhar os registros, procurar nos arquivos em Colombo. Posso ver se consigo encontrar algo que dê uma pista sobre os ancestrais de Liyoni. Entre os ancestrais de seu marido, claro."

Ela sorriu. "Obrigada. Muito obrigada. Isso significa muito para mim. Eu lamento demais por tudo."

"Eu bem que fiquei me perguntando por que nossos caminhos nunca mais se cruzaram, mas você ficou desconcertada naquele dia em que apareci na fazenda com Verity."

"Verity só levou você até lá para me atingir."

"Acho que você deveria conversar melhor com a aia. Muitas vezes, os empregados sabem mais sobre as famílias que os próprios donos da casa."

Com uma das mãos, ela afastou os cabelos dos olhos, sentindo os dedos roçarem nos cachos.

"Acho que Naveena não sabe de nada. Foi ela que me convenceu a levar Liyoni para a aldeia assim que nasceu."

"Entendo. Bom, precisamos continuar procurando uma resposta. Essas coisas costumam ser muito bem escondidas, mas tenho meus contatos e, se houver algo a ser descoberto, vou descobrir. Entro em contato com você assim que tiver notícias."

"Obrigada."

"Que tal irmos almoçar agora? Fran está à nossa espera."

"Obrigada, mas acho que vou ficar sentada aqui um pouco."

Ele pressionou uma mão contra a outra diante do peito, com os dedos apontados para cima, e fez uma leve mesura, como na primeira vez em que se falaram. Parecia ter sido décadas antes.

Depois que ele se foi, enfim libertada do peso da culpa, ela se sentia quase desnorteada. Que reviravolta mais estranha! Se Fran não conhecesse bem Savi e não tivesse se casado com ele, Gwen jamais saberia que não cometera nenhum ato de infidelidade. Agora que tinha certeza, só precisava arrumar uma forma de abordar o assunto com Laurence. Ele precisava saber que era o pai de Liyoni, e sua única dúvida era se faria isso imediatamente ou se esperaria até ter provas de que havia nativos do Ceilão na linhagem familiar do marido.

Ela ficou pensando a respeito. Era melhor esperar. Gwen puxou o xale sobre os ombros quando o vento começou a bater mais forte, quase duvidando que esse dia ainda fosse chegar. Apesar da alegria de não precisar mais guardar nenhum rancor de Savi, nada podia apagar o fato de que havia aberto mão da própria filha. Sentada no banco enquanto observava o vento envergar as árvores do outro lado do lago de Nuwara Eliya, ela se sentiu mais sozinha do que nunca.


Depois que voltaram para casa, Gwen e Laurence receberam a notícia de que a marca Hooper's estava vendendo bem depois do lançamento feito em dezembro e que, apesar de o preço do chá estar baixíssimo, os lucros provavelmente seriam razoáveis. Christina também mandou um telegrama dos Estados Unidos, incentivando-os a manter o otimismo, pois dali em diante as coisas só melhorariam. Pela primeira vez, Gwen ouviu o nome de Christina sem nenhuma palpitação.

Hugh estava de volta para passar o fim de semana. Ele já se conformara com o fato de que Liyoni não podia mais brincar do lado de fora nem nadar no lago, mas mesmo assim passava horas e horas ao lado dela, lendo para a menina e ensinando a ela como fazer palavras cruzadas.

Gwen encontrou os dois sentadinhos em um canto do antigo quarto de bebê, rindo e parecendo tão felizes na companhia um do outro que seu coração disparou. Aos oito anos de idade, não poderiam ser mais diferentes na aparência: Hugh era alto e robusto, como Laurence, e Liyoni era linda e delicada. A cada mês que se passava, ficava mais parecida com Gwen. A menina aprendera inglês, e falava com um autêntico sotaque nativo. Sem Verity por perto, Gwen agora dispunha do tempo e do espaço necessários para desfrutar de seus dois filhos.

Ela abriu um sorriso ao falar. "O que vocês estão fazendo?"

"Desenhando, mamãe", respondeu Hugh.

"Posso ver?"

Ele empurrou as duas folhas de papel na direção de Gwen, que se agachou para ver. Hugh desenhara um belo avião, do tipo que era usado durante a Grande Guerra.

"É um avião alemão", ele falou.

"Muito bonito."

Mas, quando olhou para o outro desenho, notou que, outra vez, Liyoni fizera uma cachoeira.

"Ela só desenha cachoeiras, mamãe."

"Pois é."

"Você não pode levá-la até lá, mamãe? Só uma vez?", ele pediu com um tom de voz choroso.

"Não vim aqui para falar de cachoeiras, querido. Vim avisar que está na hora de lavar as mãos para almoçar."

"Liyoni pode almoçar conosco?"

"Você sabe que Liyoni sempre almoça com Naveena."

"Acho que isso não é justo."

"É mesmo? Bom, então talvez você possa conversar sobre isso com seu pai quando estivermos à mesa."

Ele sorriu para ela. "Certo, mamãe, você venceu."

Gwen nunca se acostumara a dormir no quarto de Laurence, então, quando ele estava em casa, na maioria das vezes passava a noite em seu próprio quarto. Na última noite antes de Laurence partir em mais uma viagem, ele se mostrou especialmente carinhoso. Depois de fazerem amor, beijou-a com firmeza na boca e acariciou seu rosto com lágrimas nos olhos.

"Você sabe que pode me contar tudo, Gwen."

"Claro. E você para mim."

Laurence fechou os olhos, mas ela notou que o queixo dele estava tremendo.

Eles decidiram deixar a vela queimar até o fim, e ela ficou olhando para o teto sob a luz bruxuleante, pensando no que ele havia dito. Poderia ser melhor contar a verdade sobre Liyoni naquele momento, apesar de ainda não ter descoberto nada? Ela começou falando sobre Hugh. Laurence murmurou uma resposta, mas então, quase imediatamente, caiu no sono. Gwen ficou ouvindo a respiração lenta do marido, deitado de lado e abraçado a ela.

Eles foram acordados por um choro baixinho vindo do antigo quarto de bebê. Ela tateou para encontrar o interruptor do abajur, pôs o cobertor de lado, apoiou os pés no tapete branco ao lado da cama e se levantou. Em seguida, olhou para o relógio. Três da manhã. Gwen vestiu o penhoar e calçou meias grossas. Felizmente Hugh estava na escola e não veria nada.

Ela tocou de leve o rosto de Laurence. "Pode deixar que eu vou. Você tem uma viagem cansativa amanhã."

Ele grunhiu e se virou para o outro lado.

No antigo quarto de bebê, Naveena estava de pé ao lado da cama de Liyoni. "Menina dizer que perna doendo, senhora."

Gwen se inclinou sobre a filha.

"Puxe a cadeira para cá, Naveena. Vou ficar com ela no colo. Sei que o médico falou para você massagear as pernas dela quando sentisse dor, mas quero fazer isso eu mesma hoje."

Naveena puxou a cadeira e, enquanto Gwen se acomodava com a menina, a aia foi até o armário buscar um pequeno frasco de óleo aromático, que despejou na palma da mão da patroa.

"Esfregar de leve, senhora. Como borboleta."

"Pode deixar, não se preocupe." Gwen já vira Naveena fazer a massagem, e sabia exatamente a pressão que precisava aplicar.

Liyoni continuou a resmungar e tossir, mas, enquanto massageava as perninhas da criança, Gwen começou a cantarolar baixinho. Aos poucos, os olhos de Liyoni foram se fechando, e a menina dormiu. Gwen não queria acordá-la, então ficou como estava pelo restante da noite, e só percebeu o incômodo de tanto tempo imóvel quando Laurence apareceu na semipenumbra do amanhecer.

"Trouxe um chá", ele falou, pondo uma xícara e um pires na mesinha ao lado. "Você deve estar exausta."

"Com um pouco de frio, talvez."

"Eu ponho a menina na cama. Você deixa?" Ele a encarou com tanta preocupação nos olhos que foi impossível discordar.

Depois de deitar Liyoni, ele pediu a Naveena que pegasse um cobertor para Gwen.

Quando ela se levantou, todos os músculos de seu corpo doíam. Gwen se espreguiçou e levou o indicador aos lábios. "Vamos deixá-la dormir."

"Eu posso ligar para o médico, se você quiser."

"Tudo bem. Não tem nada que ele possa fazer. Ele deixou alguns

analgésicos para a menina. Disse para usarmos com parcimônia, mas..."
Ela engoliu em seco, sentindo um nó na garganta. "Ela nadava tão
bem."

Ele a envolveu com o braço e a conduziu para fora do quarto.
"Acho que vou ligar para o médico mesmo assim, se não se importa.
Tenho que sair daqui a pouco, infelizmente, se não quiser perder o
trem. Mas, antes de ir, queria mostrar uma coisa para você."

"Querido, isso não pode ficar para outro momento? Estou morrendo de cansaço, e queria dormir mais uma horinha."


Depois de examinar Liyoni, o médico sugeriu que o uso dos analgésicos fosse intensificado. "Não o tempo todo", ele explicou, "mas, se
você achar necessário, sinta-se à vontade."

"Ela não vai melhorar, não é?"

Ele fez que não com a cabeça.

"Quanto tempo ainda resta?", Gwen perguntou, sem tirar os olhos
dele.

"É impossível saber. Ela pode resistir por mais um tempo... Por
outro lado..." Ele abriu os braços para expressar sua incerteza. "Ela
ainda consegue ficar de pé?"

"Sim."

Quando se deu conta da gravidade da situação, uma sensação de
calma a invadiu. Agora que restava tão pouco tempo, ela contaria a
Laurence assim que ele voltasse. Mas, antes disso, havia algo que gostaria de fazer por Liyoni.

Depois que o médico foi embora, Gwen levou Liyoni até seu quarto, sentou-a na cadeira junto à janela e foi buscar roupas limpas no
antigo quarto de bebê. Liyoni bateu palmas quando viu o vestido que
Gwen trouxe ao voltar. Era um daqueles que Naveena cortara para a
menina: de bordado inglês, de um vermelho bem vivo. Liyoni tinha
um xale vermelho favorito também, e meias vermelhas, que usava
com as galochas. Hugh sempre dizia que ela parecia a Chapeuzinho
Vermelho com aquelas roupas.

Quando Liyoni estava bem agasalhada, Gwen saiu para ver se Mc-

Gregor já voltara com o Daimler depois de levar Laurence à estação. Ela sorriu quando viu o automóvel parado diante da casa, com a chave na ignição. Ela guardou a chave. Não era preciso avisar que usaria o carro.

De volta ao quarto, encontrou Naveena fazendo companhia a Liyoni.

"Você acha que estou fazendo a coisa certa?", Gwen perguntou à aia.

Naveena balançou a cabeça afirmativamente. "Pelo menos uma vez, menina precisar ver água."

Quando saíram, Gwen ficou torcendo para conseguir se lembrar do caminho que Verity apontara certa vez, durante uma aula de direção.

Gwen agira por impulso, mas não se arrependia de ter levado Liyoni para aquele passeio. A menina pedira muitas vezes, e, com as devidas precauções, daria tudo certo. Enquanto dirigia, ela pensou no tempo que Liyoni havia morado na fazenda: os gritos de "Estou voando" quando nadava, e a maneira como se contorcia de alegria quando algo a agradava.

Perdida em seus pensamentos, Gwen quase errou o caminho cercado de mato alto. Nuvens esparsas cortavam o céu claro, e uma brisa fraca soprava. Ela parou por um instante e baixou os vidros para que pudessem sentir o cheiro de menta e eucalipto e ouvir os zumbidos dos insetos. Quando seguiu em frente, dirigiu com todo o cuidado, para não sacudir demais a criança quando passava pelos buracos e pedregulhos no caminho.

"Ponha a cabeça para fora, Liyoni", ela falou. "Está sentindo o cheiro da água? Devemos estar perto."

A menina pôs a cabeça para fora e, ao olhar para o lado, Gwen viu os cabelos escuros da filha esvoaçando atrás da cabeça. Ela continuou dirigindo, concentrando-se na trilha, mas, quando ouviu o barulho da água, soube que estava quase lá.

"Está escutando?", ela perguntou, falando alto e virando-se para Liyoni. O rostinho da menina se iluminou de alegria.

Depois de estacionar, Gwen desceu do carro e abriu a porta do passageiro.

"Não dá para chegar mais perto com o carro."

Gwen se apoiou contra a lateral do veículo, e Liyoni se acomodou na beirada do assento, atenta ao som da queda d'água. Depois de alguns instantes, Gwen sentiu um tapinha em sua mão, interrompendo seus pensamentos. Ela teve que se abaixar para ouvir o que Liyoni estava dizendo.

"Eu não consegue ver. Pode descer?"

Gwen franziu a testa. O médico dissera que a menina podia ficar de pé ou fazer caminhadas curtas por no máximo dez minutos. Um uso prolongado das pernas a deixaria com muitas dores.

"Não", ela falou. "É perigoso."

"Por favor. Mais perto. Por favor." Liyoni a encarou com uma expressão de súplica.

"Não é uma boa ideia. Veja daqui mesmo."

"Eu toma cuidado."

Quando viu os olhos ansiosos da menina, Gwen cedeu. Se a doença evoluísse como o médico esperava, poderia ser a última chance de Liyoni de ver a cachoeira.

"Tudo bem, mas vou precisar segurar você o tempo todo. Vou carregá-la até um lugar onde dê para ver melhor."

A força da água escavara um formato de ferradura na rocha, e Gwen levou a menina até o local onde a curvatura começava. Elas pararam em um local perfeitamente seguro, mas próximo o bastante para que vissem a água que alimentava a cachoeira do lado oposto.

"Não se mova. Segure-se em mim. Veja ali", Gwen falou e apontou para a direita. "Bem ali, onde o chão fica mais pedregoso."

"Eu toma cuidado."

Gwen olhou para cima. As nuvens tinham se adensado, escondendo o sol. O cheiro agora era de vegetação molhada, terra úmida e algo indefinível que vinha da água. Minerais, foi o que Gwen pensou, ou alguma coisa arrastada pela correnteza. Ela ouviu um barulho atrás de si e se virou para olhar, mas eram só alguns macacos saltando e aterrissando.

"Você gosta mesmo de água, não é?", Gwen comentou, falando alto e abraçando a criança pela cintura.

Liyoni olhou para cima, com a animação estampada no rosto.

Alguns minutos se passaram, durante os quais Gwen ficou observando as margens rochosas do outro lado, onde a água decolava para cair na piscina natural onde Caroline se afogara. O local em si estava fora de suas vistas, e Gwen só podia imaginar as águas revoltas lá embaixo e o desespero que a antiga senhora da fazenda deve ter sentido.

Nesse momento, Liyoni jogou a cabeça para trás, deu uma risadinha de felicidade e estendeu os braços acima da cabeça. Uma lufada de vento levou embora o xale da menina. Quando Gwen se agachou para pegá-lo, tirou o braço da cintura de Liyoni por um instante. Com o sol batendo nos olhos, Gwen observou a correnteza de águas cristalinas. Outra rajada de vento mais forte jogou poeira em seus olhos, mas mesmo assim ela ouviu o som de um motor se aproximando. Com os olhos ardendo, Gwen estendeu o braço para segurar Liyoni, mas a menina tinha saído de onde estava.

Enquanto Gwen limpava os olhos, o sol iluminou o rosto de Liyoni. Houve mais uma rajada de vento, e, assustada, a menina hesitou. De costas para a cachoeira, Liyoni parecia confusa e deu um passo para trás, e não para a frente. Quando Gwen estendeu a mão, Liyoni cambaleou, com o vestido esvoaçando em torno do corpo sob o vento forte.

Nesse instante, Gwen sentiu toda a força do amor que tinha pela filha. Um amor absoluto, de fazer parar o coração.

Liyoni caiu de joelhos para a frente.

"Não tente levantar", Gwen gritou e começou a engatinhar na direção da menina.

Do nada, Laurence apareceu. Ele pegou Liyoni no colo e a carregou carinhosamente até o carro. Gwen, ainda de joelhos, olhou para baixo, atordoada pelo susto. Tinha sido por pouco. O vento passou, e ela se levantou e correu para onde estava Laurence.

"Me dê a menina aqui", ela gritou, abraçando a criança trêmula.

Ninguém nunca dissera que ser mãe significava conviver com um amor tão indescritível que a deixaria sem fôlego, e com um medo tão terrível que abalaria até sua alma. E ninguém nunca avisara sobre a proximidade desses dois sentimentos. No fundo da mente de Gwen, um pensamento assustador tomou forma. Se ela tivesse a coragem de dar um passo em direção à beirada, tudo acabaria. Os anos de culpa. O medo. A recriminação. Tudo. Mas esse pensamento logo se desfez.

Laurence, porém, deve ter percebido alguma coisa em seu rosto. "Não, Gwen. Pense no seu outro filho."

Ainda aturdida pelo choque, ela parecia ter registrado as palavras dele de uma forma desconexa. "O que foi que você disse?"

"Eu disse para você pensar no seu outro filho."

Ela o encarou. Tudo ficou em silêncio. Tomada pela emoção do momento, ela sentiu o vento roçar sua pele. Quando olhou ao redor, era como se fosse capaz de ver cada detalhe, mesmo estando com os pensamentos distantes. A vegetação rasteira parecia diferente, como se o vento a sacudisse de forma mais lenta que a habitual. E os insetos — eram muitos, e pairavam no ar, quase sem se mover. E os pássaros voavam com movimentos lentos de árvore em árvore. Ela ouviu um barulho à distância. Um chamado. O que era? Uma cabra? Um sino? Por um momento, sua mente pareceu sobrenaturalmente serena, como se o mundo a estivesse resgatando de toda a dor que sentiu. Mas a dor continuava. E, no fim das contas, voltou com tudo, junto com o som da queda d'água.

Ela olhou para Laurence. "Você já sabe?"

Ele confirmou com a cabeça.

"Há quanto tempo?"

"Não muito."

"Pensei que você tivesse ido para Colombo."

Ele fez um gesto negativo com a cabeça, parecendo tenso e preocupado. "Eu precisava falar com você. Não consegui viajar. Escute só, tem uns cobertores na mala do carro. Vou levar vocês para casa. Nick e eu podemos voltar para pegar o caminhão mais tarde."

Ela se virou para olhar para o local onde estava com Liyoni, e estremeceu ao pensar no que poderia ter acontecido. Enquanto Laurence apanhava os cobertores, ela abraçou Liyoni e, acariciando o rosto da menina, disse as palavras que nunca ousara proferir. Pediu desculpas, implorando perdão, várias e várias vezes. Apesar de não entender todas as palavras, a garotinha olhou nos olhos de Gwen e abriu um sorriso.

Quando Laurence voltou, Gwen o encarou. "Foi uma imprudência minha. Não deveria tê-la trazido aqui, mas ela queria tanto ver."

"Foi só o susto. Ela vai ficar bem. Vocês estavam longe da beirada. O vento fez tudo parecer pior, mas vocês não estavam em perigo. Venha, eu vou levar vocês de volta."

Ele pegou Liyoni e a abraçou. Em seguida, colocou-a no banco de trás e acariciou de leve os cabelos dela.

"Está tudo bem agora, pequenina", ele falou.

Um pássaro grasnou no céu, e Gwen olhou para o pedaço de tecido que ainda tinha nas mãos: o xale vermelho de Liyoni. Ela ergueu a peça no ar por um momento antes de soltá-la. O xale oscilou de leve ao ser carregado pelo vento, como uma pipa vermelha serpenteando no ar antes da inevitável descida correnteza abaixo. Criando um contraste momentâneo com a água cristalina, ainda flutuou por um instante antes de desaparecer de vista.

# 35

Cinco semanas depois, em uma linda manhã de maio, Liyoni morreu tranquilamente durante o sono. Gwen passara a maior parte do tempo ao lado da cama dela, acariciando a testa da filha e mantendo-a confortável. Ela e Naveena lavaram o corpinho com todo o cuidado e pentearam os cabelos da menina. No entanto, sentindo uma dor terrível, diferente de tudo que já experimentara, Gwen temeu que jamais fosse voltar ao normal de novo.

Pouco depois do incidente na cachoeira, Laurence quis explicar como tinha descoberto tudo. Alguma coisa nos registros familiares, ele dissera, como Fran imaginava, mas Gwen estava tão abalada com a deterioração da condição de Liyoni que não estava com cabeça para se interessar pelos detalhes. Ela pediu que ele lhe contasse tudo mais tarde. Em seguida, caiu em prantos e saiu correndo do quarto, ainda incapaz de compartilhar a angústia que sentira ao abrir mão da filha.

Incapaz de falar, beber ou comer, seu maior arrependimento era ter descoberto tão tarde o quanto amava Liyoni. Ela jamais veria a filha de novo, jamais tocaria os cabelos da menina, jamais ouviria a voz dela e jamais teria chance de se redimir do que fizera. Isso era o pior de tudo. A dor que sentia pela perda da criança não dava sinais de diminuir. Seguir vivendo depois da morte de Liyoni parecia uma impossibilidade física. Uma peça terrível pregada por um mundo insensível.

No antigo quarto de bebê, Naveena deitou Liyoni na cama com

um vestido branco e longo. A alguns passos de distância, Gwen observava em um silêncio entorpecido. Vários dos empregados vieram depositar flores em torno do corpinho da menina. Até McGregor apareceu, e, quando entrou no quarto, Gwen sentiu a garganta se fechar. Ela o observou antes que ele olhasse para Liyoni, e viu que o rosto do homem estava pálido. Ele engoliu em seco e caminhou até a cama. McGregor a encarou e estendeu a mão, com os olhos cheios de dor. Gwen nunca o tinha visto assim antes, e se perguntou se estaria se recordando do dia em que velara Thomas.

Por fim, quando todos se foram e Gwen se viu sozinha, ela tocou o rosto da filha, que estava bem mais frio e pálido do que em vida. Nesse momento, ela se entregou à dor. Era como um castigo. Gwen beijou a testa de Liyoni, acariciou os cabelos da menina pela última vez, virou-se e saiu, sentindo-se incapaz de respirar.

Hugh ainda não sabia de nada. Laurence achou melhor deixá-lo no internato por algumas semanas, e só contar quando ele voltasse para casa de férias. Portanto, quando o enterro foi realizado, no dia seguinte, Hugh estava ausente.

Gwen sentiu a mente vazia enquanto caminhava até o local onde Thomas estava enterrado, que precisou ser limpo às pressas pelo jardineiro, e quase desmaiou quando viu a cova retangular à espera do caixão de Liyoni. Naveena caminhava ao seu lado com um braço ao redor de sua cintura, segurando-a da mesma maneira como Gwen costumava segurar Liyoni. Incapaz de parar em pé, Gwen sentia-se como uma mulher de idade. A expressão de Naveena não dizia muita coisa, e ela se perguntou como a aia devia estar se sentindo. Gwen concluiu que os empregados deviam ser treinados a vida toda para se manter impassíveis.

Quando o caixão foi baixado, Gwen teve que se segurar para não pular dentro da cova. Em vez disso, ajoelhou-se na beirada e jogou um punhado de margaridas, que ressoaram sobre a madeira. Ela olhou para cima e, quase insuportavelmente imune a qualquer sensação de esperança, ouviu o barulho do lago atrás de si. Era isso que a salvaria. A água de que Liyoni tanto gostava.

"Eu gostaria de nadar um pouco agora", ela anunciou quando Laurence a ajudou a se levantar.

Ele falou com Naveena e a acompanhou até seu quarto, onde se manteve imóvel, só observando enquanto ela se despia para pôr as roupas de banho. Enquanto Gwen pelejava para se livrar de um vestido preto que não lhe servia muito bem, ele se ofereceu para ajudá-la. Depois de várias recusas, Laurence percebeu que ela precisava fazer tudo sozinha, caso contrário acabaria se tornando dependente da ajuda alheia para o resto da vida. Quando ela ficou pronta, ele foi até o quarto no andar de cima, trocou de roupa e voltou para buscá-la.

Quando entraram no lago, a água estava gelada.

"Quando você começar a nadar, vai se aquecer", disse Laurence. "Quer ir até aquela ilha?"

Ela começou a nadar, e não sentiu mais vontade de parar. Na metade da travessia, Laurence quis que ela fizesse uma pausa para descansar na ilha. Ela concordou, mas quando saíram da água estava frio demais, por causa do vento. Gwen olhou para sua casa do outro lado do lago, um lugar que amava, mas onde passara tanto medo que ganhara uma cicatriz profunda em seu coração.

"Vamos nadar até a cabana dos barcos", Laurence falou, interrompendo seus pensamentos. "Quando você sugeriu que viéssemos nadar, pedi a Naveena que deixasse a lareira acesa e providenciasse toalhas secas e um chá quente."

Ela assentiu, e a travessia de volta foi mais lenta, pois sua energia já não era mais a mesma. Suas pernas estavam bambas quando ele a ajudou a sair da água e subir os degraus que davam acesso à pequena construção.

Dentro da cabana, o fogo estava aceso, e ela se sentou no chão ao lado da lareira com os joelhos encolhidos, sentindo as palmas das mãos se aquecerem. Ele se aproximou e a envolveu em uma toalha branca e felpuda, usando outra para secar seus cabelos. Enquanto fazia isso, ela se recostou em Laurence, sentindo o coração dele bater com força junto ao seu corpo. Gwen chorou, aninhada contra o peito dele. Chorou pela perda da garotinha, e por Laurence não ter podido reconhecê-la como filha. Chorou pelo fato de a vida ser capaz de trazer tamanhas alegrias e ao mesmo tempo forçá-la a resistir a um baque tão cruel, que parecia impossível de suportar.

O toque de Laurence, acariciando suas costas, fez com que ela voltasse a sentir seus músculos e sua pele. O abraço pareceu continuar por um bom tempo. E então, enquanto ele secava suas lágrimas, veio o alívio, por poder desabafar um pouco de sua dor e por contar com a generosidade dele.

Os dois ficaram sentados juntinhos no chão, com Gwen olhando para o fogo e ele servindo duas xícaras de chá com algumas gotas de conhaque.

"Já podemos conversar?", ele perguntou.

Houve um instante de silêncio, e, quando se sentiu pronta, Gwen o encarou.

"Há quanto tempo você sabe?"

"Sobre Liyoni?"

Ela assentiu com a cabeça. "Sei que você tentou me contar antes. Pode me falar agora?"

"Lembra aquele pacote que chegou para mim um dia? Aquele que você veio me entregar?"

"Tinha quase esquecido."

Houve uma pausa.

"Eu entrei em contato com nosso advogado na Inglaterra e pedi para ele vasculhar a edícula da casa, que não está incluída no contrato de locação. Muitos papéis antigos estão guardados lá, do tempo em que meus pais passavam uma parte do ano em Yorkshire."

"Que tipo de papéis?"

"Registros de família. Minha mãe adorava aquela casa, e sempre quis morar lá na velhice, e era por isso que não guardava esses papéis aqui."

Gwen balançou a cabeça.

"Pedi ao advogado que os encontrasse e mandasse tudo para mim. Eu sabia que Verity já tinha olhado esses documentos, mas eu não. Agi por impulso, mas lembro que Verity uma vez insinuou que havia coisas sobre nossa família que eu desconhecia. Na época, sinceramente, não acreditei, mas fiquei me perguntando se ali não poderia encontrar pistas sobre o parentesco de Liyoni com Naveena. Queria saber se elas eram mesmo parentes."

"O que você encontrou?"

"Fotos, cartas, documentos... e um pergaminho antigo delicadíssimo, muito bem dobrado." Ele fez uma pausa. "Uma certidão de casamento, do meu bisavô Alfred."

Ela ficou à espera.

"O nome da minha bisavó era Sukeena. Ela não era inglesa, não era nem europeia... Era cingalesa. Morreu logo depois que minha avó nasceu, e meus pais nunca me contaram nada a respeito."

Finalmente, ela pensou. Lá estava a verdade que permanecera escondida por tanto tempo. "Está me dizendo que a cor da pele de Liyoni é uma herança dela?"

Ele assentiu. "Acho que sim. Se você tivesse me contado, Gwen, poderíamos ter descoberto isso há muito tempo. Poderíamos ter ficado com nossa filha."

Ela fez que não com a cabeça. "Nós estávamos casados fazia pouco tempo, e mal nos conhecíamos. Se eu tivesse contado na época, você teria me expulsado de casa. Não que sua vontade fosse essa, mas era o que teria acontecido. Você ia pensar que eu havia tido um caso."

Laurence ficou pálido e fez menção de responder, mas ela levou o indicador aos lábios dele. "É verdade", ela falou. "Nós nem chegaríamos ao ponto de procurar outra explicação."

Pelo silêncio de Laurence, Gwen notou que suas palavras haviam sido compreendidas, e, por um momento, eles se olharam sem dizer nada.

Laurence respirou fundo. "Quando convenci Naveena a confirmar o que concluí a partir dos documentos, ela admitiu que você teve gêmeos. Mas não foi fácil. Naveena é muito fiel a você." Ele hesitou. "Você deve ter sofrido demais durante todos esses anos. Eu sinto muito."

Gwen piscou algumas vezes para conter as lágrimas.

"Quando Verity apareceu falando sobre Liyoni e seu suposto caso com Savi Ravasinghe, pedindo a mesada de volta, eu já sabia que não era verdade."

"Mas você restabeleceu a mesada mesmo assim, e me deixou acreditar que foi por causa do meu pedido?"

Ele assentiu.

"Verity já tinha visto essa certidão de casamento?"

"Sinto muito, Gwen. Com certeza já, mas eu não queria falar com ela que sabia a respeito de Sukeena antes de conversar com você." Ele franziu a testa. "Mas não sabia nem por onde começar."

Ela balançou a cabeça. "Verity sabia a verdade, mas mesmo assim tentou me chantagear. Por que ela precisa tanto assim dessa mesada?"

"Acho que ela estava com medo de que, caso continuasse casada com Alexander, acabasse dando à luz uma criança de cor."

"Mas ela era mesmo apaixonada por Savi?"

"Acho que ela nunca o amou de verdade. Mas, em determinados círculos, um casamento inter-racial seria mais aceitável do que ter um filho de cor sem nenhuma explicação razoável para isso. Ela precisava do dinheiro para levar uma vida independente. Verity não é forte como você, Gwen, a vergonha teria acabado com ela. Quando viu que você não ia ceder, ela veio até mim."

Gwen soltou o ar bem devagar. "Mas eu cedi. Pedi para você restabelecer a mesada."

"Mas Verity achava que não."

Gwen fez uma pausa. "Ela roubava dinheiro da casa também, Laurence, manipulando as despesas com mantimentos. Deve ter feito isso durante anos até eu avisar que tinha descoberto."

Ele baixou a cabeça. "Eu não tenho como defendê-la."

Gwen deu um gole no chá, pensando sobre o que ele falara.

Laurence ergueu os olhos. "Acho que, de alguma forma, comecei a descobrir a verdade no dia em que carreguei Liyoni até o lago, mas me recusei a acreditar. Quando os documentos chegaram e eu me dei conta, percebi o quanto ela era parecida com você."

Gwen sentiu a dor da perda a percorrer mais uma vez, tão intensa que parecia impossível de superar. Era assim que as coisas seriam daqui para a frente, mas ela sabia que precisava encarar a vida com coragem, por Hugh.

"E então, como é que ficam as coisas daqui em diante?", ela conseguiu dizer.

"Nós seguimos em frente. Por enquanto, só você, eu e Naveena sabemos a verdade sobre Liyoni."

"E Verity."

"E minha sugestão é só contar para Hugh quando ele tiver idade suficiente para entender."

"Talvez você tenha razão, mas acho que ele entenderia perfeitamente que sua companheira de brincadeiras na verdade era sua irmã." Ela fez uma pausa. "O que você quer fazer a respeito de Verity?"

"O que você achar melhor, Gwen. Estou envergonhado pela conduta dela, mas não posso virar as costas para minha irmã. Infelizmente, ela é uma pessoa muito perturbada."

Gwen sacudiu a cabeça, quase chegando a sentir pena da cunhada.

"Podemos voltar para a Inglaterra, se você quiser", disse Laurence. "Ainda faltam alguns anos, eu acho, mas podemos nos dar a esse luxo quando a independência financeira vier."

Ela o encarou e sorriu. "Lembro que você me falou que seu coração estava nesta fazenda, e que respondi que nesse caso era onde o meu coração estaria também. O Ceilão é o nosso lar. Talvez seja possível melhorar de verdade as condições de vida por aqui. Vamos ficar até que não reste alternativa a não ser ir embora."

"Eu vou fazer tudo o que for possível para me redimir do passado. Em todos os sentidos."

"Podemos manter o caminho para os túmulos sempre limpos, e preservar a vista do lago a partir de lá?"

Ele assentiu.

"Podemos plantar flores", ela acrescentou, sentindo um nó na garganta. "Cravos cor de laranja."

Ele segurou sua mão. Ela se recostou nele e olhou pela janela para o lago profundo, onde as aves aquáticas estavam pousadas. Garças, íbis, cegonhas.

"Tem outra coisa que descobri examinando os papéis da minha mãe. Uma coisa que eu nunca soube."

"Ah, é?"

"A mãe de Naveena e minha avó eram primas."

Gwen teve um sobressalto. "Naveena sabe disso?"

"Acho que não."

Houve um breve silêncio.

"Ela teve uma boa vida aqui", ele falou.

"Sim."

"Mas é uma grande tristeza para mim não ter conhecido Liyoni, nem tido a chance de amá-la."

Gwen respirou fundo. "Eu sinto muito por isso."

"Não é culpa sua. Pelo menos sei que, enquanto esteve aqui, ela foi feliz."

"Poderia ter sido muito melhor."

Laurence olhou para os próprios pés antes de continuar, com um tom de voz bem baixo. "Tem mais uma coisa, e não sei se você vai me perdoar por não ter contado antes."

Gwen fechou os olhos. O que mais poderia haver para ser revelado?

"Eu fiquei envergonhado demais. Me desculpe. É sobre Caroline."

Ela abriu os olhos. "Sim?"

"E Thomas."

Ele fez uma pausa, e ela viu quando uma veia saltou no pescoço do marido.

"O filho de Caroline, sabe, o meu filho... Thomas. Ele também era de cor."

Gwen levou a mão à boca.

"Peço perdão por não ter contado a você. Acho que foi isso que deixou Caroline tão abalada. Ela era uma mulher linda e sensível, e eu teria feito qualquer coisa para ajudá-la, mas era muito frágil emocionalmente. Depois que Thomas nasceu, começou a ter acessos de choro e ataques de pânico terríveis. Tanto que acabava até vomitando. Passei noites e noites abraçado a ela na cama, tentando confortá-la... Mas não teve jeito. Nada do que eu fazia era capaz de ajudar. Você precisava ter visto o olhar perturbado no rosto dela, Gwen. Era de cortar o coração."

"Ela conversou com você a respeito?"

"Não, mas eu tentei. Fora da família, o médico era o único que sabia sobre Thomas, além de Naveena. Nós o mantínhamos escondido dos empregados, mas McGregor descobriu tudo ao tirar o bebê da água, claro. Verity estava em casa, de férias da escola."

Gwen se afastou um pouco e sacudiu a cabeça. "Verity sabia?"

"O impacto sobre ela foi tremendo."

"Isso explica muita coisa."

Ele assentiu. "Acho que foi por isso que sempre deixei que ela fizesse o que queria."

"Por que Naveena não me contou?"

"Eu implorei para que ela nunca mais falasse sobre isso."

"Mas foi ela que deu a ideia de mandar Liyoni para a aldeia."

"Ela viu o que aconteceu com Caroline. Com certeza queria evitar que você seguisse o mesmo caminho." Ele fez uma pausa e fechou os olhos por um instante antes de continuar. "Infelizmente, ainda tem mais. A culpa foi toda minha."

"Você não tem culpa nenhuma."

Ele sacudiu a cabeça. "Tenho, sim. Quando vi Thomas pela primeira vez, fiquei me sentindo traído, e acusei Caroline de ter um caso com Savi Ravasinghe enquanto ele pintava aquele retrato. Ela negou com todas as forças, mas eu não acreditei."

Gwen contorceu os lábios e fechou os olhos, chocada.

"Juro para você que ainda a amava, e que tentei ajudá-la."

Ela abriu os olhos para encará-lo. "Deus do céu, Laurence, você acha que poderia ter feito mais por ela?"

"Eu tentei, tentei mesmo. Mas ela perdeu todo o interesse pela vida. Eu a ajudava a tomar banho, a se vestir, e até a amamentar o bebê. Fiz tudo o que podia para tirá-la das trevas, e pensei que tinha conseguido, Gwen, porque perto do fim ela parecia recuperada, a ponto de eu concordar em deixá-la sozinha um dia..."

Houve um momento de silêncio, e ele engoliu em seco.

"Mas eu estava enganado... Foi nesse dia que ela tirou a própria vida. O pior é que, mesmo depois da morte dela, continuei acreditando que tinha sido traído. Essa era a única coisa que poderia de fato ter feito a diferença."

Gwen enfim compreendeu o que ele estava dizendo. "Você acha que ela se matou por sua causa?"

Ele confirmou com a cabeça. O rosto de Laurence se contorceu, e os olhos se encheram de lágrimas, mas ele foi capaz de contê-las. "Ela disse a verdade o tempo todo, mas eu só soube disso depois de ver os papéis da minha mãe e descobrir a respeito de Sukeena. Tive vontade de conversar sobre isso com você, de contar tudo sobre Caroline e Thomas... Mas estava me sentindo como se os tivesse levado pessoalmente para a cachoeira e os empurrado lá para baixo. Não consegui criar coragem para falar."

Quase sem conseguir acreditar no que estava ouvindo, Gwen sentia um turbilhão dentro de si. Ela o viu estremecer enquanto tentava controlar as emoções. Esse momento pareceu durar para sempre.

Quando ele voltou a falar, sua voz estava trêmula. "Como eu vou conseguir conviver com isso, Gwen? Como você vai conseguir me perdoar?"

Ela sacudiu a cabeça.

"E não foi só Caroline que morreu. Ela achou que precisava levar o bebê junto, que não podia contar comigo para cuidar dele. Uma criança pequena e indefesa."

Gwen ouviu o vento soprando sobre o lago, sentindo-se arrasada.

Laurence apertou sua mão. "Eu devia ter contado logo de cara, mas achava que ia acabar perdendo você também."

Ela puxou a mão de volta e prendeu a respiração por um tempo antes de responder. Quando começou a falar, a tristeza era evidente em sua voz. "Sim, Laurence, devia mesmo."

Houve uma pausa, durante a qual ela não se sentia capaz de falar. Se Laurence tivesse contado a respeito de Thomas, ela ainda teria se casado com ele? Gwen era bem jovem na época, jovem até demais.

"Eu sinto muito que você tenha sido obrigada a passar por tudo isso sozinha. E ainda mais por eu nunca ter contado que foi por minha causa que Caroline fez o que fez. Eu era apaixonado por ela."

Gwen fechou os olhos. "Coitada."

"Você me perdoa por não ter contado tudo?"

Enquanto tentava absorver tanta informação, Gwen abriu os olhos e viu Laurence olhando para o chão com a cabeça entre as mãos e os ombros encolhidos. O que ela poderia dizer? Do lado de fora, os pássaros estavam em silêncio, e até o vento tinha parado de soprar. Ela o entendia muito melhor agora, mas as imagens do passado se acumulavam em sua cabeça, e Gwen se sentia tão perdida que não sabia o que dizer.

O silêncio se arrastou por mais tempo, mas, quando olhou para Laurence e viu a dimensão da tristeza dele, sua decisão se tornou mais fácil. Não era do perdão de Gwen que ele precisava.

"Você deveria ter me contado", ela falou.

Ele ergueu a cabeça e engoliu em seco.

"Mas você não fez por mal", ela acrescentou.

Ele franziu a testa e balançou a cabeça.

"Não tem nada que eu possa dizer que vá mudar o que aconteceu com Caroline. Você precisa encontrar um jeito de conviver com isso. Mas você é um homem bom, Laurence, e continuar se culpando desse jeito não vai trazê-la de volta."

Ele estendeu a mão, mas ela não a pegou.

"E você não foi o único. Eu também cometi um erro terrível... Abri mão da minha própria filha." Seus olhos começaram a arder, e Gwen engasgou com as próprias palavras. "E agora ela está morta."

Ela o encarou no fundo dos olhos antes de pegar a mão dele. Gwen sabia o que significava conviver com o medo e a culpa. Era uma coisa que machucava. Machucava demais. Gwen pensou em tudo por que ele passara, e ela também. O dia em que chegou ao Ceilão lhe voltou à mente, e ela se lembrou da jovenzinha que era no convés do navio, quando conheceu Savi Ravasinghe. Com a vida toda pela frente, ela não imaginava como a felicidade podia ser terrivelmente frágil.

Gwen se lembrou do momento de paz interior que experimentara ao ver o rostinho amassado e enrugado do filho, das mãozinhas do bebê tremendo e se abrindo e fechando enquanto ele chorava. Em seguida, relembrou o momento em que desembrulhou o cobertor que envolvia Liyoni. Reviveu o choque que sofrera ao ver os dedinhos, a barriguinha redonda e os olhinhos escuros da bebê.

Pensou nos anos de culpa e vergonha, mas também em tudo que havia de belo e glorioso no Ceilão: os momentos preciosos em que o cheiro de canela se combinava com o das flores; as manhãs em que as gotas de sereno na estação mais fria elevavam seu estado de espírito; as temporadas das monções, com as chuvas incessantes, e o brilho dos arbustos de chá quando as águas paravam de cair. As lágrimas voltaram a escorrer, e com elas vieram recordações envolvidas por um afeto profundo: Liyoni nadando como um peixinho até a ilha, girando na água e cantando. Livre.

Para uma menina tão pequena, Liyoni deixara uma marca bastante profunda; sua lembrança não se esvairia, Gwen não permitiria que isso acontecesse.

Enquanto Laurence acariciava de leve seus cabelos, como faria com uma criança, Gwen pensou em Caroline, sentindo tamanha afinidade com ela que ficou até sem fôlego. Por fim, lembrou-se do momento em que deixou de reparar na cor da pele da filha. Com a mão quente do marido nos cabelos, ela soube que carregaria as últimas palavras de Liyoni consigo pelo resto da vida.

*Eu amo você, mamã.*

Foi isso o que menina disse na noite anterior à morte.

Gwen limpou as lágrimas e sorriu ao ver os pássaros levantando voo sobre o lago. A vida continua, ela pensou. Só Deus sabe como, mas a vida precisa seguir em frente. Ela torceu para que, se tivesse muita sorte, talvez ainda chegasse o dia em que conseguiria perdoar a si mesma.

# Nota da autora

A ideia para este livro surgiu quando minha sogra, Joan Jefferies, relatou as lembranças de sua infância na Índia e na Birmânia nas décadas de 1920 e 1930. Enquanto ouvia as histórias de seus familiares, entre eles plantadores de chá que viviam na Índia e no Ceilão, comecei a pensar na maneira como as pessoas encaravam as diferenças étnicas, e em especial nos preconceitos existentes na época.

O passo seguinte foi recorrer ao acervo de áudio do Centro de Estudos do Sul da Ásia da Universidade de Cambridge, onde encontrei registros de vozes que deram vida a esse período na minha mente. Depois de escrever o primeiro esboço do livro, viajei ao Sri Lanka. Embora Hatton, Dickoya e Nuwara Eliya sejam lugares reais, a Fazenda Hooper é uma mistura de vários lugares, e fica situada a uma altitude superior à de Hatton e Dickoya. E apesar de o bangalô em que fiquei hospedada, no hotel fazenda Ceylon Tea Trails, estar localizado à beira de um açude, naturalmente não é como o lago da história.

Em meio aos morros de uma romântica plantação de chá envolta pelas brumas, a esposa do plantador de chá que imaginei teria uma vida privilegiadíssima, mas preferi criar um cenário de provação para testar todas as suas crenças em relação às diferenças raciais, além de explorar o comportamento dos colonos brancos e o efeito trágico que poderia ter sobre ela.

É cientificamente possível que dois homens diferentes sejam pais de gêmeos não idênticos, mas, no que diz respeito a um bebê de pele escura filho de um casal branco, o caso mais bem documentado é o de Sandra Laing, nascida de pais africâneres brancos na década de 1950 na África do Sul, mas com fenótipo de negra, com pele escura, cabelos crespos e grossos e outras distinções físicas visíveis. Para saber mais a respeito de Sandra, recomendo a leitura do livro de Judith Stone, *When She Was White: The True Story of a Family Divided by Race* [Quando ela era branca: a história real de uma família dividida pela raça]; ou as páginas 70-3 de *Who We Are — and Should it Matter in the 21st Century?* [Quem somos nós — e isso tem alguma importância no século xxi?], de Gary Younge.

Nos primórdios da colonização, era comum que homens britânicos residentes na Índia e no Ceilão se casassem com uma "nativa", o que supostamente os ajudava a se adaptar melhor e ter mais acesso à população local. O contexto mudou, porém, a partir da abertura do canal de Suez, em 1869. Como mais mulheres solteiras começaram a viajar para o exterior a fim de "fisgar" um marido rico, os filhos de casamentos inter-raciais passaram a ser vistos com menos tolerância; além disso, acreditava-se que eles não eram tão leais à Coroa britânica.

Os leitores familiarizados com a história do Sri Lanka devem ter notado que eu modifiquei a época de um ou outro acontecimento para adaptá-los ao contexto da narrativa. Foi o caso da disputa quanto ao idioma a ser ensinado nas escolas, e também da batalha das flores.

# Agradecimentos

Tenho uma dívida de gratidão com Andrew Taylor, do Ceylon Tea Trails, no Sri Lanka, pelo passeio fantástico à Norwood Tea Factory, onde aprendi muito sobre chá e sobre os tempos do antigo Ceilão. Sem a ajuda da equipe do Tea Trails, que forneceu diversos detalhes sobre a vida na época da colônia, este livro seria bem menos autêntico. Ficamos hospedados no belíssimo bangalô Castlereagh, situado à beira d'água na região das fazendas de chá, onde mergulhei nos livros de história da extensa biblioteca do hotel quase todos os dias. Agradeço especialmente a nossos "mordomos" e a Nadeera Weerasinghe por identificar para mim as plantas, árvores e aves dos belíssimos jardins do Tea Trails. Obrigada também a nosso motorista e guia Sudarshan Jayasinghe, e a Mark Forbes, de Colombo, pelo passeio pela cidade, além da equipe do Hotel Galle Face, onde nos hospedamos quando estivemos por lá. A viagem como um todo foi planejada com maestria por Nick Clark, da Experience Travel.

Sou muito grata à riqueza de informações que podem ser encontradas na internet, em especial no YouTube, que me permitiram obter detalhes visuais sobre o Sri Lanka do passado e do presente. Um livro de memórias em especial me foi muito útil: *Round the Tea Totum: When Sri Lanka Was Ceylon* [Em torno da cultura do chá: quando o Sri Lanka era Ceilão], de David Ebbels, com suas descrições fascinantes da vida em família em uma fazenda de chá, em particular seus hábitos de sono e rituais de higiene.

Por fim, um caloroso agradecimento às minhas incansáveis agentes, Caroline Hardman e Joanna Swaison, e à minha editora Venetia Butterfield, além de toda a equipe da Penguin, que tanto trabalhou para publicar este livro. Muito obrigada a todos.

Entre os livros que considerei particularmente úteis enquanto fazia a pesquisa histórica para o romance estão:

*Dictionary of Sri Lankan English* [Dicionário de inglês do Sri Lanka], de Michael Meyler, disponível em <www.mirisgala.net>.

*19th Century Newspaper Engravings* [Gravuras de jornal do século xix], de R. K. de Silva (Serendib Publications, 1998).

*Vintage Posters of Ceylon* [Pôsteres clássicos do Ceilão], de Anura Saparamadu (W. L. H. Skeen & Company, 2011).

*Ceylon Under the British* [Ceilão sob o jugo britânico], de G. C. Mendis (Asian Educational Services, 1951).

*Sri Lankan Wildlife* [Vida selvagem do Sri Lanka], de Gehan de Silva Wijeyeratne (Bradt Travel Guides, 2007).

*Sri Lanka in Pictures* [Sri Lanka em imagens], de Sara E. Hoffmann (TFCB, 2006).

TIPOGRAFIA Adriane por Marconi Lima
DIAGRAMAÇÃO Verba Editorial
PAPEL Pólen Natural, Suzano S.A.
IMPRESSÃO Gráfica Bartira, novembro de 2022

A marca FSC® é a garantia de que a madeira utilizada na fabricação do papel deste livro provém de florestas que foram gerenciadas de maneira ambientalmente correta, socialmente justa e economicamente viável, além de outras fontes de origem controlada.